Eliane ist der Sargnagel ihrer Tochter Nora. Gerade hat Nora sich in ihrer kleinen Buchhandlung und im Alltag mit Freund Sven behaglich eingerichtet, da verdonnert ihre exzentrische Mutter sie zu einer Reise nach New York. Dort betreibt Eliane eine etwas dubiose Partnervermittlungsagentur mit einer Sekretärin, die aussieht wie die Mutter von Amy Winehouse. Nora soll nun ein Filmteam und zwei Klientinnen ihrer Mutter dorthin begleiten und ahnt nicht, dass diese Reise ihr ganzes Leben verändern wird ...

Christiane André, geboren in Koblenz, studierte Publizistik, Psychologie und Soziologie, arbeitete als Eventmanagerin mit eigener Firma, Produktionsassistentin im Bereich Spielfilm und TV sowie als Assistentin bei einer Schauspiel- und Casting-Agentur. Sie lebt mit ihrer Familie in der Nähe von Dessau auf dem Land.

Christiane André

Make me glücklich

Roman

Deutscher Taschenbuch Verlag

**Ausführliche Informationen über
unsere Autoren und Bücher
finden Sie auf unserer Website
www.dtv.de**

Originalausgabe
Januar 2010
2. Auflage März 2010
© 2010 Deutscher Taschenbuch Verlag GmbH & Co. KG,
München
Umschlagkonzept: Balk & Brumshagen
Umschlaggestaltung: Wildes Blut,
Atelier für Gestaltung, Stephanie Weischer
Satz: Fotosatz Amann, Aichstetten
Gesetzt aus der Palatino 9,5/12·
Druck und Bindung: Druckerei C. H. Beck, Nördlingen
Gedruckt auf säurefreiem, chlorfrei gebleichtem Papier
Printed in Germany · ISBN 978-3-423-21191-8

Berlin, beinahe wie immer

Bei mir klingelt das Handy einfach immer im falschen Moment. Immer. Wenn ich zu Hause auf dem Sofa sitze und massenhaft Zeit und Ruhe habe, klingelt es nie, dann hat kurz zuvor der Akku den Geist aufgegeben, und ich merke es erst Stunden später. Aber es klingelt, wenn ich im voll besetzten Wartezimmer zwischen all den schweigenden Menschen sitze, direkt unter dem »Handys verboten«-Schild. Es klingelt im Kino, kurz vor der Stelle, wo sie ihn (endlich, endlich!) gleich küsst. Oder, so wie jetzt, bei der Arbeit, während mein Chef gerade vor mir steht und mich wegen irgendeiner angeblichen Fehlleistung zur Schnecke macht.

»... habe ich Ihnen schon hundertmal gesagt, Frau Tessner, oder etwa nicht?! Es kann doch nicht so schwer sein, die Reihenfolge einzuhalten: Jalousie, Schild, Kasse, Kaffee, Post. Sie sind doch jung und im Vollbesitz Ihrer geistigen Kräfte – oder irre ich mich?! Jalousie, Schild, Kasse, Kaffee, Post...«

Am liebsten hätte ich vor Wut in die dicke Holzplatte des Ladentischs gebissen. Was für eine Ungerechtigkeit! Es war so vollkommen egal, in welcher Reihenfolge ich morgens die Buchhandlung Schubert betriebsbereit machte. Sollte er doch froh sein, dass ich sie überhaupt aufmachte, obwohl ich gar nicht Schubert hieß. Dass nicht er so früh aufstehen musste, sondern in mir einen preiswerten Deppen gefunden hatte, der das übernahm? Sollte er mir nicht täglich die Füße küssen dafür, dass ich so gut mit den Kunden umgehen konnte, dass ich ihnen mehr Bücher verkaufte, als sie je hatten haben wollen?! Stattdessen nutzte er jede Gelegenheit, an mir herumzumeckern. Wieso war ich eigentlich noch hier?

Bevor ich jedoch zum ernsthaften Versuch übergehen konnte, mir diese Frage zu beantworten, klingelte – wie schon gesagt – mein Handy.

»Let's talk about sex, ba-by«, dudelte es aus meiner Handtasche, laut und vernehmlich. ›Salt'n'Pepa‹, wie abgrundtief peinlich! Ich spürte, wie ich tomatenrot anlief. Verdammt, wieso hatte ich mir vor zwei Wochen ausgerechnet diesen Song draufgespielt – sentimentale Erinnerung an meine erste richtige Party Anfang der neunziger Jahre und an Oliver, meinen ersten richtigen Schwarm.

Wenn es etwas gibt, das mein Chef noch weniger leiden kann als zum falschen Zeitpunkt eingeschaltete Kaffeemaschinen, dann sind das während der Arbeitszeit klingelnde Handys. Er brach mitten im Wort ab, stierte mich an, als wäre ich eine besonders eklige Kakerlake, und drehte sich auf dem Absatz um. Ich wusste, welchen Vortrag er nun als Nächstes vorbereitete.

Unter dem Tisch hatte ich bereits angefangen, in meiner Tasche zu wühlen.

»Nora«, flüsterte ich endlich. »Was ist denn?« Es konnte eigentlich nur Sven sein; keine meiner Freundinnen war um diese Uhrzeit schon wach genug, um vernünftig zu telefonieren.

»Schätzchen! Bist du das? Du sprichst so leise! Hallo? Nora??!!«

O nein. Von all den vielen Menschen auf diesem Planeten, die meine Handynummer besitzen, war es ausgerechnet meine Mutter. Ich dachte tatsächlich für den Bruchteil einer Sekunde daran, »Hallo, hallo, die Verbindung ist so schlecht« zu rufen und wieder aufzulegen, aber dann brachte ich es doch nicht fertig.

»Ja, ich bin's. Schrei doch nicht so.«

»Nora, Schatz, hallooo! Ich *schrei* doch gar nicht! Habe ich dich jemals angeschrien, Schätzchen?! Nein, siehst du! Das ist stillos, und wenn ich etwas in ausreichendem Maße besitze, dann ist es Stil! Was man von anderen Dingen nicht behaupten kann, tut aber jetzt nichts zur Sache. Zu dir: Wie *geht* es dir, Darling?! Wir haben ja schon wieder eine Ewigkeit nicht miteinander gesprochen...«

So war es. Meine Mutter besetzte seit ewigen Zeiten auf meiner persönlichen In- und Out-Liste einen Stammplatz auf der Seite mit O – ungefähr seit meinem fünfzehnten Lebensjahr. Jetzt war ich mittlerweile fast doppelt so alt, und es gab keine Anzeichen dafür, dass sich das ändern würde. Anders ausgedrückt: *Sie* lieferte keine Anzeichen dafür, dass sie sich ändern würde.

»Ja, Mama. Was ist denn? Ich bin bei der Arbeit...«

»Meinst du in diesem Buchladen?! Hast du das immer noch nicht aufgegeben?! Nora, ich habe dir doch schon vor zwei Jahren gesagt, dass das nichts für dich ist! Zu einsam, zu verstaubt, und was ist mit einer Karriere?! Wozu hast du denn studiert, Schätzchen, wenn du dann doch nur in einem kleinen Laden in Schöneberg herumhockst und ab und zu mal einen Kalender verkaufst?! Du musst was aus dir machen...«

Ich knirschte mit den Zähnen. Aber wenn ich ihr jetzt widersprach, würde das Leiden nur verlängert, und außerdem saß mein Chef garantiert im Hinterzimmer und zählte die Sekunden.

»... hast dir zwar seltsame Fächer ausgesucht – *Ethnologie*, man höre und staune! Ich habe dir immer gesagt, dass dir mit Jura oder BWL ganz andere Türen offen gestanden hätten, aber bitte – lass uns jetzt nicht diese alten Kamellen aufwärmen, Schätzchen, ich habe noch jede Menge Termine heute Vormittag. Ich wollte nur mal hören, ob es dir gut geht. Hast du denn eigentlich noch diesen Freund, diesen ... hieß er nicht Sören? Oder Sander – irgendwie so etwas Nordisches, das weiß ich bestimmt ...«

»Sven. Ganz einfach Sven. Und wir ziehen nächste Woche zusammen. Wir haben eine Wohnung in der Motzstraße bekommen. Ich hab dir letzten Monat davon erzählt – dass wir zusammenziehen wollen.«

»Nein wirklich, so was! Zusammenziehen! Bist du nicht noch ein bisschen ... na ja, jung dafür? Noralein? Das ist ein gewaltiger Schritt! Willst du dich wirklich jetzt schon binden ...?«

Ich konnte es kaum fassen. Ausgerechnet meine Mutter riet mir von einer festen Bindung ab – meine Mutter! Die stolze Inhaberin einer *Heiratsagentur* – unter der Bezeichnung hatte sie ihr Geschäft vor 22 Jahren nämlich angefangen. Meine Mutter hatte nichts anderes im Kopf, als Ehen zu stiften, und ich hatte noch nie den Eindruck gehabt, dass sie es dabei allzu genau nahm: »Passt schon«, hatte sie oft verkündet, wenn sie zwei Unglückliche an einem Caféhaustisch zusammengebracht hatte, auch wenn die beiden inhaltlich nie über das Wetter und das bevorzugte Fernsehprogramm hinauskamen. »Passt schon, die Liebe kommt dann mit den Jahren!« Und jetzt erzählte sie mir, die ich stramm auf die dreißig zuging, ich solle mich noch nicht fest binden! Ich war seit eineinhalb Jahren mit Sven zusammen. Aber die zurückhaltende Reaktion meiner Mutter löste bei mir den »Jetzt erst recht«-Effekt aus.

»Lass das mal meine Sorge sein«, erwiderte ich pampig. »Du müsstest ja genug eigene Sorgenkinder haben.«

»Hahaha! Du sagst es, Schätzchen, du sagst es! Deswegen brauche ich ja auch deine Hilfe! Ich rechne fest mit dir, du darfst mich auf keinen Fall hängen lassen!!!«

Wie bitte?! Das klang nicht gut. Das Beste war, nichts gehört zu haben. Wenn meine Mutter um Hilfe bat, war Katastrophenalarm angesagt.

»Mein Chef kommt«, flüsterte ich. »Ich muss auflegen,

er mag das gar nicht, wenn ich telefoniere ...« Von Herrn Schubert war keine Spur zu sehen.

»Was? Aber das ist ein Notfall! Gib ihn mir doch mal, ich erkläre ihm rasch, worum es geht ...«

Mist. »Nein! Er ... er hat einen Kunden ...«

»Schätzchen, du wirst begeistert sein! Ich kann leider nicht selbst, ich muss dringend nach Tansania, die Zumhorstens, du erinnerst dich doch, ja, da gibt es Ärger – genau im allerschlimmsten Moment! Es sind schon alle Tickets gebucht, direkt von New York aus nach Daressalam, für das komplette Team, und da zicken die beiden rum! Zwanzig Jahre glücklich verheiratet, und kaum ...«

»Moment, Moment – ich verstehe kein Wort! Aber ich hab eigentlich auch keine Zeit ...«

Natürlich ignorierte sie meinen Einwand souverän. »Na, der Film natürlich! Der große Fernsehfilm über mich und die Agentur – sag bloß, du hast das vergessen!? Sie drehen doch schon seit einer Woche. Das ist ein Stress, ich weiß gar nicht, wo mir der Kopf steht! Und dann auch noch die Zumhorstens ...«

Der Film, natürlich. Sie hatte ihn bei unserem letzten Telefonat vor ein paar Wochen erwähnt, aber ich hatte sie nicht sonderlich ernst genommen. Sie machte immer so viel Wind um ihre Agentur. *Matches Worldwide* – schon der Name war großspurig. Ich hatte geglaubt, irgendjemand würde vielleicht einen Zwei-Minuten-Beitrag für die Abendschau machen.

»... jedenfalls kann ich nicht nach New York, weil ich die Zumhorstens erst wieder versöhnen muss. Die sind doch mein Paradestück, verstehst du?! Also musst du für mich einspringen, Noralein! Ist das nicht toll – New York! Flug, Hotel, ein paar Tage ›Big Apple‹, und es kostet dich keinen Cent! Übermorgen geht's los, Schätzchen – das ist doch sicher kein Problem für dich!«

In Wirklichkeit hatte ich in diesem Augenblick sogar

gleich mehrere Probleme. Erstens war mein Chef jetzt tatsächlich aus dem Hinterzimmer aufgetaucht und näherte sich mit muffigem Gesichtsausdruck. Zweitens fand ich es unglaublich und unverschämt, wie locker-flockig meine Mutter über mein Leben bestimmte. Kein »Könntest du mir einen Gefallen tun?« oder »Wann hättest du denn Zeit?«, sondern diese »Was ich nicht alles für dich tue!«- Haltung. Und drittens... WOW, New York! Wem prickelte es da nicht gleich in den Fingerspitzen?!

Doch ich wusste, dass der Pferdefuß noch kommen würde – und wahrscheinlich nicht nur einer.

»... ich fliege morgen, also solltest du am besten heute noch in der Agentur vorbeikommen, dann können wir alles durchgehen...«

Herr Schubert stand jetzt vor dem Ladentisch, und sein Gesichtsausdruck entsprach einer Unwetterwarnung Stufe fünf. Oder sechs.

»Meine Mutter...«, flüsterte ich in einem hilflosen Versuch, den Orkan noch abzuwenden, und zeigte mit verzweifeltem Augenaufschlag aufs Handy.

Und da hatte ich zum ersten Mal an diesem Tag auch mal Glück. Mein Chef stockte mitten in der Bewegung, nickte und flüsterte in verständnisvollem Tonfall zurück: »Diese Mütter, da kann man nichts machen.« Mit einem schicksalsergebenen Schulterzucken drehte er sich um und trottete davon. Ich konnte es kaum fassen.

»... ja, Schätzchen?! Gegen fünf dann! Und prüf doch bitte vorher nochmal deinen Reisepass... ach ja, und ein Friseurtermin könnte bestimmt auch nicht schaden, für alle Fälle! Soll ich einen für dich machen? Ich...«

»Nein. Nein! Du sollst keinen Friseurtermin für mich machen! Und um fünf könnte ich noch gar nicht, weil ich nämlich bis sechs arbeiten muss...«

Sie unterbrach mich wieder, bevor ich ihr noch weiter erläutern konnte, was ich von ihrer Art hielt, mich herumzukommandieren. »Oh, na gut, dann eben um sechs! Ich bin heute sowieso lange in der Agentur, um alles vorzubereiten. Heute ist Drehpause, weißt du, Gott sei Dank – ich habe ja neben der ganzen Filmerei auch noch Kunden zu versorgen! Und jetzt muss ich weiter telefonieren, Schätzchen, sei mir nicht böse, wir besprechen alles Weitere dann um sechs, bis dann, ciao, Süße, ciao!« Peng! Sie hatte aufgelegt.

Ich schloss verzweifelt die Augen. Beinahe dreißig, und ich kriegte es immer noch nicht hin! Ich war nicht dazu in der Lage, meiner Mutter ein für alle Mal klarzumachen, dass ich mein eigenes Leben führte, in dem sie mittlerweile nur noch Gast war. Und in dem sie sich bitteschön auch verhalten sollte wie ein Gast: freundlich und zurückhaltend (und ab und zu vielleicht ein kleines Geschenk).

Ich riss die Augen wieder auf. Hatte sie mir nicht eben ein Geschenk gemacht?! New York …

Aber das war ja keins. Irgendetwas sollte ich doch dort erledigen, und es war bestimmt nichts Angenehmes. Und überhaupt: übermorgen! Das konnte man ja total vergessen. Ich musste arbeiten, am Samstag war der Umzug in die neue Wohnung, und mit Leandra war ich auch noch verabredet – mit meiner besten Freundin, die ich kaum noch sah, seit sie nach Stuttgart gezogen war. Ich musste meine Mutter sofort zurückrufen, ihr kurz und knackig sagen, dass ich natürlich nicht kommen würde, und die Sache einfach vergessen.

Doch da erschien leider die erste Kundin des Tages, und ich kam nicht mehr dazu. Dann tauchte auch mein Chef wieder auf und musste unbedingt die neue Schaufensterdekoration mit mir besprechen, und als er irgendwann mal abgelenkt war, war bei meiner Mutter andauernd besetzt.

In der Mittagspause rief ich meine Freundinnen an, um ihnen vom Ansinnen meiner Mutter zu berichten.

Marie, die in einer Werbeagentur arbeitet und mich erst abwürgen wollte, weil sie eine »Besprechung« hatte, ließ diese aber umgehend sausen, als ich von New York anfing. Sie flüsterte auf mich ein, es sei doch eventuell viel souveräner, wenn ich ganz lässig den Auftrag annehmen, ihn perfekt ausführen und meiner Mutter hinterher die Meinung geigen würde.

Silke war auf dem Weg zur Uni, um mit ihrem Prof zu sprechen (sie ist ein bisschen spät dran mit ihrem Abschluss), und hatte Zeit, alles ausführlich mit mir durchzugehen. Wir machten eine Pro- und Contra-Liste – nur so aus Spaß. Auf der Contra-Seite stand dick und fett meine Mutter, was ja nicht sehr gerecht war.

Leandra erwischte ich in Stuttgart an ihrem Schreibtisch; sie wollte gerade aufbrechen, um noch ein paar Besorgungen für ihre Reise nach Berlin zu machen. Sie hörte sich alles in Ruhe an, wie das so ihre Art ist, und fragte dann, was ich denn eigentlich wolle.

»Ich kann unter keinen Umständen fahren, gar kein Gedanke, so kurzfristig bekomme ich auch gar nicht frei, und dann der Umzug, und außerdem kann ich dich am Freitagabend nicht sehen, ganz ausgeschlossen.«

»Wir können uns auch am Abend vorher kurz treffen, ich komme schon am Donnerstag an«, wandte Leandra ein.«

Als ich meinen Latte und das Sandwich bei Roberto bezahlte – er betreibt das »September« gleich neben der Buchhandlung -, riet er mir, unbedingt zu fahren. Ich wurde ein bisschen rot – hatte ich etwa schon wieder vergessen, leiser zu reden? Eine meiner schlechten Angewohnheiten, aber nur am Telefon; ich scheine in den Hörer zu brüllen, als hätten wir 1970 und eine sehr schlechte Verbindung nach Japan ergattert.

Mit immer noch rotem Kopf rief ich draußen schnell nochmal bei Sven an. Manchmal erreichte ich ihn zwischen zwei Sendungen (er war Kameramann beim rbb und machte zur Zeit die Nachmittags-Shows). Ich hatte Glück.

»Hi, ich bin's. Du glaubst nicht, wer mich vorhin im Laden angerufen hat . . .«

Sven ist ein guter Zuhörer, ein seltener Charakterzug bei Männern. Er lauschte meinem Bericht und knurrte nur ab und zu etwas Unverständliches.

»Deine Mutter hat echt eine Meise«, sagte er schließlich.

»Da hast du recht«, erwiderte ich. Ein bisschen pikiert war ich aber doch. Durfte ein Außenstehender sich so drastisch ausdrücken? »Schubert gibt mir nie frei . . .«

»Na, und Samstag! Das ist ja komplett verrückt – der LKW ist bestellt, alle haben sich auf den Umzug eingestellt, die Wohnung . . .«

»Ja, klar. Obwohl *du* ja könntest, theoretisch – ich meine, umziehen. Ich muss ja meine Miete sowieso noch einen Monat bezahlen, ob ich also diese oder nächste Woche umziehe, bei den paar Sachen. Streng genommen . . .«

»Wie meinst du das, Nora? Ich soll alleine in der neuen Wohnung rumhocken, bis du irgendwann nachkommst?! Und wir sollen nochmal einen LKW mieten und unsere Freunde anquatschen – weißt du, was das kostet?!«

»Dreißig Euro die Stunde, soweit ich weiß, und länger als drei Stunden brauchen wir ihn nicht . . .«

»Und das Benzin?! Außerdem sind's eher vier bis fünf Stunden, glaub mir. Und Getränke und Essen für alle; du musst sie ja verpflegen; Martin und Marie saufen hinterher glatt zwei Flaschen Prosecco weg, das weißt du doch!«

»Also jetzt mal doch nicht immer gleich so schwarz! Und außerdem hättet ihr ja *diesen* Samstag weniger zu tun und . . .«

»Du willst das also echt durchziehen?! Ich glaub es nicht! Zwei Tage vor dem Umzug . . .«

»Drei! Und du machst immer alles so kompliziert . . .«

»Ich?! Mit so einer verrückten Idee bist das ja wohl du!

Du hättest deiner Mutter klipp und klar sagen sollen, dass das gar nicht infrage kommt – stattdessen denkst du noch ernsthaft darüber nach! Du weißt ja offensichtlich noch gar nicht, was du überhaupt machen sollst! Lässt dich ködern, nur weil es irgendwie um New York geht ...«

»Ich hab mich überhaupt nicht ködern lassen!« Langsam verging mir die gute Laune. »Ich hab ja abgesagt, aber ...«

»Aber dann doch zugesagt?! Nora, das ist doch Scheiße! Ohne vorher mit mir zu reden – geschweige denn, dir mal ein paar Gegenargumente anzuhören! Ich finde, da hab ich schon auch noch was zu sagen – schließlich hast *du* mich überredet, mit dir zusammenzuziehen!«

»Was? Jetzt schlägt's aber dreizehn! Ich hab die Idee mal erwähnt, aber du hast dich so richtig drauf gestürzt! Und immer erzählt, wir könnten ja so viel Geld sparen damit und könnten doch ins kalte Wasser springen, alt genug wären wir allmählich! Bei diesen Sprüchen habe ich mich manchmal ganz schön gegruselt, kann ich dir sagen!« Ich merkte gar nicht, dass die Leute auf der Straße sich nach mir umsahen, so sehr köchelte ich vor mich hin.

»Was redest du da?! *Du* hast doch dauernd gesagt, dass dich die Typen in meiner WG langsam nerven und dass deine Wohnung viel zu klein ist! Wegen *dir* musste ich seit Wochen jeden Samstagnachmittag zu IKEA – oder ins Stilwerk, obwohl wir uns die Möbel da gar nicht leisten können! In welcher Wirklichkeit lebst du denn?!«

»Offensichtlich in einer anderen als *du*!« Ich wurde etwas lauter. »In meiner Wirklichkeit warst du eigentlich jemand, der zuhören kann, auch mal nachdenkt und Optionen abwägt und den anderen sein lässt, wie er ist! Sonst wäre ich auch nie auf die Idee gekommen, überhaupt mit dir zusammenzuziehen! Die »Ich-weiß-schon-wo's-langgeht-und-erklär's-dir-jetzt-mal«-Typen kenne ich nämlich schon, und die brauche ich nicht, danke schön! Aber scheinbar gehörst du in der *wirklichen* Wirklichkeit jetzt doch zu denen, ja?! Statt mich mal zu fragen, was ich denn eigentlich will!«

Schweigen. Ich sah, wie ein dicker Mann im Jogginganzug grinsend in einem Hauseingang stand und mich beobachtete. Ich streckte ihm die Zunge heraus und drehte mich auf dem Absatz um.

»Ich muss jetzt wieder rein«, sagte Sven. »Janine winkt mir schon seit fünf Minuten.«

Ha! *Janine* ... die war sowieso eine blöde Kuh. »Bitte!«, fauchte ich. »Lass dich nicht von der Arbeit abhalten, nur weil unsere Beziehung gerade den Bach runtergeht!«

»Du bist einfach im Moment nicht ganz bei dir. Vielleicht sollten wir den kompletten Umzug abblasen – war eben 'ne blöde Idee. Und jetzt geh ich rein.« Und er war weg.

Ich stand schockiert und wie belämmert am Straßenrand. Einen solchen Streit hatten wir in den ganzen anderthalb Jahren nicht gehabt; Sven war gar nicht der Typ für heftige Auseinandersetzungen. Hatte er mir jetzt wirklich die Freundschaft gekündigt – nur wegen einer theoretischen Überlegung?! Wie konnte er es wagen?! Ich kniff die Augen zusammen, um die Tränen zurückzuhalten.

Ich musste wieder in den Laden zurück, meine Pause war um. Womöglich hatte Herr Schubert schon nach mir Ausschau gehalten und gesehen, wie ich in mein Handy schrie und einem Passanten die Zunge herausstreckte. Dann konnte ich mich gleich auf die nächste Tirade gefasst machen. Ach, sollten sie sich doch alle zum Teufel scheren!

Ich gab mir einen Ruck, setzte eine gespielt heitere Miene auf und marschierte in die Buchhandlung zurück. Mein Chef stand hinter der Kasse und sah mir leider direkt entgegen.

»Ach, gut, Frau Tessner ... die Bestellungen für die Müritz-Grundschule sind gekommen, rufen Sie doch bitte dort an und sagen Sie Bescheid. Und dann räumen Sie diese Reiseführer ein – wenn ich mich nicht irre, liegen die schon seit einer Woche hier.«

Mein Blick fiel auf den Stapel bunter Paperbacks, die er auf der Theke aufgeschichtet hatte. ›Schweden für Verliebte‹ hieß das Buch, das obenauf lag, und aus unerfindlichen Gründen liefen mir plötzlich die zurückgehaltenen Tränen sturzbachartig über die Wangen. Ich schluchzte laut auf und tastete blind in meiner Handtasche nach einem Taschentuch.

Herr Schubert sah mich erschrocken an. »Aber Frau Tessner, das ist doch ... Sie können sie auch später einräumen, ich wollte doch nicht ...«

Ich schluchzte noch lauter und stammelte: »Nein, das ... ich ... es ist nur, dass ... ich soll nach New York, und ich weiß nicht, ob sich mein Freund von mir getrennt hat, könnte schon sein, aber meine Mutter war es, die alles durcheinandergebracht hat ...«

Auf Herrn Schuberts hagerem Gesicht spiegelte sich etwas wie Verwirrung. »New York?«, fragte er zögernd.

Und ich erzählte ihm alles.

Es war das erste Mal, dass wir tatsächlich miteinander redeten, über Persönliches.

Bei meinem Einstellungsgespräch hatten wir zwar auch lange gequatscht, aber da war es ausschließlich um Bücher gegangen – dass wir uns ein Leben ohne Bücher nicht vorstellen konnten, welche wir am liebsten mochten, welche Autoren wir für unter- oder überschätzt hielten ... Im Nu war eine ganze Stunde um gewesen, und Herr Schubert hatte mich sofort eingestellt.

Seither durchliefen wir eine Phase der Ernüchterung – beiderseitig, nehme ich an. Mir gingen seine Zwangsneurosen und seine Verkniffenheit auf die Nerven, und er fand sicher auch, er hätte mit mir ein Päckchen zu tragen.

Dass ich den Job nicht schon längst wieder geschmissen hatte, lag hauptsächlich daran, dass ich ihn liebte – den Laden, meine ich.

Die Buchhandlung Schubert ist klein, verschachtelt und bis unter die Decke vollgestopft mit Büchern, und auch im Hochsommer ist es irgendwie dunkel bei uns, wegen der Holzvertäfelungen. Es ist still und heimelig, wie in einer Höhle mit tausenden von Schätzen.

Meine Freundinnen hatten damals gesagt, ich würde mich vor einer Karriere verkriechen, und der Job wäre auf Dauer viel zu langweilig, aber sie verstanden das eben nicht.

Außerdem: Ich verdiene besser als Marie, die in einer schicken Werbeagentur arbeitet! Sie muss schuften wie blöd, bestimmt sechzig Stunden die Woche, und geht am Monatsende trotzdem nur mit 1.300 netto nach Hause. Marie glaubt, es wird besser, wenn sie endlich die Stelle als Kontakterin bekommt. Dann kann sie sich die edlen Klamotten auch leisten, die sie immer anziehen muss.

Bei mir achtet keiner darauf, ob das T-Shirt, das ich trage, auch wirklich von Gucci ist (ist es leider nicht).

Mein Chef achtet stattdessen leider auf ganz andere Nebensächlichkeiten, aber man kann eben nicht alles haben.

Wie auch immer – an diesem Tag redeten wir also. Beziehungsweise *ich* redete. Nachdem ich fertig war, putzte ich mir die Nase und fing schon an, meine Offenherzigkeit zu bereuen. Aber Schubert überraschte mich zum zweiten Mal.

»Wenn Ihr Freund das wirklich ernst gemeint hat, Frau Tessner, dann sollten Sie sich ohne Bedauern von ihm trennen. Man wirft nicht eben mal eine Beziehung über Bord wegen eines einzigen Missverständnisses. Und erst recht nicht am Telefon, das gehört sich nicht.«

Gut, dass er jetzt nicht anfing, über Handys im Allgemeinen herzuziehen. Ich schluckte: »Was soll ich denn jetzt tun?! Soll ich ihn nochmal anrufen?«

»Nein. Nein! Lassen Sie ihn schmoren, das wirkt am besten. Und machen Sie solange einfach das, was *Ihnen* entspricht.«

Was war denn jetzt los? Hatte mein Chef heimlich zu viele von den Beziehungsratgebern gelesen, die sich bei uns so gut verkauften – das ›Kleine Einmaleins der erfolgreichen Frau‹ oder ›100 Tricks, wie Sie ihn kleinkriegen‹?!

»Was entspricht mir denn?«, fragte ich neugierig und schon wieder gefasster.

Herr Schubert überlegte nicht lange. »Sie helfen Ihrer Mutter. Dieses eine Mal – womit Sie sich eine Chance geben, Ihr Verhältnis zueinander noch einmal neu zu definieren. Wenn das nichts nützt, haben Sie es wenigstens versucht und können Ihre Hände in Unschuld waschen. Und Sie haben doch sowieso Lust, nach New York zu fliegen.«

Beinahe wäre mir mein Mund vor Staunen offen geblieben. Er musste wirklich eine Überdosis erwischt haben! Im Grunde riet er mir das Gleiche wie Marie – die würde Augen machen, wenn ich ihr davon erzählte.

»Aber...«, sagte ich zögernd, »ich weiß doch gar nicht, um was es sich handelt, und ich müsste ja auch schon übermorgen...«

»Ihre Mutter wird Sie ja wohl nicht in eine unsittliche oder gefährliche Situation bringen, oder?! Und was den Termin angeht: Sie haben doch sowieso Samstag und Montag freigenommen wegen des Umzugs. Nehmen Sie noch drei Tage dazu – ich komme schon zurecht.«

»Das würden Sie tun?!« Ich betrachtete erfreut sein schütteres Haar. »Wieso denn das?«

Die Frage brachte ihn ein wenig aus der Fassung. »Ich äh ... weil, na ja, warum nicht?! Mir scheint, es würde Ihnen guttun, mal an die frische Luft zu kommen.«

Ich sah ihm nach, wie er, Geschäftigkeit vortäuschend, wieder im Hinterzimmer verschwand. Wow. Dieser Mensch war mehr als ein verdrehter Bücherwurm und ein altmodischer Chef: Er war schon beinahe cool.

Freunde und Friseure

Ich schwöre, dass ich nichts unternommen hatte, um an dem Tag früher Schluss zu machen – Schubert ließ mich einfach so schon um fünf gehen. Vielleicht war ihm aufgefallen, dass ich dauernd an meinen Haaren herumzupfte? Das ist so eine unbewusste Reaktion von mir – vielleicht, weil ich glaube, dass ein Friseurbesuch in schwierigen Lagen Wunder wirkt. Und ich war nun wahrhaftig in einer schwierigen Lage: Mein Freund hatte sich womöglich von mir getrennt!

Jedenfalls gab ich auf meinem alten Kettler richtig Gummi, um schnell zu »Haarscharf« zu kommen. Ich wusste, wenn ich erst unter Lorenzos Shampoo-Bergen verschwunden war, würde es mir sofort besser gehen.

Leider war Lorenzo schon mit einer anderen zugange.

Ich stellte mich so hin, dass diese andere mich im Spiegel nicht sehen konnte, und machte ein paar vieldeutige Gesten. Lorenzo ist der neugierigste Mensch, den ich kenne – ein dünner, langer Hauch von einem Mann. Ich glaube, er lebt von den Geschichten seiner Kundschaft statt von Fleisch und Gemüse. Und dabei ist er verschwiegen wie ein Grab; das Einzige, wovon *er* redet, ist seine eigene, ewig unglückliche Suche nach Mr. Right.

Zehn Minuten später schüttete ich Lorenzo mein Herz aus, und er seufzte mitfühlend, gab kleine missbilligende Grunzer von sich und massierte mir dabei hingebungsvoll den Kopf. Der Angestellte des lieben Gottes, der die schwulen Friseure erfunden hat, hat hoffentlich einen Extra-Bonus gekriegt.

Kurz nach sechs machte ich mich mit frischem Schwung in den Haarspitzen auf den Weg zu meiner Mutter. Und was Sven anging, hatte mich Lorenzo auch mit Zuversicht versorgt. Männer, hatte er gesagt, sind die eitelsten Wesen des ganzen Planeten – sie kämpften nun mal ununterbrochen darum, an erster Stelle zu stehen. Und diesen Kampf würde Sven bei mir bestimmt noch nicht verloren geben.

Kein Wunder, dass Friseure so üppige Honorare nehmen.

Exakt um zwanzig Minuten nach sechs klingelte ich in der Bleibtreustraße bei *Matches Worldwide*. Meine Mutter sollte nicht denken, ich würde springen, wenn sie pfeift; da war diese Uhrzeit genau richtig.

Die neue Sekretärin meiner Mutter hieß Lucy-Lee und kam aus Pankow. Sie war gerade mal 23 und ein bisschen schwer von Begriff – obwohl wir uns schon einmal gesehen hatten, hielt sie mich zunächst für eine Kundin, denn sie lächelte auf diese Art, bei der die Mundwinkel beinahe bis hinter die Ohren rutschen. Während sie mich anstrahlte, tastete ihre Hand schon blind nach ein paar bunten Prospekten.

»Herzlich willkommen! Schön, dass Sie den Weg zu uns...«

Das hatte meine Mutter ihr beigebracht, jede Wette.

»Nein, nein, ich bin Nora. Meine Mutter erwartet mich.«

Das Lächeln mündete in einen erschrockenen Ausruf. »O ja, ach Gott, Entschuldigung! Ich dachte ... na ja, wenn das so ist – ich sage eben Bescheid.«

Die tat ja so, als wäre meine Mutter die Bundeskanzlerin! »Ist jemand drin?«, fragte ich.

Lucy-Lee schüttelte den Kopf und griff nach dem Telefon.

Ich winkte ab. »Ich gehe einfach rein«, sagte ich. Solange

meine Mutter keine Kunden vor dem Schreibtisch hatte, sah ich nicht ein, warum ich mich hier wie in einer Staatskanzlei bewegen sollte. Es war doch bloß eine Verkupplungsagentur, nichts Seriöses. Außerdem hatte ich schon zu viel mitgemacht mit diesem Laden, als dass ich noch großen Respekt gehabt hätte. In meiner Kindheit und Jugend hatte ich unter dem Job meiner Mutter mehr gelitten, als man sich vorstellen kann.

Eliane Tessner (ein Künstlername; »Elke« klang dann doch nicht so schick, fand meine Mutter) saß hinter ihrem verschnörkelten Schreibtisch und kritzelte eifrig auf einem dicken Stapel Papier herum. Ihr Büro war voll von diesem gruseligen gediegen-goldenen Dekor, bei dem man vor lauter eingebildetem Staub immer Atemprobleme bekommt. Ein Wunder, dass die Agentur noch lief – junge Leute setzten sicher freiwillig keinen Fuß in dieses Gemäuer.

»Noralein! Eine Sekunde noch . . .«

An der Wand hinter ihrem Schreibtisch hing die prunkvoll gerahmte Heiratsanzeige eines italienischen Grafen mit beeindruckendem Namen, dem meine Mutter vor achtzehn Jahren eine ihrer Klientinnen aufgeschwatzt hatte: strahlender Beginn der internationalen Karriere Eliane Tessners. Soweit ich wusste, hatte die italienische Ehe nur zwei Jahre gehalten, aber das, hatte meine Mutter immer gesagt, war ja nicht ihre Schuld.

»So! Alles fertig und bereit für die Übernahme!« Eliane strahlte mich an, als würde sie mir gleich den Nobelpreis überreichen.

Es gelang mir, gleichzeitig zu nicken und den Kopf zu schütteln. »Ich bin nur gekommen, weil ich . . . weil du so schwer zu erreichen bist und ich dir wenigstens die Gelegenheit geben wollte, mir in Ruhe zu erklären, was überhaupt los ist! Ich habe nämlich nicht den geringsten Schimmer . . .«

Meine Mutter lachte glockenhell. »Schätzchen! Hab ich dir nicht alles ausführlich erklärt?! Es ist wirklich Alarmstufe dunkelrot, sonst hätte ich dich ja gar nicht belästigt! Willst du etwas trinken? Es ist ganz einfach: Du fliegst mit zwei Kundinnen nach New York, und das Fernsehteam natürlich auch. Brooke hat einen Haufen Termine für die zwei gemacht – na ja, eigentlich nur für Denise, aber mein Instinkt sagt mir, dass die Mutter auch noch rumzukriegen wäre! Haha! Warte mal eben, Lucy-Lee soll dir einen Latte macchiato machen, den liebst du doch so, oder?!« Sie rannte zur Tür, erteilte ihren Befehl und eilte sofort wieder zurück. »Also: Das kann ich natürlich nicht von dir verlangen, dass du die Mutter auch noch unterbringst, aber stell dir vor, wie gut das käme: ›Sie wollte nur einen wunderbaren Partner für ihr Kind, aber nun hat auch die alleinstehende Mutter ihr Glück gefunden!‹ Hach! Ich sag ja nur! Das wäre sozusagen der Knüller...«

Es dauerte eine Weile, bis ich ihr die nackten Fakten so aus den Rippen geleiert hatte, dass ich sie auch verstehen konnte:

Denise Westerweg war Klientin meiner Mutter und sollte mit einem gutsituierten amerikanischen Ehemann versorgt werden – so weit, so einfach. Amerikanische Ehepartner waren das Kerngeschäft von *Matches Worldwide,* es schien einen nicht enden wollenden Bedarf dafür zu geben. Auf internationale Beziehungen war Eliane Tessner spezialisiert, und das interessierte eben auch das Fernsehteam am meisten, das den Film über sie drehte.

Die Verkupplungsversuche in New York würden also gefilmt werden, und danach gab es den Drehtermin in Afrika bei den Zumhorstens. Meine Mutter hatte genau eine Woche Zeit, deren zerrüttete Ehe wieder zu kitten. Ohne die Zumhorstens würde sie tatsächlich das Prunkstück ihrer Sammlung verlieren: ein reiches, glückliches, von ihr zusammengeführtes Ehepaar – er Schweizer, sie Südafrikanerin.

Leider hatte Südafrika gerade herausgefunden, dass es von der Schweiz betrogen wurde. Es war bereits zum offenen Ausbruch von Feindseligkeiten gekommen.

Deswegen musste meine Mutter sofort hin, und deswegen brauchte sie jemanden, der an ihrer Stelle nach Amerika flog. Es ging darum, Denise Westerweg und ihre Mutter zu begleiten, damit sie sich gut betreut fühlten, und dem Fernsehteam die Schokoladenseiten der Agentur zu zeigen. Eine leichte Übung also, sagte meine Mutter.

Ich machte ein skeptisches Gesicht. »Das ist ja eine ganze Meute, für die ich da verantwortlich bin!« Es klang nicht mehr nur nach Bummeln und Shoppen, hin und wieder unterbrochen von einem Treffen mit einer Kundin, wie ich mir das ausgemalt hatte.

»Aber Nora-*Schatz*, wo denkst du hin?! Ein paar ganz liebe, nette Leutchen, sehr selbstständig, sehr umgänglich – du wirst überhaupt keine Probleme mit ihnen haben! Die Westerwegs sind einfach *süß*! Sie sind aus dem Rheinland, fröhlich und unkompliziert; der Vater ist vor fünf Jahren gestorben, Altmetallbranche, glaube ich – auf jeden Fall haben sie Geld!« Eliane hatte ihre Stimme gesenkt und wedelte animiert mit der Hand. »Denise ist bloß ein paar Jahre jünger als du; ihr könntet theoretisch sogar Freundinnen werden! Sie ist eine ganz Herzliche, und sie hört auf ihre Mutter, es ist ein Traum!«

Zack! Meine Mutter war gut im Austeilen solcher Seitenhiebe; wenn man sie dann darauf ansprach, war sie ganz verblüfft und wusste von nichts.

Ich schüttelte nachdenklich den Kopf. »Aber ich habe überhaupt keine Zeit! Ich muss am Wochenende umziehen ...« Wenn ich mit meiner Mutter zusammen war, ertappte ich mich öfter dabei, genauso theatralisch zu werden wie sie. Lucy-Lee kam herein und stellte ein Glas Latte vor mir ab – genauso, wie ich es mochte: eine winzige Schicht Kaffee und sehr viel Milch.

»*Kindchen*! Ich weiß, ich weiß – wenn es nicht um mein Lebenswerk ginge, dann würde ich sagen, ich schicke irgendjemand anderen hin! Aber es geht nun mal um alles oder nichts, ums Eingemachte! Ich muss dir sagen, Nora, und das fällt mir nicht leicht: Es steht nicht sehr gut um die Agentur. Finanziell, meine ich. In den letzten Jahren… Nun ja, das Geschäft ist eben einfach schwieriger geworden. Das Internet… Die Leute wissen den persönlichen Kontakt und meine Erfahrung nicht mehr zu schätzen… Ich brauche den Film, verstehst du? Eine komplette Stunde über mich und *Matches Worldwide*! Das ist echte Werbung für mich!«

Ihre Stimme war ruhiger geworden – ohne all die Kiekser und dramatischen Betonungen. Es war also wirklich ernst. Ich fühlte mich plötzlich herausgefordert, mein Bestes zu geben, obwohl ich mit der Agentur nie etwas am Hut gehabt hatte. Mir fiel ein, dass Sven bestimmt anders reagiert hätte, wenn er von den Sorgen meiner Mutter wüsste.

»Hm…«, sagte ich.

»Nora«, flehte meine Mutter.

Der Blick, den sie mir zuwarf, war das Maximum an ernsthafter Bitte, mit dem ich rechnen konnte. So offen und ohne jede Show hatte sie mich bisher nur einmal angesehen – als mein Vater vor fünf Jahren gestorben war und sie mir erklärt hatte, warum sie nicht zu seiner Beerdigung gehen konnte. Um keine Missverständnisse aufkommen zu lassen: Mein Vater hatte Eliane verlassen, als ich acht war. Als Kind war ich der Meinung gewesen, meine Mutter hätte ihn in die Flucht getrieben – nein, im Grunde hatte ich das bis zu seinem Tod geglaubt. Erst dann hatte mir meine Mutter erzählt, dass eine andere Frau dahintergesteckt hatte. Es hatte lange gedauert, bis ich das gefressen hatte – es ist nun mal nicht leicht, sich von seinen Vorurteilen zu verabschieden. In meiner Vorstellung war, was die Ehe meiner Eltern anging, meine Mutter zwanzig Jahre lang die Böse gewesen.

»Also gut. Ich mach's.«

Auf dem wie immer perfekt geschminkten Gesicht meiner Mutter breitete sich das gleiche ausufernde Lächeln aus wie vorhin bei Lucy-Lee.

»*Das* ist meine Tochter! Du wirst das *wuppen*, Schätzchen, da wirst du selbst staunen, das sag ich dir! Lass uns gleich loslegen; ich muss nämlich auch noch packen! Wolltest du eigentlich was trinken? Ich freu mich; du wirst sehen, das wird *wunderbar*! Und du wirst so eine gute Figur machen vor der Kamera, endlich kannst du mal ...«

»Was? *Vor* der ...?«

»Aber ja!! Du brauchst bloß zum Friseur zu gehen, weiter nichts! Du wirst umwerfend aussehen; bei dir habe ich das Gefühl, dass deine guten Seiten erst *vor* der Kamera zur Geltung kommen, ganz sicher! Du brauchst dir nicht die geringsten Gedanken zu machen ...«

Sie schickte mich zum Friseur!!! Ich knirschte unwillkürlich mit den Zähnen. Gerade mal dreißig Sekunden hatte es gedauert, das Verbundenheitsgefühl mit meiner Mutter.

»Davon war nie die Rede! Ich bin nicht der Typ dafür, vor einer Kamera herumzuhampeln ...« Ganz im Gegensatz zu dir, hätte ich am liebsten hinzugefügt.

»Aber Noralein, das macht heutzutage doch jeder! Warum solltest du das nicht können! Wer hat früher immer erzählt, er wollte Moderator werden?! Du hast ...«

»Das sagen alle Kinder ...«

»Jedenfalls führt kein Weg daran vorbei! Aber die Redakteurin ist supernett, eine ganz ... Nette, und du sprichst einfach mit ihr ab, was du sagst; es muss ja nicht so viel sein! Also schau her, hier hab ich eine Liste vom Team – alles ganz süße Leute ...«

Und sie breitete den Stapel Papier auf ihrem Schreibtisch

fächerförmig vor mir aus. Es waren Flugtickets, Reisetipps, Verträge und Kundenakten – alles war akribisch vorbereitet, in Folien gehüllt und bereit zur Übernahme.

Während ich mit der Vorstellung haderte, vor laufender Kamera vernünftige Sätze von mir zu geben und dabei auch noch gut auszusehen, erklärte meine Mutter zu jedem einzelnen Stück Papier, um was es sich handelte, was man damit machen konnte und warum man es auf gar keinen Fall verlieren sollte. Sie hörte sich einfach gerne reden.

Während sie sich in Einzelheiten über Denise und Brigitte Westerweg verlor, schweiften meine Gedanken ab.

Meine Mutter und ihre Klienten ... davon hatte ich schon als Kind für ein ganzes Leben genug gehabt. Wenn ich nur an die Leute denke, die jahrelang immer bei uns auf dem Sofa hockten! Zum Beispiel diese mittelalterliche Dame, der es tatsächlich gelang, jedes einzelne ihrer zahlreichen *dates* mit von meiner Mutter herbeigeschafften Männern zu verhunzen, und die danach immer jammernd bei uns auftauchte ... Das war zu der Zeit, als meine Mutter kein separates Büro hatte. Damals erzählte sie ihren Kunden immer, das sei Absicht, von wegen persönlicher Bindung und so.

Oder Herr Krombecker (dass ich den Namen noch weiß, sagt ja genug). Herrn Krombecker gelang das Kunststück, beschissen auszusehen und trotzdem irgendwie auf Frauen zu wirken. Meine Mutter vermittelte ihm eine Menge Kontakte. Doch anstatt sich mit *denen* zu beschäftigen, machte er monatelang Eliane Tessner den Hof! Und die tat so, als bemerke sie es nicht. Diesem Schauspiel beinahe täglich beizuwohnen ist für eine Zwölfjährige nicht besonders prickelnd ... (So weit ich weiß, hat meine Mutter sich nie für einen von den Typen interessiert, die in ihrer Agentur vorstellig geworden sind. Das spricht ja auch Bände, oder?)

»... und achte immer auf die Folie!« Meine Mutter wedelte mit einer Overheadfolie vor meiner Nase herum.

Ach, diese Dinger. Die Folien waren eine Erfindung, auf die sie schwor: Nach einem bestimmten Punktesystem trug sie die Vorlieben des Kunden ein und erhielt dann eine Art bunter Kurve. Legte sie dann die Folie eines möglichen Partners darauf, sah sie auf den ersten Blick die Übereinstimmungen. Im Idealfall verliefen die beiden Kurven deckungsgleich ... Ich fand das irgendwie lächerlich, hatte aber Diskussionen darüber schon längst aufgegeben.

»... das hier ist die von Denise, gib ihr keinen Mann unter sechzig Prozent Übereinstimmung, okay?!«

»Wieso geb *ich* ihr welche?«, fragte ich alarmiert. »Ich denke, das ist alles geklärt?!«

»Ist es ja auch – aber vielleicht willst du ihr ja auch selbst noch einen aussuchen!«

»Bestimmt nicht!«

Meine Mutter wechselte abrupt das Thema.

»Und hier stehen die Nummern von allen hier in Berlin. Du musst sie anrufen und dich vorstellen, Schätzchen! Vielleicht wär's sogar ganz gut, wenn du dich hier schon mal mit ihnen triffst ...«

»Also, das geht jetzt aber zu weit! Ich hab ja auch noch so was wie ein eigenes Leben; es ist sowieso schon so kompliziert, alles zu organisieren, und Sven ist auch sauer ...« Das hatte ich eigentlich nicht sagen wollen. Sie würde nur die Gelegenheit nutzen, um weiter auf ihm herumzuhacken.

»Schätzchen!« Eliane sah mich erschrocken an – ganz kurz. »Das tut mir leid. Es wird sich wieder einrenken, bestimmt! Wenn du erst mal weg bist, wird er dich furchtbar vermissen! Wobei mir einfällt, dass wir in Kontakt bleiben müssen, aber die Zumhorstens haben Gottseidank Satellitentelefon, ist das nicht toll?!«

Eine halbe Stunde später verließ ich das Büro meiner Mutter – schwankend unter dem Gewicht einer fetten rosa Tasche mit dem Aufdruck *MATCHES WORLDWIDE*. Gut, dass kaum einer kapierte, um was für eine Firma es sich dabei handelte.

Ich fuhr mit dem Fahrrad nach Hause und ärgerte mich über meinen unbezähmbaren Drang, zum Anrufbeantworter zu stürzen, kaum dass die Tür hinter mir ins Schloss gefallen war. Ich wusste doch nur zu genau, dass Sven mich auf dem Handy angerufen hätte, wenn er mich unbedingt hätte sprechen wollen. Etwa, um sich zu entschuldigen oder um mich anzuflehen, ihm noch eine Chance zu geben. Oder um mir zu sagen, dass er ganz allein umziehen und mich in der neuen Wohnung sehnlichst erwarten werde…

Natürlich war da kein Blinken, keine Nachricht. Niemand rief mehr auf Festnetznummern an und quatschte auf Anrufbeantworter. Warum ich überhaupt noch so ein Ding hatte, weiß ich nicht. Vermutlich bin ich in manchen Sachen furchtbar altmodisch.

Weil ich mich ein bisschen aufgedreht fühlte, fing ich an, in der Wohnung herumzuräumen – noch so eine Angewohnheit, seit ich nicht mehr rauche (also seit fast zehn Jahren): Ich räume auf, wenn ich nervös bin. So lobenswert, wie es klingt, ist das allerdings nicht, denn meine Wohnung besteht aus einem winzigen Zimmer und einer noch winzigeren Koch- und Duschnische. Aber immerhin – ich könnte Schlimmeres tun.

Wie zum Beispiel Sven anrufen.

Herr Schubert hatte mich davor gewarnt, und ich wusste, dass er recht hatte. Hieß es nicht in einschlägigen Ratgebern zum Thema, dass man »ihm« nicht nachlaufen sollte?! Das Zappelnlassen war ja nicht die revolutionäre Idee meines Chefs, sondern ein seit Jahrhunderten bewährtes Rezept. Und was von Frauen seit Urzeiten praktiziert wurde, würde mir ja wohl auch gelingen.

Ich kochte mir einen Macchiato und packte probehalber schon mal meinen Koffer. Es konnte nicht schaden, kein Risiko einzugehen, denn ich würde ja schließlich im Fernsehen auftreten. Zwar schüttelte es mich bei der Vorstellung, aber das musste ich jetzt einfach ignorieren. Auch zu dem Problem gab es haufenweise Literatur in unserem Laden, etwa ›Wie werde ich selbstbewusst?‹, ›Beim ersten Mal klappt es nie‹ und ›Be Madonna‹. Am besten, ich packte mir morgen gleich ein paar davon ein.

Es war nach acht, als ich den Koffer endlich zu hatte. Und Sven hatte sich immer noch nicht gemeldet.

Also rief ich Silke an. Sie hatte jede Menge guter Ratschläge. Wir beschlossen, ein Glas trinken zu gehen, um der »Ich warte auf seinen Anruf«-Falle zu entgehen. Außerdem gab es ja auch wegen New York noch eine Menge zu besprechen. Wir luden Marie dazu ein, aber die musste noch bis in die Nacht in der Werbeagentur hocken – Präsentationsabgabe. So etwas verlangte Schubert nie von mir, noch ein Pluspunkt für den Laden.

In der Aufregung hatte ich vergessen, zu Abend zu essen, daher wirkten die drei Gläser Wein anders als geplant. Um zehn fing ich an, in Erwartung meiner unmittelbar bevorstehenden Fernsehkarriere vor der Kundschaft des »Green Door« fröhliche Ansprachen zu üben. Silke bestellte mir ein Tramezzino und einen Salat »New York«. Danach ging es mir etwas besser, aber nur, wenn ich nicht an Sven dachte.

Sicherheitshalber brachte mich Silke nach Hause, sogar bis in meinen fürstlichen Ein-Zimmer-Palast hinein. Sie wollte wohl einfach sehen, ob er vielleicht doch eine Nachricht hinterlassen hatte. Aber wie ich schon sagte: Niemand ruft mehr auf dem Festnetz an.

Ich lächelte Silke tapfer an und schloss die Tür hinter ihr. Er wollte *mich* also schmoren lassen – okay. Da würde er aber nicht weit kommen! Morgen *musste* er anrufen, weil ich ja schon übermorgen abreisen würde. *Ich* hätte morgen im Gegensatz zu ihm eine Menge zu tun, da müsste er sich erstmal anstrengen, mich überhaupt zu erwischen.

Abreisesorgen

Am nächsten Morgen wachte ich ziemlich gerädert auf. Ich hatte mich mit Ohropax zugestöpselt, damit ich bei nächtlichem Klingeln nicht etwa in Versuchung geführt würde, aber niemand hatte versucht, mich anzurufen, noch nicht einmal aus Versehen. Sven konnte manchmal ganz schön gemein sein.

Trotz der Aussicht auf New York schmeckte mir das Frühstück nicht. Wahrscheinlich deshalb, weil mein Reisepass abgelaufen war, wie ich vorhin beim hektischen Check aller wichtigen Papiere festgestellt hatte. Das bedeutete, einen lästigen Besuch beim Bürgeramt einzuschieben. Und zwar schnell, denn wer wusste schon, ob nicht ausgerechnet heute die Angestellten im öffentlichen Dienst streikten.

Marie hatte einmal die Theorie aufgestellt, dass die Gewerkschaften insgeheim das Alphabet durchstreikten: nach den Ärzten, den Busfahrern, den Chemielaboranten (die hatte ich irgendwie verpasst) und den DHL-Kurieren waren demnach jetzt die Erzieherinnen und die Fluglotsen an der Reihe. Bei der Theorie wäre ich gerettet, denn dann wären die Bürgeramtsangestellten schon mindestens in der Schlichtungsphase. Silke jedoch schwor Stein und Bein, dass immer die streikten, die man gerade am dringendsten brauchte. In dem Fall konnte ich mir New York gleich abschminken ...

Ich hatte noch eine Stunde bis Ladenöffnung. Also musste ich mich beeilen.

Mit fliegenden Haaren düste ich ins Rathaus und war kurz nach acht im Bürgeramt. Leider saßen schon mindestens fünfzehn Leute im Wartesaal herum – hatten die denn nichts Besseres zu tun? Aber gestreikt wurde immerhin nicht.

Ich setzte ein charmantes Lächeln auf und trat zu der Dame am Empfangstresen.

»Entschuldigen Sie – guten Morgen! Ich habe da ein kleines Problem ...« Ich senkte die Stimme etwas, damit sich bei den Wartenden keiner über meine Vorzugsbehandlung, die gleich folgen würde, aufregen konnte. »Ich muss ganz überraschend in die USA und habe vorhin festgestellt, dass mein Pass abgelaufen ist. Ich brauche also so eine kurzfristige Verlängerung, Sie wissen schon. Und zu allem Übel ...« – ein hoffentlich verzweifelt-süßer Augenaufschlag – »muss ich trotzdem pünktlich bei der Arbeit sein! Mein Chef ist furchtbar pingelig und imstande ... na ja ...« Zu was genau er imstande war, überließ ich ihrer Phantasie. Eine solche Andeutung reichte sicher, um jedem Angestellten auf der Welt einen kalten Schauer über den Rücken laufen zu lassen.

Die Dame mit der Topffrisur, hübsch hinter ihrer hohen Theke verschanzt, zuckte mit keiner Wimper. Wortlos streckte sie mir ihre offene Hand entgegen – was wollte sie mir damit sagen? Dass wir alle hilflos seien im Angesicht höherer Gewalt? Dass sie mir solidarisch die Hand reichte angesichts unseres gemeinsamen Schicksals?

Ach nein, sie wollte bloß meinen Pass sehen und blätterte schließlich irgendwie desinteressiert darin herum, bevor sie mich ansah. »Und?«, fragte sie. Irgendetwas in ihrer Stimme gefiel mir nicht.

»Na ja, ich wollte ... könnten Sie mir vielleicht helfen, damit ich ein bisschen schneller drankomme?«, flüsterte ich.

»Sie wollen, dass ich Sie an all den Leuten hier vorbeischleuse?!«, dröhnte sie. »Weil Sie's eilig haben?«

Ich spürte Blicke in meinem Rücken wie Dolchstöße. »Ausnahmsweise ...«, wisperte ich. Es war bereits das Rückzugsgefecht.

»Ts, ts ...« Sie schüttelte den Kopf und starrte wieder in meinen Pass, als hätte sie so etwas noch nie gesehen. »Sie haben heute aber nicht Ihren besten Tag!«

Was war denn das? Jetzt wurde sie auch noch beleidigend! Hätte ich mehr Zeit und bessere Nerven gehabt, hätte ich darauf bestanden, mit ihrem Chef zu sprechen.

»Ist ja gut«, zischte ich. »Ich ziehe mir eine von Ihren Losnummern!«

Ich riss ihr den Pass aus der Hand und wandte mich ab, um mir am Automat neben der Tür eins dieser Kärtchen zu ziehen – vermutlich mit der Zahl 326. An der Anzeigetafel leuchteten gerade die 111 und die 112. Saßen die Leute noch von gestern Abend hier?

»Ähm ...«, knarzte es hinter mir.

Was wollte die Alte denn jetzt noch?! Ich drehte mich um.

»Wenn Sie so viel Zeit haben, bitteschön! Wir hindern keinen daran, seine Vormittage in unserem Warteraum zu verbringen. Aber wenn Sie was Besseres zu tun haben, nur *falls*, dann gehen Sie doch einfach wieder. Und vielleicht zur Arbeit oder so was. Ihr Reisepass ist nicht abgelaufen.«

Wie bitte? Ich blätterte hastig in meinem Pass, und noch bevor ich die entsprechende Zeile gefunden hatte, spürte ich, wie ich rot wurde. Ich konnte buchstäblich sehen, wie sich die Leute hinter mir hämisch angrinsten.

Und das war's dann. Die Alte hatte recht – und ich noch fünf Jahre Zeit.

»Oh«, sagte ich. »So was.«

Und ich stakste hoch erhobenen Hauptes aus dem Wartesaal hinaus, ohne noch einen Blick zurückzuwerfen.

Im Laden gab ich mir Mühe, Schuberts Großzügigkeit gerecht zu werden. Ich befolgte alle seine Anweisungen, lächelte freundlich und staubte zwischendurch sogar das Regal mit den alten Philosophen ab, wo immer zu wenig Durchgangsverkehr war.

Leider konnte ich nicht verhindern, dass mein Handy verdammt oft klingelte. Angesichts der bevorstehenden Reise musste ich drangehen und konnte es nicht einfach abstellen!

Die Anrufer waren in korrekter Reihenfolge: meine Mutter, Marie, meine Mutter, meine Krankenversicherung, Leandra, meine Mutter. Und um eins, exakt fünf Minuten vor meiner Mittagspause, dann noch einmal meine Mutter, die sich endgültig abmeldete, um in den Flieger nach Afrika zu steigen. Von Sven nicht ein Piep – nicht einmal so ein kurzes Läuten, das einem zu erkennen gibt, dass irgendjemand die Verbindung gleich wieder gekappt hat, weil er sich doch nicht traut.

Mein Chef hatte wieder seine alte Griesgrämigkeit im Gesicht stehen, als ich um eins mit einem entschuldigenden Schulterzucken in Richtung »September« verschwand. Wahrscheinlich bereute er es zutiefst, dass er mir noch drei freie Tage dazugegeben hatte. Am besten, ich erwähnte New York mit keinem Wort mehr und verschwand heute Abend mit einem herzlichen Lächeln, aber blitzschnell, damit er nicht auf dumme Gedanken kam.

Aber je weiter dann der Nachmittag fortschritt, desto trübseliger wurde mein Lächeln. Sven war nicht nur gemein, er war oberfies. Er wusste doch ganz genau, dass ich morgen Mittag schon unterwegs auf die andere Seite dieses Planeten war – wann wollte er denn da noch anrufen?! Ich hatte ihm doch den Tag des Abflugs genannt, laut und deutlich ... oder etwa nicht? Sollte ich das irgendwie versäumt haben? Oder verwechselt? Oder hatte ich vielleicht genuschelt? Wusste er gar nicht, wie dringend es war? Vielleicht schmiedete er gerade Pläne, mich am Freitagabend mit Rosen und einem wunderschön kitschigen Liebesfilm zu Hause zu überraschen – nicht ahnend, dass ich schon längst weg war! Nicht auszudenken!

Ob ich doch vielleicht ... ganz kurz nur, ganz geschäftsmäßig: »Der LKW ist auf den Namen Tessner gebucht; ich dachte nur, du solltest das wissen ...« So in der Art. Dann würde er ja was sagen müssen, irgendwie Stellung beziehen.

Er hatte ja alles ganz toll im Nebel gelassen – ob wir nun eigentlich zusammenziehen würden, ob er am Samstag schon mal den Anfang machte ... ich wusste ja wirklich gar nichts. Marie hatte mir bei unserem Telefonat in der Mittagspause gesagt, dass Sven den Termin bisher noch nicht abgesagt hatte. Aber das musste nichts heißen – vielleicht wollte er unsere Freunde ja auch alle versammeln und ihnen dann – »en bloc« sozusagen – verkünden, dass es aus sei mit uns. Dann brauchte er nicht mit jedem einzeln zu sprechen – er hatte es nicht so damit, sich über Persönliches auszulassen. Danach würde er ihnen zwei Flaschen Prosecco spendieren, aus traurigem Anlass, und sich heimlich beglückwünschen, dass er eine Menge weiterer Flaschen eingespart hatte.

Ich seufzte tief und unglücklich. Mein Chef, der gerade die neuen Krimis auspackte, warf mir einen unwilligen Blick zu. Es waren Kunden im Laden, sagte dieser Blick, und da wurde nicht geseufzt.

Ich biss mir auf die Lippen und lächelte, um die »Anleitung zum Unglücklichsein« abzukassieren.

Ich hielt es aus bis exakt 18 Uhr 15. In dem Moment schlug nämlich meine Wohnungstür hinter mir zu, und ich warf mich erschöpft auf mein Sofa, neben mein vernachlässigtes Festnetztelefon. Ich platzierte ›Be Madonna‹, das ich mir ausgeliehen hatte, direkt vor mir auf den Tisch.

Und dann rief ich in Svens WG an. Ich wusste, dass die Wahrscheinlichkeit groß war, um die Zeit einen seiner Mitbewohner zu erwischen. (So würde ich nie Madonna werden; die hätte ihrem Lover vermutlich etwas gehustet und sich den Nächsten genommen. Aber ich musste das Buch ja auch erst einmal lesen.)

Tatsächlich hob nach nur zwanzigmal Läuten jemand ab.

»Jou.«

Nein, das war kein Name, sondern die angesagte Begrüßungsfloskel in Svens WG.

»Hier Nora. Bist du das, Benno?«

»Nee. Was'n los?«

Also Tommy, ausgerechnet. Tommy war ziemlich maulfaul, und die Chancen, dass ich etwas erfuhr, sanken beträchtlich.

»Also ... Sven ist nicht da, oder? Ich wollte nur mal – mal wissen, wie das mit morgen ist. Mit dem Umzug.« Ich hoffte, dass mein Tonfall unbeteiligt genug klang.

»Umzug? Ja, nee. Weiß ich nich'.«

Himmel nochmal! »Ich meine, macht ihr ihn? Oder wie?«

Kurze Pause. Dann: »Ich nich.«

Ich wartete, aber da kam nichts mehr. »Und die anderen?«

»Ich muss nach Eschwege, steht schon ewig fest. Ich wär eh nich da.«

Wow, so eine lange Rede. Jetzt würde er sich mindestens zwei Wochen erholen müssen, das stand fest. Aber ich war um keinen Deut klüger.

»Also gut, danke.« Wofür denn?! »Ach, und … sag Sven bitte nicht, dass ich angerufen habe, okay? Er… sonst denkt er noch, ich wäre vergesslich …«

Was für eine lahme Ausrede. Aber Tommy würde nichts schnallen und außerdem ja nach Eschwege fahren – warum auch immer.

Ich legte auf und wünschte einen Augenschlag lang, ich würde noch rauchen. Dann könnte ich jetzt ganz elegisch durch grauen Nebel nach draußen sehen, traurig sein und Asche aufs Sofa fallen lassen, ohne es zu bemerken.

So musste ich was anderes machen, um mich abzulenken. Leandra würde mich um sieben abholen, das war schon mal gut.

Seit der Schule war sie meine beste Freundin; sie war die Einzige, die keine blöden Kommentare über die Wahl meiner Studienfächer abgegeben hatte (Ethnologie und Soziologie), die mich nicht vor meinem geplanten freiwilligen sozialen Jahr gewarnt hatte und die kein »Ich hab's ja gewusst!«-Gesicht gemacht hatte, als sich Johannes, meine große Liebe, vor fünf Jahren von mir trennte. Sie hörte zu, sie stellte die richtigen Fragen, und sie fühlte mit.

Wieso sie ausgerechnet bei Daimler gelandet war, in einer relativ gut dotierten Position, war mir im Grunde ein Rätsel. Konnten die so etwas brauchen?

Auf jeden Fall brauchten sie Leandra bei einer Konferenz in Berlin, und das bescherte uns das seltene Vergnügen, mal wieder leibhaftig zusammenzuhocken und zu klönen.

Die Zeit bis zu ihrem Auftauchen überbrückte ich mit weiteren Telefonaten, allerdings »geschäftlicher« Natur.

Am unangenehmsten war mir das Gespräch mit Frau Leutberger, der Redakteurin, die das Filmteam leitete. Sie war überhaupt nicht nett, wie meine Mutter das angekündigt hatte, sondern klang irgendwie genervt und ziemlich humorlos. Sie wolle mich und die beiden Westerwegs eine Stunde vor dem Einchecken in der Eingangshalle treffen. Ihr Team brauche Bilder von uns vor dem Abflug, das sei ja klar – was neun Uhr bedeute, Haupthalle, vor dem Zeitschriftenladen, hübsch zurechtgemacht und bitte pünktlich.

Anscheinend war Frau Leutberger es gewohnt, Befehle zu erteilen. Das konnte ja heiter werden.

Frau Westerweg, die Mutter, hingegen klang lustig und freundlich. In breitem rheinischem Dialekt verkündete sie mir, dass ich ruhig Biggi zu ihr sagen könne, »von Brigitte, aber man muss ja ein bisschen international denken!« Und sie lachte herzhaft.

Klar wären sie beide um neun in der Haupthalle, ich würde sie am Gepäck erkennen (der Hinweis löste wieder Heiterkeit aus) und an ihrer beeindruckenden Art. Und sie wären schon ganz »jeschpannd« auf mich, denn meine Mutter hätte ja so von mir geschwärmt.

Ich schluckte. Es war immer mit Vorsicht zu genießen, wenn meine Mutter mich lobte – meist dauerte es nicht lange, bis irgendein Hammer folgte. Allerdings war der Hammer in diesem Fall ja zuerst gekommen. Dass ich ihr tatsächlich bei etwas half, das mit der Agentur zu tun hatte, war ungewöhnlich. Ich hatte mit ihrem Job nie etwas zu tun haben wollen – und jetzt hatte ich gleich zwei ihrer Kundinnen an der Backe, um ihnen fernsehgerecht ein paar tolle Typen zu verschaffen. O Mann.

Leandra und ich hatten so viel Gesprächsstoff, dass wir eigentlich eine Woche gebraucht hätten, um alles durchzugehen. Allein, bis ich alles in der richtigen Reihenfolge und mit der nötigen Detailtreue erzählt hatte, war eine Stunde um. Dann fing sie an, ihre klugen Fragen zu stellen.

Zum Beispiel nach meinen Prioritäten.

»Warum ...«, meinte sie, »legst du dich nicht mehr ins Zeug, wenn ein Teil deines Lebensplans gefährdet ist?«

»Wie jetzt?!«, fragte ich ein bisschen belämmert. »Lebensplan? Du meinst das Zusammenziehen? Phhh – wenn er nicht will ... soll er doch bleiben, wo der Pfeffer wächst! Es war schließlich *seine* Idee ...«

»Dann ist es dir ganz recht so?«

»Irgendwo schon! Ich hätte bloß ...« Irgendwas kitzelte mich am Auge. »Natürlich war ich auch einverstanden ... Ich fand die Vorstellung ganz schön, aber... ich finde das jetzt einfach total Scheiße! Wie *kann* er nur? Ich hatte einen Haufen Pläne, verstehst du? Mit ihm zusammen ...« Das Kitzeln am Auge fühlte sich feucht an.

»Weiß er von ... deinen Plänen?«

»Ja, klar! Es waren ja *unsere* Pläne! Wir haben ab und zu über unsere Zukunft geredet, unsere Jobs, die Möbel, die wir uns kaufen wollten, ob das klappen würde mit dem Zusammenwohnen, diesen Alltag miteinander leben, weißt du? Wir haben aber noch nicht über *alles* geredet ... zum Beispiel Kinder oder so. Das soll man nicht überstürzen. Aber ich bin beinahe dreißig, da muss man schon mal anfangen, an solche Dinge zu denken! Sie auszuprobieren – das Zusammenleben, meine ich ...«

Leandra sah mich prüfend an. »Es ist also so eine Art Experiment? Weil du irgendeine Uhr ticken hörst?«

»Nein! Nein, so kannst du das nicht sagen. Das klingt ja, als wäre es egal, mit *wem* ich das veranstalte. Aber das ist es nicht ...« Ich wischte mir energisch über die Augen.

»Also geht es um Sven, ja? *Er* ist derjenige, mit dem du dein Leben verbringen möchtest, zumindest einen ganzen Teil davon?«

»Ja, natürlich!« Jetzt kamen ein paar mehr Tränen. »Nein! Wenn er sich so benimmt, natürlich nicht! Da hat er sich ja schon disqualifiziert als ... das Experiment ist dann schon gescheitert! Oder? Zwei Tage vor dem Umzug, und wo ich weg muss! Ich hätte nie gedacht, dass er so mies sein kann!«

»Du *musst* weg, ja?«

Also, manchmal wurde sie mit ihren Fragen richtig unangenehm.

»Ja klar, irgendwie schon! Meine Mutter braucht mich wirklich! Für ein paar lächerliche Tage! Und wenn er mich bloß gefragt hätte, vielleicht einfach darum *gebeten*, dass ich bleibe, dann hätte ich ja vielleicht meiner Mutter noch abgesagt! Aber so – ruppig und als Befehl?! Und dann hat er aufgelegt und nicht wieder angerufen!« Ich schniefte und nahm einen großen Schluck von meiner Margarita.

»Wäre es das nicht wert, die Sache in Ruhe mit ihm zu besprechen? Nicht am Telefon, sondern persönlich?«

»Nein! Das hat er ja gar nicht verdient. Und mein Chef hat auch gesagt, ich soll ihn zappeln lassen ...«

Leandra sah mich nur an.

»Aber ich vermisse ihn jetzt schon!« Ich blickte trübsinnig in mein Glas. »Wie er mich ansieht, wenn ... Hab ich dir schon erzählt, dass er morgens kurz nach dem Aufwachen besonders gut aussieht? Das kann man von mir nicht gerade behaupten! So sollte man einfach nicht auseinandergehen ...«

»Na – dann mach's doch nicht. Red mit ihm. Jetzt.«

»Wie?« Ich starrte sie verständnislos an.

»Wo ist er jetzt, normalerweise?«

Ich warf einen raschen Blick auf meine Uhr. »Halb neun – er hat, glaube ich, donnerstags bis neun Dienst. Am Funkturm ...«

»Das kann man schaffen ... Du wartest am Ausgang auf ihn, und ihr redet.«

»Aber *du*! Der Abend mit dir ist mir auch wichtig – wir sehen uns doch nur zwei-, dreimal im Jahr!«

»Na, ich komme mit! Ich warte in der nächsten Kneipe,

bis ihr euch ausgesprochen habt, und dann gehen wir noch auf einen Absacker in mein Hotel.«

Ach, was war sie doch für ein Goldstück! Manchmal hatte sie einfach so praktische, hilfreiche Ideen. Ich verzieh ihr all ihre Fragen.

»Und das ist kein... ›Einknicken‹? Kein ›zu Kreuze kriechen‹?«, fragte ich der Form halber.

»Was willst du? Deinen Stolz pflegen oder mit dem Gefühl nach New York fliegen, dass du noch einen Freund hast?!«

Ich wollte das Gefühl, keine Frage. Daher standen wir eine knappe halbe Stunde später vor dem Rundfunkgebäude in der Masurenallee, Svens Arbeitsplatz. Leandra hatte mich von der U-Bahn bis hierher begleitet und wollte wieder zurück zum Kaiserdamm marschieren, sobald wir ihn erspäht hatten.

Es war relativ einsam hier draußen, aber ab und zu spazierte eine einzelne Gestalt über das Gelände oder an uns vorbei.

Wir quatschten über dieses und jenes, hauptsächlich über Leandras Möglichkeiten in Bezug auf Herrn Morgenthal, einen Kollegen aus dem Marketing. Herr Morgenthal hatte einen gut gestalteten Musculus Trapezius und grüne Augen, was Leandra besonders anziehend fand. Ich hakte nach, was sie sich denn von Herrn Morgenthal, abgesehen von wildem und göttlichem Sex, längerfristig versprach. Allmählich rückte sie mit der Wahrheit heraus. Sie wusste, dass er eine feste Freundin hatte, war aber trotzdem heftig in ihn verliebt. Ich schwor sie darauf ein, cool zu bleiben. Wenn man sich für jeden Morgenthal dieser Welt zum Affen machen würde, käme man nie aus dem Käfig heraus...

Um Viertel nach neun war Sven immer noch nicht aufgetaucht. Leandra und ich redeten über Silke, über Marie und Martin, über Björn und Amelie und Caroline.

41

Um zwanzig nach neun wurde uns langsam kalt. Ich überlegte, Leandra vorzuschlagen, den Kitschfilm, den sie mir als Geschenk mitgebracht hatte, bei mir zu Hause anzuschauen und Typen wie Sven einfach zu vergessen.

Um halb zehn wählte ich kurz entschlossen Svens Handynummer. Wenn er sich in der Kantine festgequatscht hatte, würde er ja wohl drangehen und könnte zwei Minuten später hier draußen sein.

Er ging aber nicht dran. Was eigentlich nur bedeuten konnte, dass er noch bei der Arbeit war. Ich beschloss, mein Glück beim Pförtner zu versuchen.

»Guten Abend! Ich warte hier auf Sven Wagner; er sollte eigentlich um neun fertig sein ... Wissen Sie vielleicht, ob die heute länger drehen?«

Der Dicke hinter der Panzerglasscheibe verzog keine Miene, während er mich musterte. O Gott, sollte der Tag so enden, wie er angefangen hatte – mit angeödeten Angestellten im öffentlichen Dienst, die sich auf jeden stürzten, an dem sie ihre schlechte Laune auslassen konnten?

»Gute Frau ...«

Da! Ich hatte es ja gewusst ...

»... ich kenne nicht jeden Einzelnen mit Namen, der hier arbeitet. Auch wenn ich hier schon dreißig Jahre sitze. Aber wenn Sie mir sagen, wo der Herr Sven Wagner denn arbeitet, kann ich vielleicht was für Sie rauskriegen.« Und er sah mich leicht spöttisch an.

Aus irgendwelchen Gründen hielt ich diesen Ton jetzt überhaupt nicht aus. Ich hatte das Gefühl, als liefe mir die Zeit davon und als träfe ich immer wieder auf Leute, die sich redlich bemühten, mir ein Bein zu stellen. »Ich vermute, das ist Ihr Job, oder?! Den Leuten mitzuteilen, wo die Mitarbeiter gerade sind. Oder werden Sie dafür bezahlt, hier herumzusitzen?!«

Hinter mir hörte ich Leandra unterdrückt stöhnen. Sie

trat blitzschnell neben mich und wandte sich an den Pförtner, bevor dieser reagieren konnte.

»Wir sind ein bisschen unter Druck, Entschuldigung. Es ist relativ wichtig – es wäre nett, wenn Sie nachschauen könnten, wo Herr Wagner gerade ist. Er ist Kameramann bei der Abendschau. Ich glaube, Studio 5.« Sie lächelte ihn reizend an.

Der Dicke zögerte einen Moment, und nachdem er offensichtlich beschlossen hatte, mich ab jetzt vollkommen zu ignorieren, kam er in die Gänge. Er blätterte in einem Heft, das in den Ausmaßen an das Berliner Telefonbuch herankam.

»Für *Sie* schau ich mal nach ... hier – Team drei ist das, glaub ich ... aber die sind heute gar nicht da!« Er sah von seinen Unterlagen auf.

»Wieso denn?«, motzte ich. »Er ist doch immer ...«

Der Pförtner sah Leandra an, als wäre ich überhaupt nicht vorhanden. »Team drei ist heute in Potsdam, die Talkshow, wissen Sie. Da streiken doch welche in Brandenburg, ich glaube, die Kabelhilfen.«

Wie bitte? Das durfte doch nicht wahr sein! Jetzt streikten sie schon innerhalb einer Firma nach Lust und Laune! Oder waren jetzt auch schon Kabelhilfen gewerkschaftlich organisiert?

»Verdammt ...«, entfuhr es mir.

Jetzt schaute mich der Mann hinter der Scheibe doch wieder an. Gleich würde er den Wachdienst holen und uns vom Gelände scheuchen lassen.

Stattdessen griff er mit einem kleinen Seufzer zum Telefon. »Na, warten Sie, ich frag nochmal nach.«

Was sollte das noch bringen? Ich sah Leandra verzweifelt an. Ich hatte mich schon darauf eingestellt, Sven gleich in die Arme zu sinken ...

»Ach nee ... ach so ... ja, danke.« Der Pförtner wandte sich wieder an uns. »Na, da hab ich mich geirrt, tut mir leid. Team drei war zwar in Potsdam, aber das war nachmittags. Die haben schon seit einer Weile Schluss. Tut mir leid.« Er zuckte die Schultern und schaute mich mitleidig an. Ich musste ja furchtbar aussehen, wenn er sich trotz meines pampigen Tons solche Mühe gab.

»Danke«, sagte ich. Und mein Dank kam wirklich von Herzen. »Es tut mir auch leid, bitte entschuldigen Sie. Ich war nur … es ist so, dass er – ich meine Sven …« Ich brach ab.

»Schon gut, Mädchen«, sagte der Dicke väterlich. »Ich erkenn Liebeskummer, wenn ich einen vor mir hab.«

Ich sah ihn verdutzt an und lächelte, dann drehte ich mich zu Leandra um.

»Und jetzt? Da stehen wir uns ewig die Beine in den Bauch, und er hat schon längst Schluss! Und ich war grade so in Stimmung …«

»Wo könnte er denn sonst sein?«, überlegte Leandra.

»Ach, überall! Vielleicht ist er zu Hause, oder er sitzt im Kino oder in irgendeiner Kneipe! Was weiß ich …« Ich schwankte zwischen Ärger und Verzweiflung.

»Versuch's doch noch mal auf dem Handy.«

Ich drückte auf die Sven-Kurzwahltaste und wartete. Auch nach dem zehnten Klingeln ging keiner dran.

Schließlich versuchte es Leandra nochmal in der WG, aber auch da ging keiner ans Telefon. Es war wie verhext. Machte er sich absichtlich unerreichbar? Dachte er, ich würde angekrochen kommen und heulend auf der Treppe vor seiner Wohnung warten, wenn es sein musste, die ganze Nacht?

Da hatte er sich aber geschnitten. Ich musste morgen nach New York fliegen, und da brauchte ich meinen Schönheitsschlaf und das beste Nervenkostüm, das ich ergattern konnte! Das Äußerste, was ich mir jetzt noch leisten würde, wäre der Absacker in Leandras Hotelbar … sollte Sven doch bleiben, wo auch immer er war.

Zwischen hier und dort

Ich hasse Wecker. Dieses unerbittliche Klingeln, egal, wie kurz oder lang die Nacht war. Ich hatte definitiv einen oder zwei Absacker zu viel gehabt und war erst um Mitternacht – also gerade vor ein paar Minuten – ins Bett gegangen.

Aber er klingelte gnadenlos, sechs Uhr war sechs Uhr, und Wecker ticken eben so.

Ich sprang aus dem Bett, als mir wieder einfiel, was ich heute vorhatte. Ich frühstückte nur, weil man etwas im Magen haben soll, wenn man fliegt; hauptsächlich trank ich Kaffee. Ich duschte und verbrachte weit mehr Zeit vor dem Spiegel als sonst. (Zu viel Make-up kann ich nicht leiden, das habe ich meiner immer einen Tick zuviel angemalten Mutter zu verdanken.) Deshalb musste ich einige Sorgfalt aufwenden. Ich checkte nochmal sämtliche Unterlagen – ja, sie waren da, ja, sie waren vollständig. Meinen Koffer hatte ich ja glücklicherweise schon gepackt, darauf hätte ich mich jetzt auch kaum konzentrieren können. Ich brauchte einen Großteil meiner Gehirnleistung, um nicht an Sven zu denken.

Um Punkt acht drehte ich den Schlüssel meiner Wohnungstür um und wünschte meiner einsamen Grünpflanze auf dem Fensterbrett in Gedanken ein paar schöne Tage. Sie stand bis zum Hals im Wasser – das würde wohl reichen, hoffte ich.

Ich fand mich sogar ziemlich professionell, wie ich im schicken Trenchcoat (hallelujah, dass ich da vor drei Wochen nicht hatte widerstehen können!) und meinen schicken Wildlederstiefelchen ganz pünktlich zur U-Bahn stakste. Wenn ich mir jetzt noch ein Taxi hätte leisten können, wäre mein Glück perfekt gewesen – na ja, und wenn meine Beziehung nicht gerade flöten gegangen wäre. Aber daran wollte ich jetzt nicht denken.

Ich begnügte mich mit der U-Bahn, weil mir die Finanznöte meiner Mutter gerade noch rechtzeitig wieder eingefallen waren. Die ganze Aktion würde teuer genug werden, ohne dass ich schon vor dem Abflug fette Spesen machte. In New York würde mir ja nichts anderes mehr übrig bleiben, aber bis dahin übte ich mich in töchterlichem Verantwortungsbewusstsein. Eliane hatte mir freie Hand gegeben, aber durchblicken lassen, dass ihre Mittel begrenzt waren. Und da ich erstmal meine eigene Kreditkarte belasten sollte, nahm ich mir das zu Herzen.

Zehn Minuten vor neun betrat ich die Haupthalle des Tegeler Flughafens, ziemlich stolz auf mich, weil ich so pünktlich war. Ich könnte in aller Ruhe ein souveränes Lächeln einstudieren, bis die anderen eintrudelten.

Als ich mich unserem Treffpunkt, dem Zeitungsladen näherte, fiel mir auf, dass sich vor dem Supermarkt, in dem man für eine Kühlschrankfüllung seinen ganzen Monatslohn hinblätterte, ein ganzer Haufen Leute um ein wahres Koffergebirge herumtummelte; irgendetwas dort zog automatisch die Blicke der Vorübergehenden auf sich.

Es sah aber auch zu komisch aus: Eine sehr rothaarige, sehr rundliche Dame gesetzten Alters lieferte sich einen Ringkampf mit einem Polizisten; ein zweiter Uniformierter und ein Flughafenwachmann sahen grinsend zu. Eine Angestellte des Supermarkts rang die Hände und zeterte unentwegt, und eine jüngere Frau lief wild gestikulierend zwischen all den Passanten hin und her, als würde sie um Hilfe bitten und überall abgewiesen. Ein paar besonders dreiste Schaulustige hatten sich direkt neben den Koffer-berg gestellt, und von Weitem sah es so aus, als hätte einer sogar seine Videokamera gezückt und würde das Ganze filmen.

Ich konnte mich des Eindrucks nicht mehr erwehren, als hätte ich die hilfesuchende Frau schon mal irgendwo gesehen.

Und dann fiel es mir wie Schuppen von den Augen. Vor mir hatte ich meine Klientinnen, keine Frage. Die jüngere Frau war Denise Westerweg – ihr Foto klebte an den Unterlagen, die sicher in meinem Koffer verstaut waren. Die rundliche Rothaarige, die da mit dem Polizisten rangelte, konnte niemand anders sein als ihre Mutter; die Ähnlichkeit war nicht zu übersehen. Bei den Schaulustigen handelte es sich dann wahrscheinlich um das Fernsehteam; die Kamera auf der Schulter des Mannes war ein hoch professionelles Teil, das ich schon einmal bei einem Kumpel von Sven gesehen hatte.

Nur die Polizisten und die aufgeregte Supermarktange-stellte passten nicht ins Bild.

Beziehungsweise nicht in ein Bild, das mir gefiel.

Hier lief irgendetwas gewaltig schief.

Eine meiner Klientinnen stand offensichtlich kurz davor, verhaftet zu werden. Und das vor laufender Kamera – ein wahres Geschenk für die Fernsehfritzen! Meine Mutter würde einen Herzschlag kriegen oder nie wieder auch nur ein Wort mit mir sprechen (oder beides), wenn ich nicht augenblicklich dazwischenging und rettete, was zu retten war.

Adrenalin schoss durch meinen Körper und sorgte dafür, dass ich mich fühlte wie »Superwoman«.

Ich trat zu der versammelten Schar und rempelte den Kameramann mit einem hastigen »Oh, Entschuldigung!« so an, dass er ordentlich aus dem Gleichgewicht geriet. Gleichzeitig sagte ich mit erhobener Stimme und dem breitesten Lächeln der Welt: »Guten Tag! Ich kann sicher helfen, meine Damen und Herren. Das alles muss ja ein Missverständnis sein, weiter nichts! Lassen Sie uns in Ruhe darüber reden – ich bin Nora Tessner, übrigens, und freue mich, Sie kennenzulernen! Tessner von *Matches Worldwide*, natürlich … äh.« Meine Mutter wäre stolz auf mich gewesen, aber ich würde mich in Grund und Boden schämen – später.

Mein Auftritt hatte nicht ganz den gewünschten Effekt. Irgendjemand lachte, die Supermarktverkäuferin fing wieder an zu jammern, und die Polizisten sahen mich ungläubig an, als hätte ich ein unsittliches Angebot gemacht oder so was. Immerhin hörte der Große von ihnen auf, Frau Westerweg zu umklammern. Der Kameramann hinter mir (dem ich geschickt die Sicht versperrte, wie ich hoffte) fluchte leise und beschwerte sich bei irgendjemandem.

Was mich irritierte, war das breite Grinsen auf Brigitte Westerwegs rundem Gesicht. Sie wirkte überhaupt nicht wie jemand, der verhaftet werden soll.

»Na, datt ist gut! Datt ist gut, was, Rainer? Frau Tessner! Den Rainer hab ich doch grade wiedergesehen nach 45 Jahren, verstehen Sie? Aber das freut mich, dass Sie sich so für Ihre Kunden einsetzen! Da hat Ihre Mutter nicht zu viel versprochen!« Sie tippelte zu mir herüber und schüttelte mir energisch die Hand.

»Ich … äh …« Ich spürte, wie mir langsam, aber sicher das Blut in die Wangen stieg.

Brigitte Westerweg griente immer noch. »Datt ist meine Denise, wie Sie sich ja denken können – ich stell jetzt einfach mal alle vor, das ist der Peter, die Esther, die Frau Leuthäuser, die zwei netten Herrn kenne ich nicht, aber das hier ist der Rainer, aus der Grundschule in Bad Honnef – stellen Sie sich mal vor! Da steh ich nichtsahnend in dem Laden hier, und da geht der Rainer vorbei, als Polizist, Jahrzehnte später! Man glaubt es nicht, oder? Dass ich ihn überhaupt noch kenne ist wegen der Erika, meiner Freundin, die . . . aber ist ja auch egal! Waren das nun alle? Und Sie sind die Nora, wie? Ja schön, ich freu mich!« Und wieder schüttelte sie mir die Hand, ganz rheinische Frohnatur.

Unser trautes Kennenlernen wurde vom nölenden Ton der Supermarktangestellten unterbrochen. »Also jetzt müssen Sie aber schon mal was unternehmen, Herr Wachtmeister – ich will jetzt mein Geld! Oder ich will die Ware zurück! Ist ja gut, wenn Sie die Dame kennen, aber ich kenne sie nicht und . . .«

Denise Westerweg, die mir ebenfalls enthusiastisch die Hand geschüttelt hatte, mischte sich ein. »Was sind wir denn schuldig? Wenn Sie mir das doch endlich mal sagen würden, dann wären wir alle glücklich und die Frau Tessner hätte nicht so einen Schreck gekriegt!«

»Ja, ich weiß ja nicht, wie viele Drops sie genau genommen . . .«

Während die Angestellte wieder die Hände rang, Frau Westerweg, ununterbrochen redend, ihre Taschen ausleerte und die Vertreter der Obrigkeit gemütlich dabei zusahen, näherte sich mir eine Frau Mitte vierzig – streng zurückgekämmte Haare, imitierte Chanel-Jacke und ein etwas verkniffener Zug um den Mund.

»Frau Tessner, sehe ich das richtig? Leutberger. Ich muss Ihnen ehrlich sagen, das war kein gelungener Einstieg. Sie haben meinen Kameramann umgerempelt und ihn verletzt. Haben Sie denn das gar nicht gemerkt?! Sie sind da in die Szene hineingestürmt wie . . .«

»Verletzt? Aber . . . wieso denn?« Meine Gesichtsfarbe wies jetzt wahrscheinlich den satten Ton einer reifen Tomate auf.

Frau Leutberger zog einen hageren Enddreißiger mit Pferdeschwanz heran, auf dessen Schulter die bereits erwähnte Kamera ruhte, sein Gesicht hatte einen biestigen Ausdruck – ich konnte ihm das noch nicht einmal übel nehmen. Die Schramme, die seinen Hals zierte, war lang und bereits jetzt hässlich violett gefärbt. Bei dem Anblick wurde mir erst klar, was ich getan hatte: Ich hatte einem Kameramann ordentlich eine verpasst! Es war bloß der falsche gewesen. Irgendwie schämte ich mich und fühlte gleichzeitig eine Art perverser Befriedigung ...

»O Gott, das tut mir leid, ehrlich! Ich weiß gar nicht, wie das passieren konnte! Soll ich vielleicht ... hier gibt es doch sicher eine Apotheke ...«

Frau Leutberger ließ ihren Angestellten gar nicht erst zu Wort kommen. Ihr Mund war eine dünne Linie, die Mundwinkel neigten gefährlich nach unten. »Es wird schon irgendwie gehen, aber – ich muss schon sagen! Ich bin ein bisschen in Sorge über den weiteren Verlauf der Unternehmung, wenn Sie überall einfach hineinspringen, ohne von Tuten und Blasen eine ...«

Jetzt mischte sich Mama Westerweg ein; sie hatte offenbar ihre Drops abgeliefert oder aber bezahlt und kümmerte sich jetzt um die nächste schlecht gelaunte Frau in der Umgebung.

»Also halt! Nix da, nix da – kein Streit, bevor's überhaupt losgeht, Frau Leuthäuser!«

»Leutberger.«

»Genau! Der Peter nimmt das nicht krumm, ne? Wir ziehen doch alle an einem Strang, oder nicht?! Und wollen, dass *Matches Worldwide* gut dasteht, und wir mit! Oder umgekehrt, haha! Na – sehen Sie, Frau Leuthäuser!« Alle Achtung, da hatte meine Mutter aber ganze Arbeit geleistet: Frau Westerweg identifizierte sich ja richtig mit der Firma. Ich sah sie dankbar an.

Frau Leutberger schnaubte leise, sagte aber nichts mehr. Eine sportlich aussehende Frau mit einem bunten Tuch im Haar und einer Menge Taschen um die Schultern tupfte irgendetwas auf den Hals des Kameramanns – das musste Esther sein, die Tonfrau, Kameraassistentin und Materialwartin in Personalunion. Anscheinend war sie auf jede Eventualität vorbereitet. Was stellte sie sich an mit dieser Schramme! Der Kopf war ja noch dran. Vermutlich ging sie mit Peter ins Bett und interessierte sich daher für seine körperliche Unversehrtheit.

Während sich Rainer und seine Kollegen unter viel Schultergeklopfe von den Westerwegs verabschiedeten, machten die Fernsehfritzen noch ein paar Bilder von der Halle – und auch von mir, wie verabredet.

Ich gab mir Mühe. Ich lächelte, was das Zeug hielt, versuchte, meine Schokoladenseite in die Kamera zu halten und eine Menge toller Sachen zu sagen – alles, damit Frau Leutberger glücklich war. Trotzdem winkte sie nach wenigen Sätzen ab, als würde ich lauter Blödsinn von mir geben. Aber vielleicht hatte sie auch einfach genug Material.

Der Kameramann würdigte mich keines weiteren Blickes. Esther konzentrierte sich auf ihre Gerätschaften, und die Westerwegs waren vollauf damit beschäftigt, ihr Koffergebirge auf vier verschiedene Trolleys zu laden.

Ich fühlte mich einigermaßen beschissen. Ich hatte glänzen wollen, was mir bis jetzt nicht sonderlich gut gelungen war. Und außerdem war bezüglich des Teams die Anweisung meiner Mutter ganz eindeutig gewesen: Halt sie bei Laune!

Ich seufzte leise und übernahm kommentarlos einen der Wagen – zu irgendwas musste ich ja gut sein.

Wir begaben uns zum Counter, ließen die Sicherheitsfragen über uns ergehen und reihten uns dann mit den Bordkarten in die Schlange vor der Durchleuchtung ein.

Mittlerweile waren wir völlig erschöpft (ich zumindest) – obwohl es noch nicht einmal 11 Uhr war. Selbst das fröhliche Geplauder der beiden Westerwegs war verstummt. Irgendwie machte sich wohl bei allen die Erkenntnis darüber breit, was noch vor uns lag: eine weitere Stunde Warten, ein sechsstündiger Flug, ewig lange Schlangen bei der Einreise – und ein paar sehr anstrengende Tage.

Unvermittelt stellte ich mir die Frage, ob ich denn noch bei Trost gewesen war, als ich mich auf dieses Abenteuer eingelassen hatte. Von wegen ein paar coole Tage »big apple«, ein bisschen shoppen und abends lässig in angesagten Bars herumhängen! Das hier war Knochenarbeit und hatte sich bisher auch nicht sonderlich gut angelassen ...

In dem Moment klingelte mein Handy, laut und vernehmlich. »Let's talk about sex, ba-by...« Verdammt! Ich hatte vergessen, einen neuen Song aufzuspielen. Hastig ging ich dran, damit das Lied aufhörte.

Es war die Verursacherin all meiner Pein: meine Mutter.

»Hallo, hallo? Hörst du mich, Noralein? Die Verbindung ist nicht so ... Nora!?«

»Ja, Mama! Ich höre dich gut, aber ...«

»Oh, das ist ja *wunder*bar! Ich bin auf Sansibar, wie du dir denken kannst, und hier ist was los, kann ich dir sagen! Dieser Erwin! Wie konnte er das nur so dämlich anstellen! Sie ist zu Tode getroffen, verstehst du, im übertragenen Sinne, und ich muss das jetzt ... aber egal! Wo bist du, seid ihr schon weg? Du müsstest jetzt auf dem Weg zum Flughafen sein nach meiner Uhr – alles in Butter?«

Ich flüsterte, denn niemand in der Warteschlange hatte etwas zu tun, und alle spitzten die Ohren. »Ich bin schon am Flughafen, wir sind beim Sicherheitscheck! Alles in Ordnung, ich kann jetzt nicht ...«

»Leg bloß nicht einfach auf, das ist ein Satellitentelefon, die Zeit ist kostbar! Wie findest du die Leutberger, versteht ihr euch gut?«

»Hm, ja, ich *kann* jetzt nicht, Mama. Alles in Ordnung ...«

»Du klingst so komisch, Nora?! Du klingst so, als müsste ich mir ein bisschen Sorgen machen. Was ist denn? Sind es die Westerwegs?! Die sind aber wirklich nett, vielleicht *wirken* sie ein bisschen anstrengend, aber sie sind ...«

»Nein! Nein, die sind in Ordnung ...« Ich sah mich unter meinem Pony, den ich mir ins Gesicht hatte fallen lassen, hastig um. Frau Leutberger stand direkt hinter mir. »Es ist wirklich nichts weiter, alles prima! Ich muss jetzt ...«

»Mein Gott, Kind, sprich doch ein bisschen lauter, man versteht ja gar nichts! Soll ich mal mit der Leutberger sprechen, oder mit den Westerwegs, gib sie mir doch einfach mal ...«

»Um Gottes willen! Ich meine: Nein! Nein, nicht nötig, außerdem sind sie ganz weit weg ...«

»Nora ...«

»Ich leg jetzt auf; ich muss das Handy ausschalten, weil wir gleich einsteigen, tschüss, du kannst jetzt die nächsten Stunden nicht anrufen ... Tschüss!« Und ich drückte blitzschnell die Verbindung weg.

Das war nochmal gut gegangen. Die Leute in der Schlange hatten ihre Gespräche wieder aufgenommen, weil mein Telefonat doch nicht interessant genug gewesen war. Frau Leutberger blätterte in ihren Papieren und hatte vom Gebrüll meiner Mutter offensichtlich nichts mitbekommen.

Ich hasse es, in der Öffentlichkeit zu telefonieren, wenn es still ist.

»Let's talk about sex, ba-by...«

O nein! Mit hochrotem Kopf zerrte ich das verdammte Telefon wieder aus meiner Manteltasche. Jetzt würde ich das Gespräch aber nicht mehr annehmen, Herrgott nochmal, meine Mutter war ja wohl ...

Es war Sven.

Aber das erkannte ich erst in der Hundertstelsekunde,

bevor mein Zeigefinger auf dem roten Knopf landete. Das war Svens Nummer!

Zu spät! Ich hatte das Gespräch unterdrückt!

Mir entfuhr ein kleiner Aufschrei des Entsetzens, aber in dem Moment machte ich mir keinerlei Gedanken, ob mich irgendjemand hörte. Ich starrte eine Sekunde lang auf das jetzt leere Display – und handelte. Rückruf, Kurzwahltaste.

Wenn er jetzt nicht dranging, würde ich *richtig* laut schreien. Er sollte mir doch sagen dürfen, dass er mich liebte, dass alles in bester Ordnung war und er mich so sehr vermisste ...

»Ja?«

»Ich bin's, Nora. Du ... du hast angerufen?«

»Ja, äh ... ja. Bist du noch da – ich meine: hier?«

Ganz offensichtlich. Oder hatte er gedacht, ich hätte es mir anders überlegt, würde nicht fahren und säße ängstlich wartend auf meinem Wohnzimmersofa?!

Ich wählte meine Worte sorgfältig. »Ja. Aber ich ... wir sind schon am Flughafen ...«

»Hm. Ja. Marie hat mir gesagt, dass du fährst.«

Pause.

Und solche Pausen halte ich nie besonders lange aus. »Ähm ... hat sie ... ist sie da? Ich meine ... die anderen auch?« Ich konnte einfach nicht deutlicher werden: Machte er nun den Umzug oder nicht?

»Silke ist nicht da. Ich nehme an, sie denkt, die Sache wäre eh geplatzt.«

Ja – und? War sie das?! »Ah.«

Pause.

Das Gespräch zerrte langsam, aber sicher an meinen Nerven. Außerdem rückte ich immer näher an das Fließband heran, auf dem man seine Sachen ablegen musste. Sie würden mich nicht telefonierend durch die Schleuse latschen lassen. »Und? Ist sie das?«

»Was ist sie? Wer ist was?«

Okay, er wollte es nicht anders. »Geplatzt? Die *Sache*?! Machst du den Umzug oder nicht?!« Ich hoffte, meine Stimme klang nicht allzu patzig. Es war reine Nervosität.

»Also ... ich hab ernsthaft nachgedacht und ... ich finde schon, dass du dich nicht richtig verhalten hast.«

Mamma mia! Wollte er mich zum Wahnsinn treiben? Sonst war er doch auch nicht so umständlich! Vorsichtshalber sagte ich aber nur mal: »Ach ja?«

»Ja. Und ich glaube, dass du das eigentlich auch so siehst. Du hättest das wirklich vorher mit mir besprechen müssen ...«

»Aber das hab ich doch! Beziehungsweise – ich wollte doch erst gar nicht fahren! Ich wollte dir doch nur von der *Idee* erzählen! Deine Reaktion hat mich erst dazu gebracht – oder es hat sich eben im Gespräch so entwickelt, ich weiß es auch nicht mehr so genau!« Ich musste mir größte Mühe geben, nicht laut zu werden. Das gelang nur, indem ich die Leute um mich herum nicht aus den Augen ließ, sonst hätte es mich davongetragen. Leider bedeutete das auch, dass ich die Blicke sah, die sie mir *nicht* zuwarfen – und die Mühe, die sie das kostete.

»Willst du mir erzählen, *ich* hätte dich dazu gebracht, das zu machen, ich wäre Schuld?«

»Nein! So – ganz so hab ich das nicht gemeint! Du warst nur auch beteiligt; ich war ja noch nicht entschieden ...«

Jetzt war nur noch Esther vor mir. Sie packte diverse Jacken, Taschen und Beutel in die bereitstehenden Plastikkisten. »Ich muss leider gleich aufhören, weil ich an der Reihe bin ...«

Sven gab sich einen Ruck; ich konnte es richtig hören. »Nora? Da könnte man jetzt noch eine Menge ... Aber wir vertagen das, okay? Ich wollte nur sagen ... ich hab mich entschieden. Ich ziehe heute um.«

Yippieh! Mir fielen ganze Steinbrüche vom Herzen. Warum hatte er das nicht gleich gesagt? »Oh . . . ja. Klasse. Das freut mich. Ich finde . . .« Verdammt, jetzt war ich dran. Der Sicherheitsbeamte sah mich schon auffordernd an. Aber jetzt konnte ich Sven echt nicht abwürgen, so kurz vor den Liebesschwüren!

Kurz entschlossen drehte ich mich um. Frau Leutberger starrte mich irritiert an.

»Bitte! Gehen Sie ruhig vor, ich muss noch . . .«

Ich schlüpfte eilig an ihr vorbei. »Sven?! Das finde ich . . . toll. Super! Stell dir vor, wir hätten die Sache einfach sausen lassen, das hätten wir uns doch nie verziehen. So können wir . . .«

»Na ja, wir können ja dann sehen. Deine Sachen holen wir nächste Woche, und dann . . . sehen wir, wie's weitergeht. Also – das wollte ich nur sagen. Du musst jetzt wohl los.«

»Ja. Ja, ich bin dran. Okay . . .«

»Okay. Pass auf dich auf. Und sag mal – könntest du mir eine FlycamTwo mitbringen, die gibt's drüben dermaßen viel billiger . . . diese Minikamera, weißt du doch, oder!?«

»Äh, ja. Flycam, klar. Ich versuche, eine zu kriegen . . .«

»FlycamTwo – nicht verwechseln!«

»Ja, klar.«

»Cool. Also, bis dann, ja? Küsschen.«

»Küsschen . . .«

Ein Klicken. Er hatte aufgelegt. Irgendwie fühlte ich mich ein bisschen seltsam – wie ein Kind, dem man beim Aufwachen sagt, dass heute Weihnachten ist, und dann gibt es nur ein einziges kleines Geschenk.

»Junge Frau . . .«

Ich starrte auf mein Handy. Keine Liebesschwüre. Stattdessen mal wieder Sven als Sparfix, der auflebte, wenn er irgendwo zehn Euro sparen konnte. Immerhin, er machte den Umzug . . .

»Junge Frau! Haben Sie sich's anders überlegt? Das könnte aber problematisch werden ...«

Vor mir stand der Security-Typ vom Förderband und sah mich kritisch an. Frau Leutberger war schon jenseits der Schleuse, und ich hielt hier offensichtlich den ganzen Betrieb auf.

»Nein«, sagte ich. »Ich komme schon.«

Und ich schaltete mit festem Griff das Handy aus und legte es in die Plastikschale.

Wolken über NYC

Es wurde der anstrengendste Flug meines Lebens.

Erstens saßen wir Economy. Seit ich mit neunzehn einmal bei einem Urlaubsflug versehentlich in der Business gelandet war, war ich für die Economy verloren. Und jetzt saß ich sieben Stunden lang auf einem Sitz, der gefühlte zwanzig Zentimeter breit war, mit den Knien tief im Rücken des Vordermannes und – unbarmherziges Schicksal! – auch noch auf dem Mittelplatz.

Zweitens saß Frau Leutberger neben mir, ausgerechnet. Das bedeutete, dass ich weder über die Touristenklasse jammern konnte (wie' hätte das ausgesehen?!) noch den gesamten Flug mit Musik auf den Ohren verdösen konnte. Stattdessen musste ich höfliche Konversation machen, ihr den letzten Tagesspiegel überlassen, den die Stewardess noch hatte, und gar nicht erst versuchen, den Kampf um meine linke Armstütze aufzunehmen. Frau Leutberger belegte die Lehne mit Beschlag, von der ersten Sekunde an, und sie beanspruchte sie bis zu dem Moment, in dem das Flugzeug auf amerikanischem Boden aufsetzte.

Wie gesagt, es war anstrengend.

Zwischendurch floh ich für eine Viertelstunde zu den Westerwegs, die fünf Reihen vor uns drei Plätze für sich allein hatten (und auch brauchten). Mutter und Tochter waren aufgekratzt und fröhlich und teilten großzügig ihre Mega-Packung Erdnüsse mit mir. Genauso großzügig waren sie mit Einblicken in ihr Gefühlsleben.

»Wissen Sie, Nora, mein Günter und ich, wir sind ein-

58

fach *so*! (Sie kreuzte die Finger übereinander.) Immer noch, nach sieben Jahren! Wenn wir nicht dauernd miteinander reden würden, dann ging's gar nicht. Ich bin ja so froh, dass er mir Antwort gibt! Das macht nicht jeder, das können Sie wohl glauben!«

Ich verstand nichts, machte aber eine interessierte Miene. Wer war Günter? Und wieso sollte er ihr nicht antworten, wenn sie ihn anrief?

»Er hat mir auch geraten in der Sache mit der Denise, natürlich. Brigitte, hat er gesagt, Brigitte, such der Denise einen richtich guten Mann. Nicht irgend so einen Bonner Käskopp, und der Andy war es ja auch nicht – immer nur den FC im Kopf und von Weihnachten bis Rosenmontag Karneval machen, ne! Ein echter Kölner eben, was, Denise?! Gut, dass du dem den Laufpass gegeben hast. Günter, sag ich, Günter, was hältst du denn von was Internationalem?! So was richtig Erstklassigem, gutes Elternhaus, mit Bildung und Geld und allem, was dazugehört?! Datt ham wir ja schließlich auch zu bieten, ne, Denise!« Sie lachte ein saftiges, ansteckendes Lachen. »Und da sind wir über Ihre Mutter gestolpert, Frau Nora, das kam wie gerufen! Die Denise wär ja sonst schon langsam überfällig geworden!«

Wieder lachte sie herzhaft. »Die Denise« kicherte mit und fühlte sich überhaupt nicht auf den Schlips getreten.

»Was wir unser Englisch aufpoliert haben, das glauben Sie nicht! Hören Sie mal: *Ssank you for sse nice evening! Nice to meat you, mister! My Denise is from Germany, from sse Rhein where its terrible beautiful! You can call me Biggy!* Und so weiter… Gut, was, so für den Anfang?!« Biggy Westerweg strahlte mich an; ihr rundes, rotes Gesicht spiegelte Vergnügen, Zuversicht und großes Vertrauen – Vertrauen in mich und meine Fähigkeiten, alles zu richten.

Ich schluckte. Plötzlich hatte ich das Gefühl, als hätte man mir die Verantwortung für zwei Kinder übertragen, die ich durch ein paar Untiefen des Lebens steuern sollte ... und ich hatte keine Ahnung vom Steuern. Durch mein eigenes Leben ruderte ich ja auch mehr schlecht als recht, wie konnte ich davon ausgehen, andere Menschen zu lotsen?! Wieso war meine Mutter auf diese blöde Idee gekommen?!

Ich plauderte noch ein paar Minuten und schlich dann zu meiner Folterbank neben Frau Leutberger zurück.

»Ich habe Ihnen zum Mittagessen die Bohnen geben lassen«, sagte sie schnappig und wies auf den Alubehälter auf dem Tischchen vor meinem Platz. »Sie waren ja nicht da!«

Ich bedankte mich lächelnd und quetschte mich auf meinen briefmarkengroßen Sitz. Wenn es etwas auf der Welt gab, das ich wirklich hasste, dann waren es Bohnen.

Wenn ich abergläubisch wäre, hätte ich mir bei diesem Auftakt der Reise Schlimmes für den Rest des Projektes ausgerechnet. Ging eigentlich nicht schon seit Tagen alles schief – und konnte das nicht nur eins bedeuten: Es würde noch schlimmer kommen?!

Doch ich wollte den Teufel nicht an die Wand malen, also krümmte ich mich eben auf meinem Sitz zusammen, ignorierte meine schmerzenden Gesichtsmuskeln (wegen des eingefrorenen Lächelns) und sagte mir, es könne ja nur aufwärts gehen.

Vor lauter Optimismus machte ich dann aber leider bei den Einreiseformularen ein Kreuz in der falschen Spalte.

Was im Endeffekt dazu führte, dass ich eine halbe Stunde lang von einem mies gelaunten Einwanderungs-beamten gegrillt wurde, dass sich die mir Anvertrauten auf der anderen Seite der Schleuse genervt die Beine in den Bauch standen und dass ich mich, nachdem ich mit hochrotem Kopf schließlich einreisen durfte, sofort einer höchst verärgerten Leutberger gegenübersah.

»Wer hätte das noch für möglich gehalten!«, fuhr sie mich bissig an. »Was haben Sie denn angestellt?!«

Es kostete mich schier übermenschliche Kräfte, nicht zurückzubeißen. »Ein Missverständnis – Entschuldigung!«, sagte ich. Für die Westerwegs tat es mir wirklich leid. Die beiden leicht Übergewichtigen sahen ein bisschen mitgenommen aus vom langen Flug und der Warterei. »Er fand, ich hätte ›Tourist‹ ankreuzen müssen und nicht ›Business‹. Das ist doch Blödsinn, oder? Wir sind ja schließlich nicht zum Vergnügen hier!« Ich lachte.

Der Witz kam nicht ganz so gut an, wie ich gehofft hatte. Biggy Westerweg blies sich erschöpft eine rote Haarsträhne aus der Stirn.

»Können wir jetzt?«, fragte sie. »Ich bin ganz schön fertig!«

Also bewegten wir uns in Richtung Gepäckhalle und fischten unsere Kofferberge vom Band. Wir trabten durch den Zoll, wobei ich wilde Stoßgebete zum Himmel sandte, mit der Bitte, bloß nicht wieder angehalten zu werden. Ich wurde erhört.

Draußen quetschten wir uns in ein Sammeltaxi und verteilten das Gepäck, das nicht mehr im Kofferraum unterkam, auf jede freie Fläche im Innenraum.

Während der Fahrt musste ich meinen Hals verdrehen und durch einen winzigen Spalt zwischen einer gigantischen Hutschachtel und einem alufarbenen Kamerakoffer hindurchspähen, um einen Blick auf die berühmte Skyline zu erhaschen. Ein bisschen anders hatte ich mir ihn vorgestellt, meinen Einzug in Manhattan ...

Immerhin dauerte es nur noch eine weitere Dreiviertelstunde, bis wir im Hotel ankamen. Es war sogar das richtige, und wir hatten ordnungsgemäß gebuchte Zimmer! Ich war heilfroh, wir alle waren reichlich erschöpft.

Wie zum Ausgleich für meine vermasselte Aussicht während der Fahrt hieß das Hotel »Skyline«. Es lag an der

Tenth Avenue, Ecke 50th Street – was auf dem Stadtplan ganz Spitzenklasse ausgesehen hatte, in Wirklichkeit aber ein bisschen ab vom Schuss war. Dafür boten die Zimmer wirklich und wahrhaftig einen guten Blick auf die New Yorker Skyline – Wolkenkratzer, soweit das Auge reichte, ausgebreitet vor dem erschöpften Reisenden wie das glitzernde Versprechen auf eine glorreiche Zukunft ... ach, ich hätte noch ewig am Fenster stehen und schwärmen können. Aber ich musste ja an die Arbeit.

Als wir uns einige Zeit später auf den Weg zum Times Square machten, trabte ich den anderen müde hinterher. Frau Leutberger hatte Essen und ein paar nächtliche Leuchtreklamen-Aufnahmen angeordnet. Wieso waren die alle so fit – ich war doch eine der jüngsten hier?! Ich konnte das seltsame Gefühl nicht unterdrücken, ich sei nicht wirklich die Anführerin dieser Gruppe ... Meiner Mutter wäre das nicht passiert; sie konnte gar nicht anders als den Ton angeben.

Ich nahm mir fest vor, spätestens morgen früh das Heft in die Hand zu nehmen. Heute Abend würde ich den anderen den Vortritt lassen; ich war schließlich müde und hungrig. Und ich wollte mich in Ruhe umsehen, zugeben, und die Stadt auf mich wirken lassen. Unglaublich, wie eng die Straßen waren! Lediglich die Avenues, die in Nord-Süd-Richtung verliefen, entsprachen dem Bild, das ich mir von New York gemacht hatte – mindestens vier Fahrspuren voll gelber Taxis und schaukelnder Limousinen, Gehupe, Benzingestank zwischen himmelsstürmenden Häusern, Neongeflirr und einer champagnerfarbenen Luft! Wow! Endlich war ich hier!

Sowieso eine Schande, dass ich bis dahin beinahe dreißig hatte werden müssen; die meisten meiner Freundinnen waren schon in New York gewesen, manche mehr als einmal. Hinterher hatten sie dann diesen wissenden Blick drauf, sie schlenkerten lässig mit obercoolen Taschen oder sagten Sätze wie »die *Choos* hab ich aus so einem winzigen Laden im *Village*«. Puuuh!

Aber jetzt war ich auch hier. Wie gesagt, die Straßen waren winzig, aber der Asphalt hatte ein aufregendes Schwarz, ganz anders als das triste, langweilige Grau zu Hause. Ich bildete mir ein, zarte Schwaden von Dampf aus den Gullys aufsteigen zu sehen – wahrscheinlich hatte ich aber bloß zu viele Krimis gesehen.

Aufregend war es auf jeden Fall, und ich wurde mit jedem Schritt in Richtung Times Square ein bisschen wacher. Die beiden Westerwegs hingegen wurden immer lauter. Ihre »Aahhs« und »Oohhs« und »Schau mals« häuften sich, und sie stießen sich gegenseitig in die Seiten und zeigten auf Stretchlimos und Leuchtreklamen und auf jede Filiale von Läden, die sie von zuhause kannten. Das waren nicht wenige. »Günter – soweit haben wir's schon geschafft!«, seufzte Mama Westerweg stolz.

Peter schwenkte seine Kamera hierhin und dahin, Esther immer im Schlepptau. Frau Leutberger animierte Biggy und Denise hin und wieder, den ein oder anderen Quietscher für die Kamera zu wiederholen, was sie auch bereitwillig taten. Denise erklärte mit geröteten Wangen, dass sie jetzt schon spure, »datt ich genau an der richtigen Adresse bin hier! Es ist alles so *aufregend!*«

Für mich interessierte sich kein Schwein.

Worüber ich einerseits froh war, was ich andererseits der Fernsehfrau auch übel nahm. Die hatte es ja richtig auf mich abgesehen! Meine Mutter hatte mich gewarnt: Wir müssten aufpassen, der Leutberger keine Schwächen zu präsentieren. Ob das Fernsehen nämlich dann der Versuchung widerstehen könnte, sich darauf zu stürzen wie ein Aasgeier auf frische Beute, das sei eher zweifelhaft ... Das Konzept der Dokumentation war zwar, das Aufregende, Positive, Internationale und Erfolgreiche von *Matches*

Worldwide zu zeigen – quasi ein Loblied auf meine Mutter – , aber wenn man die Leute in Versuchung führte, musste man eher mit dem Schlimmsten rechnen. Eine allzu kritische oder spöttische Haltung könnte der Firma den Hals brechen.

Wegen dieser Warnung beschloss ich also jetzt im Stillen, die Leutberger mit Charme und Esprit und Freundlichkeit so zuzukleistern, dass ihr Hören und Sehen verging. Ab morgen.

Heute folgte ich dem Trupp widerspruchslos und als Schlusslicht in ein Touristen-Abzock-Deli direkt am Broadway. Marie hatte mich vor diesen Läden gewarnt; ihrer Meinung nach durfte man sich nur in ganz bestimmten, angesagten Lokalitäten blicken lassen. Das war mir im Moment aber egal: Ich hatte nach den Alu-Bohnen im Flugzeug richtig Hunger. Wir setzten uns an einen langen Tisch, den wir mit einer Menge überteuerter »Delikatessen« beluden, und taten so, als wären wir beste Freunde.

Was die Westerwegs anging, so waren wir das auch. Die beiden waren wirklich ganz ohne Arg – zwei bis auf die Knochen nette Menschen. Sie kamen aus dem Schwärmen gar nicht mehr heraus, obwohl es, wenn man ehrlich war, noch nicht so viel zu schwärmen gab. Auf der Straße schlenderten nur Touristen vorbei, das gleiche Glitzern in den Augen wie wir, ganz im Rausch des Nabel-der-Welt-Gefühls. Das hatte uns auch alle gepackt. Sogar Frau Leutberger hatte einen leicht animierten Gesichtsausdruck, und einmal ertappte ich sie, wie sie mich ansatzweise anlächelte. Ihr Lächeln fror allerdings sofort wieder ein, nachdem sie gemerkt hatte, was ihr passiert war.

Mir war es egal. Nachdem mich Peter und Esther nicht mehr ganz so grimmig ansahen (vermutlich waren sie auch einfach aufgekratzt von der New Yorker Luft), fühlte ich mich nicht mehr wie das fünfte Rad am Wagen. Dann rief auch noch meine Mutter an, und diesmal war es mir ausnahmsweise recht. Sie brachte mir wieder in Erinnerung, wer hier die Strippen zog ... die Leutberger hatte schließlich keine Satellitenverbindung nach Afrika!

Ich erzählte meiner Mutter, dass wir gemütlich am Broadway zusammensaßen.

»Wunderbar, Schätzchen, das hast du toll gemacht! Ich wusste ja, dass ich mich auf dich verlassen kann!« Es ging mir runter wie Butter. »Jetzt könnt ihr loslegen! Es kann eigentlich gar nichts schiefgehen, alles ist *erstklassig* durchgeplant! Brooke erwartet euch morgen – und dann verschaffst du der Kleinen einen tollen Mann, ja?! Wir haben nur Spitzen-Kandidaten auf die Liste gepackt; ich setze am ehesten auf Don, aber du kannst ja selbst mit entscheiden, Schätzchen!«

»Wieso denn ich ...?«

»Weil der ›Matchmaker‹ natürlich die Strippen zieht, Kleines! Wir können *objektiv* sein, im Gegensatz zu den Kunden. Die sind viel zu aufgeregt und sehen nicht klar! Du machst das schon, sanfte Beeinflussung, verstehst du?! Wäre toll, wenn er sehr gut aussieht, fürs Fernsehen! Apropos – gib mir doch mal rasch die Leutberger, ach, und die Westerwegs natürlich auch, Klienten müssen verwöhnt werden, Schätzchen!«

Ich reichte – sprachlos – den Hörer herum. Meine Mutter flötete auf jeden ein, der bereit war, mit ihr zu reden. Ich nuckelte an meiner Diätcola, zu müde, um ihre Worte genau zu hinterfragen.

Als das Telefon wieder bei mir landete, atmete ich unwillkürlich auf. Frau Leutberger hatte sich nicht über mich beschwert, nur etwas von einem »langen Flug« und einer »verzögerten Einreise« gesagt.

»Alles in Ordnung bei dir?«, fragte ich, eigentlich nur der Form halber.

»Es ist 3 Uhr *nachts*, Schätzchen, was glaubst du?! Ich hatte bis vor einer halben Stunde ein Gespräch mit Xenia, ich sage dir! Sie ist am Boden – und gleichzeitig so wü- tend! Ich muss jetzt dringend ins Bett, morgen geht`s mit Erwin weiter, aber ich hab da schon so eine Idee! Noralein, schlaf gut, denk an alles, was ich dir gesagt habe und mach keine Fehler! Bis dann, ciao, Küsschen!« Und weg war sie.

Keine Fehler sollte ich machen – na ja, wenn's weiter nichts war. In den letzten 24 Stunden hatte ich so viele ge- macht, dass es für einen ganzen Monat reichte. Nach dem Gesetz der Wahrscheinlichkeit konnte es eigentlich nicht mehr so weitergehen.

Samstag in Manhattan

»If you can make it there, you make it everywhere ...«

Ich war so übermütig und erfrischt aufgewacht, dass mir nichts Blöderes einfiel, als den alten Frank-Sinatra-Song als Klingelton auf das geliehene Handy meiner Mutter zu überspielen. Nur aus Spaß, sagte ich mir, bei der nächsten Gelegenheit würde ich es wieder ändern. Ich stand am Fenster, hörte das Lied und betrachtete zufrieden die morgenklare Skyline vor mir.

Wieder war ich mit den anderen verabredet, diesmal fürs Frühstück im Hotel. Doch ich hatte noch eine Stunde bis dahin, war angezogen und frisch geduscht ... Ich konnte mich jetzt ein bisschen mit den Unterlagen vergnügen, mich auf den Tag vorbereiten und feine, markante Sätze für die Kamera üben. Ich konnte aber auch – sehnsüchtiger Blick nach draußen – kurz auf die Straße hüpfen und eine Mütze voll New Yorker Luft nehmen. Das würde mich mindestens genauso fit machen ...

All diese Bilder im Kopf – Cameron Diaz joggt durch die Straßen Manhattans, bevor sie zur Arbeit geht. Oder war es Jennifer Lopez? Oder Scarlett Johanssen, die einfach zu Fuß geht? Ganz egal. Ich wollte das auch.

Zwei Minuten später war ich unten.

Es war ein tolles Gefühl. Das ganze Geheimnis war, so zu tun, als wäre man hier um die Ecke geboren – und solange einen keiner anquatschte, ging das ja problemlos. Schon nach hundert Metern bildete ich mir beinahe ein, ein Kamerawagen würde neben mir fahren und der Rest des Filmteams mir hinterherrennen – mein Lächeln wurde breiter, ich richtete mich auf und fühlte mich einfach ultracool.

So wie ich jetzt gelaunt war, würde ich die nächsten Tage hier locker wuppen. Ich würde alle glücklich machen und mich selbst noch dazu.

In diesem Hochgefühl, das ich gerne in Dosen abgefüllt und mit nach Hause genommen hätte, ging ich die Tenth Avenue entlang, holte mir in einem Café einen Latte, sah den Lieferwagen beim Ausliefern zu und den Müllmännern beim Entmüllen. Es war ein bisschen so, als liefe ich durch die Kulissen eines Theaterstücks, wo alle eifrig durcheinanderwuselten, damit vorne auf der Bühne (zwischen den Wolkenkratzern zwei Blocks weiter) alles im richtigen Moment bereit war.

Bevor ich vor lauter Enthusiasmus am Ende von Manhattan ins Wasser fiel, kehrte ich wieder um.

»If you can make it here ...!«, sang ich innerlich, während ich wieder in mein Zimmer zurücktrabte. Ich würde es schaffen, das war mir jetzt klar, und der eine oder andere würde über mich staunen ...

So gewappnet begrüßte ich die anderen, die sich bereits vollzählig im Frühstücksraum versammelt hatten.

Die Stimmung war gut; draußen schien die Sonne, im Fernseher wurde ein Baseballspiel übertragen, und der Kaffee war nicht die dünne Brühe, die wir alle erwartet hatten. Während wir aßen, skizzierte ich in groben Zügen meinen Plan für den Tag: um zehn Uhr Besuch im Büro von *Matches Worldwide*, Ablichten der Räumlichkeiten an der Fifth Avenue, Checken der Termine für den Abend. Nachmittags ein bisschen Relaxen, Freizeit sozusagen, bevor es dann ernst wurde: Zwei *dates* für Denise waren angesagt, das eine in einem Restaurant, das andere in einer

Bar ... Wir würden sie natürlich begleiten, alles würde gefilmt werden.

Das war der simple Plan. Überraschenderweise hatte niemand irgendwelche Einwände, noch nicht einmal die Redakteurin. Die beiden Betroffenen – Denise und ihre Mutter – würden die Termine erst erfahren, wenn all die kurzfristig vereinbarten Einzelheiten geklärt waren: Uhrzeiten, Treffpunkte etc.

Ich fühlte mich gut, beinahe freute ich mich sogar auf den Tag. Für den Nachmittag hatte ich mir vorgenommen, auf eigene Faust durch ein paar angesagte Viertel zu ziehen; Marie hatte Tribeca empfohlen, Wanda hörte nicht auf, von Chelsea zu schwärmen, und ich selbst hatte heimlich Chinatown auf meinen Zettel geschrieben. Okay, es war voller Touristen, aber ich konnte ja ganz newyorkerisch gucken und mir dann wie etwas Besseres vorkommen.

Doch vorher musste ich mir die Freizeit erst verdienen. Es war ja auch irgendwie cool, in New York zu arbeiten! Das konnte keine meiner Freundinnen von sich behaupten.

»Wann ist der Bus denn da?«, fragte Esther, die sich eben noch einen Pfannkuchen geholt hatte. Von ihr war den ganzen Morgen noch kein Wort zu hören gewesen.

Ich sah sie etwas verwirrt an. »Bus?«

»Na ja, das Auto, das uns abholt.«

»Abholt?« Ich weiß, ich klang nicht besonders souverän. Aber ich wusste einfach nicht, wovon sie redete.

Frau Leutberger mischte sich ein. »Ihr Büro hier hat doch organisiert, dass wir einen Wagen haben – wir können ja nicht dauernd zu sechst und mit allem Equipment durch die Gegend marschieren. Ihre Mutter hat das mit mir besprochen; ein Kleinbus müsste reichen, mit Fahrer natürlich.«

»Ah ... ach *den* meinen Sie. Ja, klar. Ich äh ... gegen halb

69

zehn ist er da. Das ist doch sicher für alle okay, oder?!«
Gut, dass ich manchmal so schnell im Denken bin! Ich
wusste nicht das Geringste von einem Auto mit Fahrer,
das uns abholen sollte, geschweige denn, herumkutschie-
ren! Was hatte meine Mutter da wieder versemmelt?! Dauernd anrufen – das konnte sie, aber die wichtigsten Fakten
mitteilen, daran haperte es offenbar! Ich konnte nur hoffen, dass Brooke hier im Büro alles organisiert hatte ...
Und halb zehn würde ja so ungefähr stimmen, wenn der
Fahrer später käme, wäre das nicht meine Schuld.

Aber trotzdem – ich wollte auf Nummer sicher gehen.
Ich erhob mich vom Tisch, als wäre ich mit dem Frühstück
fertig, sagte, ich hätte noch etwas zu arbeiten und rannte
auf mein Zimmer.

Als Erstes rief ich bei Brooke im Büro an. Vielleicht war
sie, ganz pflichtbewusste Sekretärin, schon eine Stunde
vorher am Schreibtisch und würde mir sagen, dass der
Kleinbus selbstverständlich um halb zehn vor der Tür des
»Skyline«-Hotels stehen würde ...

Niemand nahm meinen Anruf entgegen, noch nicht einmal ein Anrufbeantworter. Na gut, es war Samstag früh
um neun, vermutlich saß Brooke noch in der U-Bahn oder
joggte eben die Fifth Avenue herauf. In spätestens einer
Viertelstunde würde sie da sein.

Ich rief in minütlichen Abständen an – erfolglos.

Als sich um fünf vor halb zehn immer noch niemand
meldete, warf ich mir meinen Trenchcoat über, schnappte
meine Tasche und rannte los in Richtung Lobby. Unterwegs wählte ich die Nummer des Satellitentelefons in Tansania – beziehungsweise ich ließ wählen. Ich hatte die
Nummer in weiser Voraussicht gespeichert. Meine Mutter
würde mir sagen können, dass mit dem Auto alles in Ordnung war. Ich überschlug sogar im Geiste, wie spät es in
Afrika war: irgendwann mitten am Nachmittag, also eine
prima Zeit. Sie würde gleich drangehen ...

Sie tat es nicht. Verdammt, wo steckte sie, wenn man sie brauchte? Ich fluchte leise.

Nein! Ich hatte mir vorgenommen, dass dieser Tag erfolgreich werden würde, und das würde ich mir nicht nehmen lassen! Ich war schließlich nicht auf den Kopf gefallen und wusste mir zu helfen.

Mit wenigen Schritten stand ich an der Rezeption. Gott sei Dank war sie besetzt.

»Könnten Sie bitte zwei Taxis rufen?! Es ist dringend, wir haben einen wichtigen Termin!« Ich lächelte reizend und schob dem Portier zwei gefaltete Dollarnoten über den Tresen. Mehr an Kleingeld steckte nicht in meiner Tasche, aber das würde sicher reichen. Gut, dass ich so viele Filme gesehen hatte und wusste, wie man in den USA durchkam!

Tatsächlich brummte der Portier etwas, das ich für Zustimmung hielt, und griff zum Telefon.

»Für sofort?«, fragte er.

»Ja!« Hatte ich das nicht eben gesagt?! Ich lächelte unbeirrt weiter.

Der Portier nickte und machte eine vage Handbewegung in Richtung Ausgang, während er etwas in den Hörer knurrte. Ich beschloss, das als positives Zeichen zu nehmen, und marschierte zur Tür hinaus.

Peter und Esther standen bereits mit mehreren Taschen und umgehängter Kamera am Straßenrand. Es war eine Minute vor halb zehn. Weit und breit gab es kein Fahrzeug zu sehen, das einem Kleinbus ähnelte und Anstalten gemacht hätte, vor dem Hotel zu halten. Ich trat strahlend zu den beiden und begann ein Gespräch über meine Erfahrungen mit dem rbb. Ich wusste, dass Medienleute gern über ihren Job sprachen.

Als die Westerwegs eine Minute später zu uns stießen, beschwingt plappernd und voll positiver Energie, trat ich möglichst unbemerkt zwei Schritte zur Seite und rief ein letztes Mal im Büro an. In diesem Moment tauchten gleichzeitig Frau Leutberger aus dem Hotel und zwei gelbe Taxis aus der Seitenstraße auf, und ich gab auf.

»Überraschung!«, verkündete ich strahlend, während die beiden Wagen genau vor unserer Nase hielten. »Als kleine Einstimmung auf Manhattan gönnen wir uns heute Morgen zwei echte gelbe Taxis! Der Bus stößt später zu uns. Das ist heute früh zu langweilig! Ich hoffe, das ist für alle okay!« Ich wagte nicht, Frau Leutberger anzusehen; ich vermutete, dass sie eine plötzliche Veränderung von Plänen nicht schätzte. Stattdessen eilte ich fröhlich grinsend zum Kofferraum des vorderen Taxis, riss den Deckel auf (ein Wunder, es klappte!) und half Peter und Esther, ihre Utensilien darin zu verstauen. Biggy und ihre Tochter kletterten schnurstracks und Frau Leutberger hinter sich herziehend in das zweite Taxi, dessen Fahrer sie sofort mit ihren Englischkenntnissen beglückten.

»*Follow ssis cah*!«, rief Biggy und feixte. Sie hatte offensichtlich auch zu viele Filme gesehen.

Ich hüpfte zu Peter und Esther in den ersten Wagen.

»Fifth Avenue, Ecke 19th West«, verkündete ich professionell und erlaubte mir, ein ganz klein wenig stolz auf mich zu sein. Eine schwierige Situation elegant gemeistert – das durfte man doch behaupten, oder?!

Fifth Avenue klingt einfach toll, finde ich. Fand ich immer schon: Als meine Mutter vor sechs Jahren die New Yorker Filiale von *Matches Worldwide* gründete und auch noch mit einer solchen Adresse aufwartete, war ich tatsächlich ein kleines bisschen beeindruckt gewesen. Obwohl ich über ihre Profession immer die Nase gerümpft hatte und nie etwas damit zu tun haben wollte, erwähnte ich den Standort damals meinen Freunden gegenüber doch hin und wieder. Aber ich hielt mich immer zurück und bot meiner Mutter nie an, in ihrer Filiale nach dem Rechten zu sehen – so leicht käuflich war ich nicht. Ich nahm ihr gegenüber nie ein Blatt vor den Mund: Meiner Meinung nach war ihr Beruf unseriös, besonders so, wie sie ihn betrieb – sie veranstaltete irgendwie eine Art Lotterie. Folien, die übereinandergelegt wurden – was sollte das denn aussagen?!

Aber Fifth Avenue! Klang das nicht wichtig und seriös, nach Geld und Glamour zugleich?! Jetzt freute ich mich jedenfalls darauf, das Büro meiner Mutter (also ein bisschen auch meins) zu betreten. Zwar wurde die Prachtstraße mit jedem weiteren Block weniger glamourös, aber sie blieb die Fifth, auch über das Empire State Building hinaus. Die Wolkenkratzer wurden zwar kleiner, aber das Gebäude, vor dem das Taxi schließlich hielt, hatte immer noch zwanzig bis dreißig Stockwerke und war gut in Schuss. Es hatte die typische New Yorker Markise, was mich besonders freute, warum auch immer.

Alles wird gut, feuerte ich mich an, bevor ich aus dem Taxi sprang. Ich wollte besonders cool aussehen, weil Peters Kamera schließlich alles mitbekam, doch ich knickte vor lauter Schwung mit dem Fuß um und verzog das Gesicht zu einer schmerzverzerrten Grimasse. Na ja, es kann nicht alles klappen – ein lässiges Lächeln in Richtung des rot leuchtenden Kameraauges und die Hoffnung, sie würden diesen Augenblick ohnehin rausschneiden ...

An der Spitze meiner Truppe zog ich in das Gebäude ein. Schon von Weitem entdeckte ich das Schild (unter etwa fünfzig anderen, aber egal) – MATCHES WORLDWIDE, ELIANE TESSNER. Es war ein kleines Schild, direkt unter dem größeren, messingfarben glänzenden Hinweis: MR. & MRS. RIGHT – MARRIAGE BROKERS. Das musste die amerikanische Partnerfirma sein, in deren Räumen meine Mutter untergekommen war. Bei den Unterlagen, die sie mir mitgegeben hatte, war auch eine Vereinbarung zwischen *Matches* und Mr. Right gewesen: Meine

Mutter zahlte eine monatliche Summe für Miete und Strom; die gegenseitige Zusammenarbeit beinhaltete regelmäßiges Abgleichen von Kundendateien, um eventuelle Partner für die eigenen Klienten zu finden. Weil *Matches* bei dem Deal die wesentlich kleinere Firma war, die nicht so viele Kunden zu bieten hatte, zahlte meine Mutter für diesen Dateienaustausch eine kleine Summe zusätzlich zur Miete. Es gab auch eine Klausel, die verhindern sollte, dass man sich gegenseitig Kunden abspenstig machte – insgesamt eine faire Regelung, wie mir schien. Vielleicht sogar ein wenig zu Gunsten meiner Mutter – immerhin kriegte sie dafür eine Fifth-Avenue-Adresse.

Und eine Eingangshalle mit einem Doorman.

In der Nähe der Aufzüge befand sich eine Art Tresen mit Fächern, wo Post oder Ähnliches gesammelt werden konnte. Dahinter stand der Doorman und ließ uns nicht aus den Augen. Irgendwo hatte ich gelesen, dass man sich bei ihm anmeldete, wenn man einen Termin in einem der Büros hatte, über die sie wachten. Ich ging geradewegs auf ihn zu.

»Hallo, ich bin Nora Tessner, *Matches Worldwide*! Ich freue mich, Sie kennenzulernen.« Ich spürte geradezu körperlich, dass Peter in meinem Rücken schon die Kamera laufen hatte. Automatisch straffte ich die Schultern. »Wären Sie so freundlich, uns anzumelden?!«

Der Angestellte, ein jüngerer, wohlgenährter Puertoricaner in einer Art Uniform, schaute mich neugierig an. Auf seiner Jacke prangte ein dezentes Schild, das ihn als »Raoul« auswies. »*Matches Worldwide*, ja?! Haben Sie einen Termin?«

»Das kann man wohl sagen!«, strahlte ich. »Brooke ... äh, erwartet uns.« Mist, wieso hatte ich mich nicht nach ihrem Nachnamen erkundigt? Na ja, die Amis redeten sich sowieso dauernd mit Vornamen an.

Raoul murmelte etwas in seinen Schnauzer hinein, während er eine Nummer wählte. Dann wartete er, bis sich jemand meldete. Er wartete eine ganze Weile. Währenddessen sah er zu Denise und ihrer Mutter hinüber, die vor den Aufzügen standen. Peter und Esther, die durch die Halle schwirrten, beachtete er gar nicht weiter. Anscheinend war Raoul keiner, der sich von Kameras aus der Ruhe bringen ließ.

»Niemand da, Ma'am«, verkündete er nach gefühlten zwanzig Minuten.

Langsam wurde ich ein bisschen unruhig. Hatte sich denn heute alles gegen mich verschworen? »Aber das kann eigentlich nicht sein! Es ist enorm wichtig, wir sind hier mit Fernsehteam aus Europa angereist ... Sie sehen ja!« Ich machte eine hilflose Geste in Richtung Peter, als könnte ich damit irgendetwas ändern. »Würden Sie es bitte nochmal probieren – oder wir fahren einfach hinauf, vielleicht ist Brooke gerade auf der ...«

Der Wachmann warf mir einen mitleidigen Blick zu und wählte noch einmal.

Ich wartete, ein breites Lächeln auf dem Gesicht. Peter und Esther filmten die Messingschilder.

Nichts.

»Hören Sie ...«, fing ich an. Langsam wurde ich nervös.

»Ma'am ...« Raoul hob beruhigend eine Hand. »Ich melde Sie bei Mr. Right an, okay? Die können Sie ebenso in Empfang nehmen – wenn Sie einen Termin bei *Matches* haben, muss ja gleich jemand kommen.« Wieder wählte er.

Ich bildete mir ein, ihn murmeln zu hören, während er wartete. »Ich hab Brooke heute zwar noch nicht gesehen, aber ...«

Konnte er das wirklich gesagt haben? Mein Englisch war so gut auch nicht, dass ich vor sich hin flüsternde New Yorker puertoricanischer Abstammung wirklich verstehen konnte ... Langsam tat mein Mund weh vom vielen sinnlosen Lächeln.

Da aber lächelte der Doorman endlich auch. Er hatte jemanden in der Leitung, verhandelte kurz und sagte dann zu mir: »Miss Miller erwartet Sie oben. Siebzehnter Stock, auf der rechten Seite. Viel Vergnügen, Ma'am!«

Na also, es ging doch! Mir entfuhr ein tiefer Seufzer der Erleichterung. »Danke, Raoul!« Musste ich jetzt ein Trinkgeld geben? Es war manchmal ganz schön schwer, durchs Leben zu kommen ...

Ich entschied mich, ihm lieber einen dankbaren Blick zu schenken. Dann sammelte ich, voll frischer Energie, meine Schäfchen um mich und trieb sie in den Aufzug.

Hätte ich gewusst, welch atemberaubende Schönheit uns im siebzehnten Stock rechts erwartete, wäre ich in der Früh nicht sinnlos durch die Gegend gejoggt. Ich hätte mich bei einer Kosmetikerin angemeldet, möglichst auch noch beim Friseur, und sie angefleht, das allerletzte bisschen Potential aus mir herauszuholen.

Was wahrscheinlich auch nichts gebracht hätte.

Miss Miller war von der überirdischen Sorte – derjenigen, neben der sich vermutlich auch Kate Moss klein, dick und hässlich vorkommt. Ich jedenfalls tat es.

Miss Miller hatte dieses überwältigende Blond auf dem Kopf, das aussieht wie Sonne und Seide zusammen, und das auch noch in beträchtlicher, schwungvoll lockiger Länge. Sie hatte diese strahlenden blauen Augen, die man in der Werbung immer für eine reine Computerleistung hält, aber da sie ja live vor uns stand, musste ich an ihre Existenz glauben. Miss Miller hatte außerdem ein einnehmendes Lächeln, kein Hundertstel Gramm zuviel auf den Rippen und ein rotes Prada-Kleidchen, das mindestens 600 Dollar gekostet haben musste.

Ich konnte sie von der ersten Sekunde an nicht leiden.

Miss Miller begrüßte uns herzlich. Ja, sie war durch Kollegin Brooke *natürlich* über unseren Besuch informiert, freute sich sehr, Gäste aus Deutschland begrüßen zu dürfen, und wollte uns jederzeit gern mit Rat und Tat zur Seite stehen, falls wir etwas brauchten. Und wir sollten sie doch bitte Katherine nennen, sie würde sich freuen.

Ich sagte ihr, wir bräuchten nichts weiter als den Hinweis, wo die Räume von *Matches Worldwide* seien, dann kämen wir schon ganz wunderbar zurecht, dankeschön.

Miss Miller – Katherine! – deutete nach rechts den Flur hinunter. »Und dann die linke hintere Tür«, flötete sie. »Aber... es ist noch niemand da, wissen Sie.« Sie wurde fast ein bisschen rot, als wäre sie schuld daran. Was hatte sie mit Brooke gemacht?!

Bevor ich ihr den Arm auf dem Rücken verdrehen konnte, mischte sich Frau Leutberger ein. »Niemand da?«, fragte sie in süffisantem Ton, wie ich fand. »Vielleicht sitzt die Sekretärin in diesem Bus, der für uns zu langweilig war, und sucht uns überall?!«

Ich biss die Zähne zusammen und lächelte. »Es kann sich nur um ein Missverständnis handeln. Das klären wir sofort, keine Sorge!« Ich wandte mich an Miss Miller. »Gibt es hier eine Möglichkeit, wo unsere Kunden und das Team einen Moment warten können? Ich könnte dann rasch die notwendigen Punkte klären ...«

Katherine warf mir einen zweifelnden Blick zu, der mir nicht gefiel, nickte aber eifrig. Es gab selbstverständlich eine Möglichkeit. Mr. & Mrs. Right hatte einen weitläufigen Raum voller Sofas und kleiner Tischchen, wo sich Klienten offensichtlich bereits beim Warten näher kommen konnten oder wo vielleicht auch schicke *dating*-Partys gefeiert wurden. Wie die ganze Agentur war auch dieses Zimmer großzügig und elegant eingerichtet. An den cremefarbenen Wänden hing moderne Kunst, zwischen den braunledernen Sitzgruppen standen kleine Bronzeskulpturen auf erhöhten Podesten. Es sah aus wie in einer Anwaltskanzlei oder im Wartezimmer eines teuren Arztes; nur die kleine Bar in einer der Ecken wies auf einen anderen Zweck des Raumes hin. Auf polierten Holzregalen standen Tassen, Kannen und eine schicke, teure Espressomaschine. Ein chromglänzender kleiner Kühlschrank enthielt vermutlich Getränke und Eiswürfel; Flaschen mit Alkoholika waren allerdings nicht zu sehen – puritanisches Amerika.

Hier konnte ich die anderen ruhig einen Moment warten lassen, dachte ich mir. Aus irgendwelchen Gründen hatte ich Bedenken, sie einfach so mit ins Büro von *Matches* zu nehmen, wenn niemand dort war. Ich betete, dass Katherine keine Zicken machen würde und mich überhaupt alleine dort hineinließe – sie kannte mich ja schließlich nicht.

Aber sie war gnädig – oder auch nur gut gebrieft. Sie ließ ihre weißen Zähne aufblitzen und sagte, ich solle nur vorgehen, sie komme gleich nach, um mir zu helfen, falls nötig. Sie wolle nur eben einen Kaffee machen, um die Wartezeit zu versüßen… Wie es denn mit einem Cappucino wäre oder einem Latte Macchiato?

Warum legte sie sich denn so ins Zeug? Was hatte sie – oder Mr. Right – denn mit der ganzen Sache zu tun? War es die Gegenwart einer ständig laufenden Kamera, von der Miss Miller gewusst und für die sie sich besonders hübsch gemacht hatte? Mich machte es ein bisschen kirre, wenn ich ehrlich war, diese dauernde Gefahr, für die Nachwelt festgehalten zu werden – und das Gefühl, neben einer wie Katherine ziemlich abzustinken, war auch nicht gerade prickelnd. Es wurde Zeit, dass ich hier wegkam.

Ich klemmte mir die Handtasche fest unter den Arm und begab mich in den Flur, der zu den hinteren Räumen führte.

Nirgendwo war jemand zu sehen. Die Türen zu den anderen Räumen standen offen: normale Büros, eine Küche, ein kleiner Besprechungsraum. Auf einem Schreibtisch war ein Computer eingeschaltet, offensichtlich hatte Miss Miller hier gearbeitet.

Das Einzige, was an den Geschäftszweck von Mr. & Mrs. Right erinnerte, waren die Fotos an den Wänden im Flur: Dezent gerahmt gab es hier Aufnahmen von glücklichen Paaren in allen möglichen Lebenssituationen. Eine ältere Frau hockte mit einem gleichaltrigen Mann an einem Lagerfeuer. Ein beleibtes, glücklich strahlendes Pärchen stand vor einem Ladenschild, das »Fruit and Vegetables« versprach. Ein junger Mann mit Stoppelhaaren hielt eine Frau in einem Sari fest umschlungen. Es waren keine selbst gemachten Schnappschüsse, sondern Aufnahmen eines professionellen Fotografen – aber offensichtlich nicht von Models, sondern von echten Kunden. Es war eine interessante Mischung, die mich innehalten ließ, um sie zu betrachten.

Über einem blauen Wasserspender hing dann sogar ein Foto der schönen Katherine. Ganz auf brave Büro-Tussi zurechtgemacht, hielt sie ihre Wange an die eines dunkelhaarigen Typen mit markantem Gesicht; beide streckten ihre Arme aus, als wollten sie den Betrachter zu einer Umarmung einladen. Es sah irgendwie seltsam aus. Der Mann wirkte ja noch anziehend, er hatte so ein Funkeln in den Augen, aber Katherine – bei allem Respekt – wirkte etwas dämlich. Dass hier sogar die Angestellten mit ihren Freunden für die Agentur posieren mussten, fand ich lächerlich. Das relativierte die Schönheit der anderen Fotos beträchtlich.

Aber wenigstens fiel mir bei Katherines Anblick ein, dass ich noch etwas zu tun hatte.

Mit zwei Schritten stand ich vor der angewiesenen »linken hinteren Tür«. Sie war nicht abgeschlossen.

Mein erster Gedanke war: Gott sei Dank hast du die anderen nicht mitgenommen! Obwohl man nicht sofort hätte sagen können, was hier nicht stimmte, drängte sich doch augenblicklich der Eindruck auf, dass zwischen der Agentur vorne und dieser Partnerfirma hier ein gewaltiger Graben klaffte – ein Graben, so tief und breit wie beispielsweise der zwischen Europa und Amerika.

Ich befand mich in einem einzigen Raum, in dessen Mitte ein altmodischer Tresen stand. Auf diesem Tresen türmten sich Papiere von unterschiedlichstem Format in bunten ordentlichen Stapeln – Prospekte, Merkzettel, Formulare, Visitenkarten, Fragebögen. Es sah ein bisschen aus wie im Schaufenster einer Druckerei, die vorführt, was sie alles herstellen kann. Nichts flog herum oder lag quer; jeder einzelne Haufen war genau ausgerichtet und liebevoll aufgetürmt – es machte nur alles den Eindruck vollkommener Sinnlosigkeit. Was hatten diese Versicherungsreklamen, die Blumenhändlerwerbung und die Hinweise über die neueste Gesundheitskampagne des Staates New York mit Partnervermittlung zu tun?!

Der ausladende Schreibtisch hinter dem Tresen sah genauso aus. Das betagte Grau seines Holzes war kaum zu erkennen unter den Bergen von exakt nebeneinanderliegenden Druckerzeugnissen. Ein riesiger Computer thronte mitten darin wie der Herrscher eines stummen Volkes. Die Wände waren bis oben hin mit Regalen zugestellt. Auch hier Papierstapel sowie lange Reihen altmodischer Ordner, säuberlich beschriftet in zarten, lilafarbenen Buchstaben. *Gentlemen* stand auf dem einen, *out of town*. Ein anderer enthielt *Ladies, down*. Und wieder ein anderer sprach kryptisch von *Far west, gents*.

Was zum Teufel sollte das heißen?!

Wo war Brooke, und was war das hier für ein seltsames Büro?

Irgendwie sprachlos legte ich meine Handtasche auf einem im Weg stehenden Sessel ab und ging langsam um den Tresen herum zum Schreibtisch. Der Computer war ausgeschaltet, das Telefon stumm. Alles war sauber und frisch abgestaubt, so als würde sich hier jemand liebevoll um seinen Arbeitsplatz kümmern.

Ich schüttelte meine Verwirrung ab. Jetzt musste gehandelt werden – allzu lange konnte ich meine fünf Schäfchen nicht warten lassen. Noch hielten die Westerwegs die Stimmung hoch, aber auch sie wollten ja irgendwann einmal wissen, was nun Sache war. Welche tollen Typen Denise heute Abend treffen würde ...

Ich ließ mich auf den Schreibtischstuhl fallen und meinen Blick schweifen. Kein gelber Zettel mit einer Nachricht, keine Notiz am Monitor, der Brookes private Telefonnummer zu entnehmen war.

Ich versuchte mehrere Dinge gleichzeitig: Ich schaltete den Computer ein, versuchte auf dem Handy eine Verbindung mit Afrika herzustellen und riss die Schreibtischschubladen auf.

Der Computer brauchte Ewigkeiten, bis er reagierte. Dabei summte und brummte er wie ein Transistorradio, das das Rauschen aus den Tiefen des Alls empfängt. Das Handy ließ ziemlich rasch ein Tuten hören (und das kam nun wirklich aus dem All!), aber immer noch ging niemand dran. Langsam entwickelte ich einen gewissen Ärger, was meine Mutter anging.

Ich suchte auf dem Schreibtisch nach aktuellen Ausdrucken, insbesondere zum heutigen Tag. Brooke musste die Liste doch fertig haben, mit den Terminen, Orten, Telefonnummern etc. Im Grunde war dieser Zettel ja alles, was ich brauchte. Leider war nur weit und breit nichts von einer solchen Liste zu sehen.

Mittlerweile war der Computer zum Leben erwacht und machte – Microsoft sei Dank – einen vertrauten Eindruck. Während es in Afrika immer noch klingelte, suchte ich nach den üblichen Programmen: Adressdateien, Terminkalendern ... Es war alles da, was das Herz begehrte, Outlook, FileMaker, MsOffice, und für einen kurzen Moment fand ich die Globalisierung echt toll.

Ich klickte Outlook an; vielleicht führte Brooke dort ihren Terminplaner. Vielleicht hatte sie darüber sogar eine Verbindung zu ihrem Palmtop ... man konnte ja nicht wissen, wie weit die amerikanischen Sekretärinnen in dieser Hinsicht waren.

Knister, knirsch, ein Knacken im Monitor, ein Fleck wie ein schwarzes Loch, und weg war das Bild auf dem Schirm. Mit einem empörten Seufzer schied der Rechner unter dem Tisch aus dem Leben. Meine rechte Hand schwebte über der Tastatur, mitten in der Bewegung erstarrt. Ich hatte doch gar nichts gemacht!

Meine Linke hielt immer noch das Handy ans Ohr, aber die ließ ich jetzt sinken. Ich war ganz auf mich allein gestellt.

Da öffnete sich die Tür. Brooke – endlich!

Doch es war nur die schöne Katherine.

»Kann ich irgendetwas für Sie tun, Miss Tessner?«, fragte sie.

Für den Moment warf ich alle meine Vorurteile über Bord. Ich brauchte wirklich Hilfe. »Ja, das können Sie tatsächlich. Haben Sie Brookes private Telefonnummer, oder die ihres Handys? Sie sollte spätestens um zehn Uhr hier sein! Sie hat uns keinen Wagen geschickt, sie hat sich nicht gemeldet – und ich habe hier Kunden und Fernsehleute am Hals, die ich alle bei Laune halten muss!« Ich konnte nicht verhindern, dass etwas wie Panik in meiner Stimme mitschwang.

Katherines Augen nahmen ein mitleidvolles Saphirblau an – wie machte sie das bloß? »Hm, ja. Ich verstehe. Gut, dass Max – äh, Mr. Brannigan meinte, ich sollte heute morgen auch lieber vor Ort sein. Wir sollten ...«

Ich unterbrach sie etwas unhöflich. »Was wollen Sie damit sagen? Dass Mr. ... Max ahnte, dass unsere Sekretärin heute nicht pünktlich sein würde?!« Ich verstand es wirklich nicht.

»Aber nein – nein! Brooke ist normalerweise sehr pünktlich. Montag bis Freitag, neun bis achtzehn Uhr, Sie können Ihre Uhr danach stellen! Samstag ist natürlich nicht ihr regulärer Arbeitstag, aber ich weiß, dass *sie* weiß ...«

»Gut, gut!«, entfuhr es mir. »Aber warum *sind* Sie denn hier – und wie können Sie mir helfen?« Ich fand, Katherine war ein bisschen umständlich.

»Mr. Brannigan meinte ... er ist mein Chef, das wissen Sie sicher?!« Sie lächelte kokett, als hätte sie einen entzückenden Witz gemacht. »Er meinte, wir als Partnerfirma müssten selbstverständlich ebenfalls präsent sein, auch wenn der Dokumentarfilm von Ihrer Mutter und *Matches Worldwide* handelt. Ein solcher Film ist schließlich wertvolle Werbung, und wenn man in Deutschland gut über *Matches* spricht, hat vielleicht auch Mr. Right etwas davon ...«

Ich war sprachlos, wie offen und unverblümt hier Geschäftsinteressen zur Sprache kamen. Katherine schien überhaupt nichts dabei zu finden. Das war wohl der berühmte Unterschied der Kulturen.

»Mr. Brannigan wird später natürlich auch noch kommen; er kann wegen einer wichtigen familiären Sache nicht pünktlich sein ... Ich vertrete ihn so lange.« Täuschte ich mich oder leuchteten ihre Augen wirklich so seltsam, wenn sie ihren Chef erwähnte? Hatte ich es hier etwa mit dem klassischen Chef-Sekretärinnen-Geplänkel zu tun – *er* schickte sie für Überstunden ins Büro, weil er mit seiner Frau einkaufen gehen musste, und *sie* tat es auch noch gerne, weil sie ihn liebte?! O je – aber das sollte nicht mein Problem sein.

»Dann bitte: Sie wissen doch sicher, wie ich Brooke erreiche?! Irgendjemand muss doch ihre Nummer haben! Ich finde hier überhaupt nichts von dem, was ich brauche.«

»Okay, lassen Sie mich überlegen. Heute ist Chris nicht da, der die ganzen Verwaltungssachen macht ... das Einzige, was mir einfällt, ist, Max ... Mr. Brannigan zu Hause anzurufen und ihn nach Brookes Nummer zu fragen. Er hat sie bestimmt ...«

Katherine *hatte* eine Affäre mit ihrem Chef, zumindest das war wohl sicher. Dabei hatte sie doch einen Freund, nach dem Foto draußen im Flur zu urteilen. Na ja, es sollte mir egal sein, wie sich die Kuppler hier untereinander vergnügten ...

Die hübsche Miss Miller war bereits halb zur Tür hinaus. »Ich bin gleich wieder da!«, trällerte sie.

Hoffentlich mit guten Nachrichten, dachte ich.

Mutig wandte ich mich wieder dem bockenden Computer zu und startete ihn erneut. Während er warmlief, zog ich aus meiner Handtasche die vorläufige Liste mit Denises *dates*, die ich von meiner Mutter bekommen hatte. Sie war in den entscheidenden Punkten unvollständig: Don, 36, in seiner knapp bemessenen Freizeit Klavierspieler, hauptberuflich Kaufmann, Übereinstimmung 85 Prozent. Timothy, 35, harmoniesüchtiger Segelfan und Architekt mit mittlerem Einkommen, Übereinstimmung 71 Prozent. Solche Sachen standen da, aber die entscheidenden Fakten fehlten: Nachnamen, Telefonnummern, Termine! Die hätte mir Brooke in die Hand drücken sollen, und wenn ich sie nicht bald irgendwo auftrieb, würde mich Frau Leutberger grillen. Und die Westerwegs wären auch nicht sonderlich erfreut.

RRrrriinnng! Das Bürotelefon klingelte so laut und vernehmlich, dass ich erschrocken zusammenzuckte und mir die Hand an der Platte des grauen Schreibtischs anstieß.

Verflucht und zugenäht! Keine Ahnung, wie man diese Uralt-Maschine bediente, die der Kommandozentrale eines U-Boots aus dem Zweiten Weltkrieg ähnelte!

In Ermangelung einer besseren Idee hob ich einfach den Hörer ab. »*Matches Worldwide?*« Beinahe war ich stolz auf meine Schlagfertigkeit.

»Ist das eine Frage? Es klingt zumindest so, als wären Sie sich nicht ganz sicher! Guten Tag, ich bin Max. Miss Tessner?« Eine Männerstimme unbestimmbaren Alters, versetzt mit einem nicht unerheblichen Anteil Spott.

Ich war augenblicklich genervt, ließ mir aber nichts anmerken. »Richtig. Nora Tessner. Nett, dass Sie anrufen, Mr. äh... Brannigan. Ich müsste dringend Brooke erreichen, weil...«

»Ich bin informiert, Miss Tessner. Und habe Brooke gleich angerufen. Sie war bereits unterwegs und müsste jeden Augenblick...«

»Gott sei Dank! Äh, ich meine, vielen Dank, Mr. Brannigan! Sie wissen ja nicht, wie sehr ich... oh.«

Eine Frau stand in der Tür, allerdings nicht die schöne Katherine und auch sonst keine, die mir irgendwo schon einmal begegnet wäre.

Sie lehnte mit schüchternem Lächeln am Türrahmen, als würde sie dringend dessen Unterstützung brauchen. So würde Amy Winehouse mit 55 aussehen – nein, sagen wir, mit 60: spindeldürr, kräftig geschminkt, die schwarzen Haare zu einer schrägen Turmfrisur aufgeschraubt. Ihre bleiche Haut wirkte staubtrocken und hatte übertünchte Risse wie ein antikes Gefäß. In ihren klauenartigen, sehr sorgfältig manikürten Händen knetete sie eine altmodische Aktentasche, und das Kostüm, das sie trug, sah aus wie eine Chanel-Kopie aus den siebziger Jahren.

Es war ein ziemlich unvergesslicher Anblick. »Kann ich Ihnen helfen?«, war das Einzige, was mir dazu einfiel. War das die erste Kundin des Morgens?

Die Frau öffnete unsicher den Mund, sagte aber nichts. Stattdessen ertönte eine Stimme an meinem Ohr, und ich erschrak ein bisschen, weil ich Mr. Brannigan fast vergessen hatte.

»Amy Winehouses Mutter? Dann ist Brooke ja da. Seien Sie nett zu ihr.« Und er legte auf.

Brooke aus Queens

Sie war es – Brooke, meine ich. Nicht Amy Winehouses Mutter, auch wenn sie so aussah. Wie sich herausstellte, hieß Brooke mit Nachnamen Leibovitz, wohnte in Queens und war tatsächlich die Sekretärin meiner Mutter. Ich fragte mich, ob Eliane sie jemals leibhaftig gesehen hatte oder sie nur auf telefonischen Kontakt hin eingestellt hatte. Die Frau sah so exzentrisch aus, dass ich sie meiner spießigen Mutter gar nicht zugetraut hätte.

Brooke war zudem ernsthaft schüchtern. Es dauerte ewig, bis ich aus ihr herausgebracht hatte, warum sie zu spät kam, was es mit dem Kleinbus auf sich hatte und vor allem, wie es nun weitergehen würde. Sie brauche immer ein paar Minuten, erklärte sie mir mit brüchiger Stimme, bis sie genug Vertrauen gefasst habe, um mit jemandem zu sprechen.

Was zum Teufel machte sie denn dann in einem Job, in dem es darum ging, permanent mit neuen Leuten zu kommunizieren, fragte ich mich insgeheim, sagte aber nichts. Ich würde die Frau noch brauchen.

Mit Mühe erläuterte mir Brooke, dass sie geglaubt habe, wir wären um elf verabredet gewesen. Und das mit dem Bus, das könne sie sich gar nicht erklären, wirklich und wahrhaftig; ihr Schwager Raf sei sonst die Zuverlässigkeit in Person, er habe drei solcher Lieferwagen, Taxis und andere Transporte, und mache solche Aufträge immer zur absoluten Zufriedenheit ...

Ich sagte, das mit dem Bus habe ja noch einen Moment

Zeit. Wichtig wäre, dass ich unseren Leuten jetzt mal den Ablaufplan der nächsten Tage und insbesondere die *dates* des heutigen Abends ansagen könnte, dann wären ja vermutlich alle erstmal zufrieden.

Brooke nickte eifrig und drückte auf den *Power*-Knopf des Computers. Ich sagte kein Wort, weil ich bis zur letzten Hundertstel-Sekunde nicht glauben konnte, dass sie das tun würde.

Der Bildschirm erlosch mit einem bösartigen Seufzen. Der Rechner brummte einmal wild auf und verstummte dann ebenfalls.

»Aber ich hatte doch schon ...«, sagte ich.

»Oh«, erwiderte Brooke.

»Na ja«, sagte ich. Der Schirm war leuchtend blau und betriebsbereit gewesen, und Brooke saß direkt davor.

»So was«, sagte Brooke und lächelte entschuldigend. Sie drückte wieder, und das Brummen begann von vorn.

»Na ja«, wandte ich ein, »Sie haben ja sicher einen Ausdruck der Liste gemacht. Geben Sie ihn mir einfach, und ich kopiere ihn schon mal für ...«

Ich stockte mitten im Satz, als ich ihren Blick sah.

»Ich, äh ...« stammelte sie. »Leider konnte ich ... es ging nicht!«

»Es ging nicht?«

»Nein. Ja. Ich ... wissen Sie, wir haben kein besonders gutes Verhältnis zueinander.« Sie sah mich mit großen Augen an. An ihrem rechten Lid bildete das Mascara einen mitleiderregenden schwarzen Klumpen.

»Verhältnis?«, fragte ich verwirrt. »Mit wem?«

»Oh, natürlich.« Sie lachte nervös auf. »Mit dem Computer, entschuldigen Sie. Der Computer und ich, wir haben gewisse ... Verständigungsschwierigkeiten. Er macht nicht immer das, was ich sage. Besonders die Maus. Ich benutze sie gar nicht mehr.« Sie blickte das kleine graue Etwas traurig an.

Ich holte tief Luft. Nein, das konnte meine Mutter nicht wissen, was für ein schräges Exemplar hier ihr Büro hütete... Eliane Tessner hatte normalerweise kein besonderes Faible für Wesen von einem anderen Stern.

»Na ja«, sagte ich jetzt zum dritten Mal. »Dann helfe ich Ihnen eben. Haben Sie die Datei vor sich?«

Brooke spähte mit zusammengekniffenen Augen auf den Schirm. »Irgendwo muss sie... ja, hier ungefähr... ich bin sicher – Ja! Da ist sie.« Und sie strahlte mich an.

Beinahe fühlte ich mich versucht, ihr zu gratulieren. »Gut, wunderbar. Zeigen Sie.« Ich war hinter sie getreten und sah ihr jetzt über die Schulter.

Auf dem Schirm befand sich eine Tabelle, die an eine Excel-Datei erinnerte. *Dates Oct 12th–16th* lautete der Dateiname, *Denise West*. Das »–erweg« hatte Brooke weggelassen, aber das war ja leicht zu ergänzen. Hauptsache, die...

Ich kniff die Augen zusammen. Hatte ich Sehstörungen?

Da stand nichts. Die Liste war leer.

Jede Zeile, jede Zelle, jede Spalte unterhalb der Überschrift war von strahlender Jungfräulichkeit. Kein einziger Buchstabe und keine einzige Zahl verunzierte die Tabelle.

Brooke stieß kleine, hektische Atemzüge aus. »Wieso? Ich versteh nicht...« Sie drückte auf allen möglichen Tasten herum, aber es tauchte kein Buchstabe auf, nirgends. »Oh!«, jammerte sie leise.

Ich unterdrückte das Gefühl von Panik, das in mir aufstieg. »Immer mit der Ruhe!«, sagte ich. »Das ist einfach ein altes Backup.«

Brookes Stirn war ein Meer von tiefen Falten. Sie tippte zaghaft auf der Tastatur herum, konnte aber die richtige Datei nicht finden.

Ich warf unwillkürlich einen Blick auf die Uhr. Die anderen saßen jetzt schon über zwanzig Minuten im Salon herum. Die Stimmung dort war sicher nicht mehr die beste.

»Komm schon!«, flehte Brooke leise und tippte wieder. Nichts.

Verzweiflung überschwemmte mich. Ich ließ den Kopf sinken und fühlte mich plötzlich unsagbar allein. Das hier war nicht mehr witzig – oder cool. Ich war Tausende Meilen von meinem Liebsten entfernt, nachdem uns ein Riesenstreit entfremdet hatte. Keine meiner Freundinnen stand parat, um mir zu helfen oder mich seelisch aufzubauen. Noch nicht mal mein kleiner, gemütlicher Buchladen war da, in dem ich mich hätte verkriechen können, um aufzutanken.

Und hier ging so viel schief. Ich musste plötzlich so viel machen, organisieren, entscheiden und trug die Verantwortung für alles. Nicht, dass ich das nicht gekonnt hätte, aber es war anstrengend, so ganz ohne Rückhalt. Von wegen: ein paar lockere Tage im »*big apple*«. Hier saß plötzlich so ein mitleiderregendes Wesen wie Brooke vor mir (doppelt so alt wie ich!), machte alles falsch und wartete darauf, was *ich* dazu sagte. Verdammt nochmal.

»Gibt es Schwierigkeiten?« Die Stimme der Leutberger – laut, nah und voller Schadenfreude.

Ich sah erschrocken auf und starrte genau in das rote Auge der Kamera. Sie hatten sich angeschlichen und hielten diesen Moment der Niederlage natürlich fest! Sie filmten ohne Absprache, ohne vorherige Warnung. Und das wollte öffentlich-rechtliches Fernsehen sein? Paparazzi!

Doch ich fing mich innerhalb einer Sekunde. Dass ich wütend wurde, darauf wartete die Leutberger ja womöglich nur. Ich musste um jeden Preis verhindern, dass sie sich über uns lustig machte.

»Ja tatsächlich, es gibt Schwierigkeiten!« Ich zog eine kleine Grimasse, die hoffentlich lustig rüberkam. »Diese *Computer*! Andauernd stürzen die Dinger ab! Aber das kriegen wir schon hin! Übrigens – darf ich vorstellen: Brooke ... äh Leibovitz, die Sekretärin und Organisatorin unseres New Yorker Büros – Frau Leutberger, Peter ... äh und Esther vom deutschen Fernsehen!« Ich hoffte, dass die Strahlkraft meiner Zähne über meine dunklen Augenringe hinwegtäuschen würde. Aber die Stellen, an denen das Team direkt erwähnt wurde vor der Kamera, die würden sie sowieso rausschneiden, das wusste ich von Sven. Der Zuschauer sollte die Existenz von Kameramännern und dergleichen möglichst vergessen, wenn er den Film sah.

Brooke war inzwischen vor Aufregung ganz weiß im Gesicht und brachte kaum einen klaren Satz heraus. Ich versicherte den Anwesenden, dass Brooke sich nur ein bisschen eingewöhnen müsste und dass ich demnächst mit der Liste käme – es könne sich nur noch um Minuten handeln.

»Denise ist schon abgezogen, ein bisschen spazieren«, erklärte die Leutberger mit kritischem Unterton. »Ihre Mutter vertreibt sich die Zeit mit den Katalogen der Konkurrenz ...« Ein fieses kleines Lächeln umspielte ihre Lippen. »... und wir harren der Dinge, die da hoffentlich mal kommen.« Sie zuckte ergeben die schwarzbejackten Schultern und ging hinaus, gefolgt von ihren Schatten Peter und Esther. Zum Glück wusste sie nicht, dass ich hier gerade einer mittleren Katastrophe entgegentrat.

Wie sich herausstellte, war es eher eine große Katastrophe. Brooke konnte sich partout an keine genauen Termine erinnern. Sie jammerte mit tränenerstickter Stimme, sie habe so viel telefoniert und hin und her verschoben, dass alles in ihrem Kopf durcheinanderpurzele. War das Donald, um sechs im »King's Pub«? Mit einer weißen Rose im Knopfloch? Oder doch im »Nightline« um zehn, mit einer Nelke? Und war Jerry oder Johnny oder Jack der

im »Chinese Chops« um sieben? Oder um acht? Mit der
›Post‹ unterm Arm oder vielleicht auch dem ›Wall Street
Journal‹?

Sie suchte hektisch nach ihrer zentralen Kundenkartei
auf dem Computer. Okay, dann würde sie eben alle Kandidaten heraussuchen und nochmal mit ihnen telefonieren
müssen, flüsterte sie sich zu.

Während ich ungeduldig wartete, wurde das Flüstern
immer intensiver. Brookes Finger hackten, da sie die Maus
ja nicht benutzte, ganze Zahlenkolonnen in die alters-
schwache Tastatur.

»O mein Gott.« Brookes Stimme war nur noch ein heiserer Hauch.

»Was ist denn?«, fragte ich alarmiert.

»Ich kann die Kartei nicht finden.«

»Wie bitte? Welche . . .? Wieso nicht?«

»Die zentrale Kundenkartei«, quietschte sie.

»Die . . .« Ich beugte mich vor – ungläubig.

Wir suchten gemeinsam. Wir öffneten jeden Menü-
punkt und jede Datei, die auch nur irgendwie infrage kamen. Wir jagten alle Suchprogramme durch, machten
Neustarts und klopften auf den Rechner, zuerst sanft,
dann immer drängender.

Nichts half. Die Kundendatei – das Herzstück des gesamten Betriebes, der Schlüssel zu allem – blieb verschwunden.

»Mr. Right!«, entfuhr es mir plötzlich. »Der Austausch
der Kundendateien! Die haben nebenan doch vermutlich
eine Kopie auf dem Rechner! Wir sind doch bestimmt in
einem gemeinsamen Netzwerk, wenn . . .«

Brooke schüttelte unendlich traurig den Kopf. »Das
Netzwerk . . . Sie haben es letztes Jahr eingestellt. Aus dem
Computer hier rausgeholt, wissen Sie. Ich bin nicht mehr
am Netz von Mr. Right; sie sagen, es sei zu aufwändig für
sie.«

»Wie bitte? Was soll das heißen: zu aufwändig? Erfüllen die ihren Vertrag nicht mehr? Wie gleichen Sie denn dann die Kartei en ab?«

»Ich gehe mit meinen Ordnern rüber. Es dauert immer ziemlich lang, bis wir durch sind; Katherine und ich sitzen bestimmt immer zwei bis drei Tage dran ...«

»Also, das ist ...!« Ich schnaubte. »*Ohne* Rechner?! Das ist ja ...«

»Max sagt immer, ein Computer und ich, das ist eine ›*no go*‹-Beziehung.« Brooke lächelte wehmütig. »Aber ich glaube, das meint er ein bisschen scherzhaft.«

Ich ging zum Fenster, legte meinen Kopf an die Scheibe und schloss für einen Moment die Augen. Hinter mir wimmerte Brooke leise vor sich hin; sie tat mir auch noch ernsthaft leid, wo ich sie doch eigentlich sofort hätte feuern sollen. Aber eine Sechzigjährige mit Blutarmut feuern! Dafür war ich nicht ausgebildet worden, darauf bereitete einen keine Schule vor! Das fiel flach.

Ich konnte es mir noch nicht mal leisten, Zeit mit einem erneuten Anruf bei meiner Mutter zu vergeuden und ihr ordentlich was vorzujammern.

Fakt war: Wir hatten nur ein paar Vornamen auf einer rudimentären Liste aus Berlin – keine Nachnamen, keine Telefonnummern, keine Termine. Wir hatten einen Computer mit Totalausfall in New York – also keine Nachnamen, keine Telefonnummern, keine Termine. Wir hatten Samstagnacht in Berlin, also auch keine Hilfe vom Mutterbüro – ergo keine Nachnamen, keine ... Und Eliane Tessner, die für das alles letztendlich verantwortlich war, lag vermutlich an irgendeinem Traumstrand auf Sansibar und ließ es sich gut gehen.

Ich seufzte tief, dann drehte ich mich um. »Fangen wir also ganz von vorne an«, sagte ich.

Brooke musste die Ordner aus den Regalen holen, die für uns von Interesse waren. Sie sollte schon einmal anfangen, die in Frage kommenden Männer herauszusuchen, während ich ins Wartezimmer schlich, um mich den Westerwegs und der Leutberger zu stellen. Ich durfte sie nicht länger warten lassen.

Nur leider wartete dort gar niemand. Es standen jede Menge leere Tassen und vollgekrümelte Teller herum, aber es war keine Menschenseele mehr zu sehen. Irritiert stakste ich wieder in den Eingangsbereich zurück.

In diesem Moment eilte die schöne Katherine auf mich zu. »Ah, Miss Tessner. Die anderen wollten sich ein paar Minuten die Beine vertreten – ich habe ihnen gesagt, ich würde Ihnen Bescheid sagen. Es schien mir unklug, sie aufzuhalten – habe ich das richtig gemacht?! Sie wurden ein bisschen ungeduldig ...«

Ich schwankte zwischen Ärger und Dankbarkeit. Am liebsten hätte ich der Blonden ordentlich die Meinung gegeigt – von wegen aus dem Netzwerk rausschmeißen und mit Ordnern herumjonglieren! Aber ein Rest Vernunft in meinem Kopf sagte mir, dass ich damit nur meine Wut auf Brooke an der nächstbesten anderen auslassen würde. Obwohl es ja nicht unbedingt die Falsche träfe ...

Ich bedankte mich flüchtig und eilte zum Aufzug. Vielleicht konnte ich sie noch einholen, um ihnen mitzuteilen, dass sie gar nicht mehr zurückzukommen brauchten, sondern sich gleich ins Vergnügen stürzen konnten: shoppen, bummeln, Kaffee trinken ... *Mir* würde das nicht vergönnt sein.

Die Halle im Erdgeschoss war verlassen – bis auf zwei Gestalten am Empfang, die ich so dort nicht erwartet hätte: Denise und der Doorman. Die beiden plauderten angeregt miteinander.

»Äh ... Denise? Was machen Sie denn hier?«, fragte ich ein bisschen dämlich.

»Wir unterhalten uns!«, antwortete sie fröhlich. »Raoul hat mir von seiner Freundin erzählt, wie er sie kennengelernt hat auf dem Riesenrad! Das finde ich richtig romantisch; stellen Sie sich mal vor, sie saß in 'ner anderen Gondel und hatte furchtbare Angst! Und er hat sie beruhigt und die ganze Fahrt lang für sie Lieder gesungen und Geschichten erzählt! Von Gondel zu Gondel! Ist das nicht *süüüß*?!«

»Ja, wirklich«, sagte ich eilig. Für Raouls Probleme hatte ich, ehrlich gesagt, im Moment keinen Kopf. »Denise, können wir eine Sekunde reden? Die anderen sind ja wohl unterwegs...«

Denise winkte Raoul herzlich mit ihrer kleinen rundlichen Hand zu. »*Ssiii you later*!«, zwitscherte sie. Der Doorman lächelte unter seinem struppigen Schnauzer.

Während ich mit ihr ein paar Schritte zur Seite trat, versuchte ich, den Wirrwarr in meinem Kopf zu ordnen. Gut, ich hatte hier gewisse unerwartete Probleme, aber die würde ich schon in den Griff kriegen. Die Männer waren ja nicht aus der Welt verschwunden, sondern nur aus dem Büro. Denise allerdings hatte nun wirklich allmählich das Recht zu erfahren, welche Typen sich für sie interessierten. Es wunderte mich ohnehin, dass sie so lange stillgehalten hatte. Meine Mutter hielt nichts davon, den Leuten allzu früh allzu viel über ihre *dates* zu verraten, aber weder von »allzu früh« noch von »allzu viel« konnte inzwischen noch die Rede sein.

Weil Denise mich so erwartungsvoll ansah, begann ich einfach zu plappern. »Denise, wir haben ein Problem mit dem Computer. Um ehrlich zu sein, er hat uns die gesamte Terminliste gelöscht, und wir müssen jetzt von vorn anfangen...«

»Ach du Scheiße«, konstatierte Denise treffend. Sie machte ein ziemlich entsetztes Gesicht. »Heißt das, meine ganzen Männer sind *weg*!?«

»Um Gottes willen, nein, nein! Wir sitzen schon dran, keine Sorge! Es ist bloß ein bisschen mühsamer, die Namen und Termine wieder ... zusammenzustellen! Aber irgendwo sind ... also wir haben ja alle Daten in den Ordnern. Es ist eigentlich nur, dass ... wir können euch so schnell keine Liste geben ...«

Denise steckte den Schreck ganz gut weg. »Ehrlich, ich dachte schon ...! Aber eigentlich hätte ich doch mal gerne gewusst, wen ich da kriege. Ich weiß bis jetzt nicht, wen deine Mutter für mich ausgesucht hat.« Sie zog einen kleinen Flunsch.

»Ja, das ist klar – und es tut mir auch wirklich leid! Aber überleg mal: Wenn du *zu* lange vorher weißt, wen du treffen wirst, dann machst du dich vielleicht vorher schon ganz nervös!« Ich improvisierte, aber je länger ich redete, desto richtiger fühlte es sich an. »Dann steigerst du dich vielleicht rein in irgendwelche Erwartungen oder glaubst, er sähe viel besser aus als in Wirklichkeit, weil das Foto ein bisschen geschönt ist! Wenn du *nichts* weißt, wenn du völlig ahnungslos in das *date* hineingehst – ich meine jetzt nur mal so –, dann wäre es vielleicht das Allerbeste! Man wäre völlig entspannt und cool, weil man ja nichts Besonderes erwartet! Der Typ könnte gut sein, oder auch nicht so gut – du lässt dich einfach überraschen, und so ganz entspannt kommst du selbst am besten rüber! Da könnte auch was dran sein, findest du nicht?!«

Denise sah mich interessiert an. »Vielleicht schon«, sagte sie nachdenklich. »Man wär wirklich viel entspannter. Die Männer in den Katalogen da – von Mr. Right –, na, da fand ich den einen oder anderen schon ganz süß. Und wenn ich jetzt wüsste, den da triffst du gleich, und er hat so ein klasse Grübchen am Kinn, dann geht einem ja schon der Arsch auf Grundeis vielleicht.« Sie kicherte.

»Genau!«, stimmte ich ihr zu. »Wobei ihr die Liste natürlich vorher kriegt, ganz klar. Du kannst dir ja dann überlegen, ob du überhaupt reinschauen willst. *Blind dates* – das ist doch das Coolste, oder?!«

Bevor ich mich noch weiter darüber auslassen konnte, dass Listen im Voraus ja das Allerlangweiligste wären, kamen die anderen von draußen herein. Sie waren einmal um den Block gegangen, hatten das Gebäude von außen gefilmt und sich Hoffnungen gemacht, dass ich dem Computer endlich etwas abgerungen hätte.

Es fiel mir schwer, sie zu enttäuschen. Ich entschuldigte mich lang und breit und versprach Listen, Fotos und Daten für den Nachmittag. Die Leutberger war nicht amüsiert und auch Biggy im Grunde unzufrieden, aber da ich wenigstens Denise auf meiner Seite hatte, gaben sie irgendwann Ruhe.

Ununterbrochen weiter plaudernd, bugsierte ich sie draußen schließlich in ein Taxi. Ich hatte ihnen gesagt, sie sollten auf Kosten von *Matches* irgendwo Mittag essen, damit sie vielleicht etwas gnädiger gestimmt wären.

Als wäre ich ihre beste Freundin, wisperte Denise mir zum Abschied strahlend zu: »Jetzt kauf ich mir was richtig Dolles bei Bloomingdale's.«

Neiderfüllt und schuldbewusst zugleich sah ich ihnen nach.

Ich musste leider noch ein bisschen arbeiten.

Meeting Mr. Right

Um es kurz zu machen: Wir brauchten drei Stunden, Brooke und ich, bis wir wieder anständige Termine für die beiden Tage zusammengetragen hatten.

Leider blieben drei der von meiner Mutter ausgesuchten Typen verschwunden, darunter auch Don und Ernesto, ausgerechnet die beiden für heute. Es war, als hätte es sie nie gegeben: sie schienen nie Fragebögen ausgefüllt, nie ihre Telefonnummer hinterlassen und nie ein Foto abgegeben zu haben. Vielleicht hatte meine Mutter sie sich nur ausgedacht!

Oder aber Brooke schmiss ihre Namen durcheinander oder hatte sie aus Versehen in den Frauenordnern abgeheftet. Das schien mir ein wenig wahrscheinlicher.

Aber wie auch immer, wir fanden sie nicht mehr. Jetzt saß ich da und musste genau das tun, was ich in Berlin so vehement abgelehnt hatte: selbst Jungs für Denise raussuchen.

Ich gab mir Mühe. Die Folien meiner Mutter legte ich allerdings ziemlich schnell zur Seite; ich kam mir vor wie eine Chemielaborantin, wenn ich nach dem bunten Kurvenverlauf auf Plastik gehen sollte. Ich beschloss, rein intuitiv vorzugehen: Wie sah er aus? War er auch nicht zu groß, zu klein oder zu dünn für Denise? Hatte er was auf dem Kasten/dem Bankkonto? Was machte er in seiner Freizeit? Konnte man sich Denise als seine Partnerin vorstellen?

Wäre ich nicht so unter Zeit- und Erfolgsdruck gewesen, hätte es beinahe Spaß gemacht. Es war eine Mischung aus Schach und Schicksal spielen, irgendwie lustig.

Was mich immer wieder auf den Boden holte, war der klägliche Zustand von Brookes Ordnern. Diese Dinger mit den hübschen lila Aufschriften waren chaotisch angelegt und voller überalterter Informationen und drohten, bei der leisesten Berührung auseinanderzufallen und ihren gesamten Inhalt auf dem Fußboden zu verteilen.

Bei dem einen oder anderen Typen aus diesen Ordnern hatte ich den Verdacht, er könnte vielleicht noch aus dem letzten Jahrzehnt sein und Brooke hätte vergessen, ihn auszumustern. Dazu passte, dass einige der Kandidaten einfach nicht mehr unter den aufgeführten Telefonnummern erreichbar waren, die Brooke schon mal anrief.

Der Computer half uns bei der Sache auch nicht weiter. Er verweigerte vollends den Dienst und spuckte nicht die kleinste Adresskartei oder Telefonnummernliste aus. Brooke seufzte leise vor sich hin und gestand, dass er immer wieder solche Aussetzer hatte, gegen die sie nicht ankam. An Wochentagen bat sie dann bei Mr. & Mrs. Right um Hilfe; die hatten einen jungen Mann an der Hand, der sich mit Computern auskannte. Er verzog zwar jedes Mal das Gesicht, machte sich dann aber an die Arbeit und hatte die Teufelsmaschine nach einer halben Stunde wieder hingebogen. Brooke brachte dem jungen Mann jedes Mal einen Donut mit, wenn sie Mittagspause machte, weil er doch so nett war.

Aber heute war der junge Mann natürlich nicht da, und wir mussten alles per Hand machen.

Es war schon nach 14 Uhr, als endlich alles stand.

Wir hatten für den nächsten Tag zwei der Männer erneut aufgetrieben, die meine Mutter ausgesucht hatte. Einen weiteren hatte ich ausgewählt, einen Informatik-Studenten kurz vor dem Abschluss. Er hatte auf den Fragebögen und Fotos einen richtig guten Eindruck gemacht. Als Brooke dann mit ihm telefonierte, jammerte er lauthals über zu anspruchsvolle New Yorkerinnen und war begeistert, endlich ein nettes deutsches Mädchen zugeführt zu bekommen.

Für den Abend standen Gott sei Dank jetzt auch zwei *dates*: Greg und Matthew.

Greg hatten wir erwischt, als er gerade von der Frühschicht als Parkhauswächter nach Hause kam; das war sein zweiter Job neben der Stelle als Physiklehrer an einer Highschool. (In Brookes Unterlagen stand allerdings, dass er Physikprofessor an einem College war!) Greg war 31 Jahre alt und sehr häuslich, was mir für Denise gefiel. Auf dem Persönlichkeits-Fragebogen hatte er ein paar sehr charmante und witzige Antworten gegeben, sodass ich bei seinem Foto ein Auge zudrückte – ein bisschen zu blass, ein bisschen wenig Haar. Aber Charme und Intelligenz machten das ja wohl wett, oder?!

Greg sagte zwar, er sei eigentlich bei der Agentur abgemeldet, aber wenn wir ihn trotzdem wollten, dann würde er sich natürlich nicht sträuben. Wir wollten ihn.

Bei der Erwähnung von Fernsehaufnahmen wurde Greg etwas nervös, strich aber doch nicht die Segel. Um 18 Uhr würde er mit einer Rose im Knopfloch im »King's Pub« in der 39. Straße auftauchen.

Für halb neun hatten wir Matthew in den »Khungzu Palace« in SoHo bestellt.

Nicht gerade meine allererste Wahl – er war schon 36 und Immobilienmakler, na ja. Aber er sah nicht schlecht aus und war wie Denise an »Reisen« und »Essen« interessiert. Außerdem passten laut der berühmten Folie meiner Mutter seine und ihre Profile ziemlich gut zueinander (obwohl ich mittlerweile meine Zweifel hatte, ob Brooke die Linien richtig gezogen hatte).

Blumen als Erkennungszeichen fand Matt blöd, aber er

lachte und sagte, er müsse ja bescheuert sein, wenn er nicht ins Fernsehen wolle; er werde sich schon zu erkennen geben, wenn er uns sähe.

So weit, so angängig. »Gut« war vielleicht noch ein bisschen was anderes.

Brooke musste jetzt nur noch aus dem Ganzen eine Liste machen. Sie versuchte es am Computer, wo sie langsam und vorsichtig Buchstaben für Buchstaben eingab, als würde die Maschine eine Art Schluckauf bekommen, wenn sie zu hastig tippte. Ich bezweifelte, ob es mit diesem Computer jemals gelingen würde, eine Datei auszudrucken. Ich sah uns schon mit lila Tinte hübsche Listen schreiben – der Leutberger gegenüber würde ich dann behaupten, das sei Absicht wegen der persönlichen Note . . .

Ich rekelte mich und öffnete die Tür des Büros. Wir hatten drei Stunden lang abgeschirmt vor uns hin gearbeitet, und mein Magen knurrte. Ich wollte mich ins Wartezimmer schleichen, in der Hoffnung, dort neben der schicken Espressomaschine vielleicht noch ein paar Kekse zu finden.

Doch Schleichen war unnötig, denn die anderen Büros – die schicken, großen Zimmer voller garantiert funktionierender Hard- und Software – waren völlig ausgestorben. Es war immer noch kein Mensch aufgetaucht, um hier vielleicht mal etwas zu arbeiten, selbst die schöne Millerin war wie vom Erdboden verschluckt.

Ich malte mir aus, wie alle anderen jetzt in Macy's nach Sonderangeboten wühlten, in der Oktobersonne durch den Central Park schlenderten oder in Greenwich Village leckere Smoothies schlürften.

Ich hingegen stand im Wartezimmer von Mr. Right vor einem von sämtlichen Keksen befreiten Regal. Das waren Peter, Esther und die Leutberger gewesen, jede Wette. Sven hatte mir erzählt, dass Fernsehleute wie Piranhas waren: jeder Gratis-Happen war in Sekundenschnelle vertilgt. Vielleicht war man in dieser Branche einfach immer hungrig.

Ich jedenfalls musste unverrichteter Dinge wieder umkehren. Frustriert steckte ich meinen Kopf in jeden Raum, der nicht zugesperrt war, nur so aus Spaß. Irgendwo hockte Katherine ja vielleicht doch und ondulierte sich die Locken. Irgendwo hatte vielleicht doch jemand einen Schokoriegel liegenlassen. Und außerdem musste ich ja den Druckerraum suchen, für alle Fälle. In unserem Büro stand jedenfalls kein solches Gerät.

Aber es war wirklich niemand da außer Brooke und mir. Einer der Räume, ein bisschen ab vom Schuss, war offensichtlich das Büro des Chefs. Es stand im Gegensatz zu den anderen Räumen nur ein einziger Schreibtisch darin, und es war auch einen Hauch weniger aufgeräumt als die anderen; Zeitschriften lagen herum, und auf dem Fernseher thronte ein Plüschaffe mit ausgestreckter Hand und grinste dämlich. Ha, das war wohl der Zwillingsbruder von – wie hieß der Typ noch gleich? – Mr. Brannigan!

Im Raum hing schwach ein Duft nach Zimt, der mich anlockte. Lag hier irgendwo etwas Essbares herum? Mein schlechtes Gewissen brachte ich mit einem leichten Handkantenschlag zum Schweigen und trat dann näher. Aus irgendwelchen Gründen musste ich an Sven denken. Was hätte er dazu gesagt, wenn er gesehen hätte, wie ich in fremden Büros herumschnüffelte? Er war der Typ, der Ärger mied, eher aus Faulheit als aus Angst …

Aber dieser Raum hier machte mich neugierig – weiß der Himmel, warum. An der Wand hing ein seltsames Gemälde, eine riesige orangefarbene Figur, wie von Kinderhand gemalt und doch sehr ausgetüftelt. Mir fiel ein, dass Brannigan nicht gekommen war, wie Katherine versprochen hatte. Im Grunde ziemlich unhöflich, wie ich fand.

Aus Rache nahm ich mir eine Handvoll der kleinen bunten Bohnen, die in einer Schale neben seinem Computer standen. Besonders lecker waren sie nicht, Hauptsache aber, ich kriegte etwas in den Magen.

Die Bohnen füllten meinen trockenen Mund mit einem zuckrigen Gefühl. Ich fischte mir noch zwei rotgoldene vom Teller.

Da sah ich, dass Brannigans Computer angeschaltet war. Es war mir nicht sofort aufgefallen, weil der Bildschirmschoner alles schwarz machte, aber jetzt erkannte ich ein Blinken am Monitor und das blaue Leuchten unter der Maus.

Ich tippte die Maus ganz sacht an. Hatte Katherine hier etwas geschrieben? Durfte sie das überhaupt?

Der Schirm erwachte zum Leben und zeigte mir vor grünem Hintergrund die Reihe der üblichen Icons – keinen spannenden Text von Miss Miller, in dem sie ihrem Chef Liebe schwor und ihn anflehte, doch seine Frau zu verlassen. Na ja, auch gut. Allerdings leichtsinnig, dachte ich, keine Sperre und kein Passwort als Schutz einzubauen. Jeder Dahergelaufene konnte sich hier am Computer des Firmeninhabers austoben!

Ich wollte mich gerade wieder aufrichten, noch eine Bohne nehmen und den Raum verlassen, als mein Blick an einem winzigen Schriftzug hängen blieb. *Matches Worldwide* stand da, unter einem gelben Ordner-Symbol.

Obwohl ich von Natur aus so neugierig gar nicht bin, hielt ich jetzt doch inne. Es war ganz spannend und sicherlich im Interesse meiner Mutter, zu wissen, was die Partnerfirma über *Matches* dachte und schrieb. Ich würde nur einen ganz kurzen Blick …

Ich ließ mich auf den Stuhl des Chefs gleiten und klickte den Ordner an.

Zuerst stieß ich auf einige Word-Dokumente – ein paar harmlose, langweilige Briefe, dann den Entwurf zu einem Memo, das offenbar an die Mitarbeiter von Mr. Right gerichtet war. Darin schrieb »Max«, dass die massiven Beschwerden über Brooke jetzt doch Konsequenzen haben und *Matches* aus dem internen Netzwerk hinausgekickt werden würde. Dann schrieb er noch etwas von »Respekt« und »Umgangsformen« – ich verstand nicht jede Wendung; mein Englisch war gut, aber *so* exzellent auch nicht – und schloss mit der Anweisung, die »doofen Deutschen« in ihrem Kämmerchen von nun an nicht mehr zu beachten.

Sollte das ein Scherz sein?! Wie konnte dieser Typ es wagen, so über uns zu reden?! So sah er das also mit Partnerschaft und gegenseitigem Vertrauen – intern zog er über uns her, was das Zeug hielt. Und er hatte Katherine bestimmt nur wegen des Fernsehens heute ins Büro geschickt, um sicherzustellen, dass er nicht schlecht dabei wegkam. Katherine hatte ihn wahrscheinlich benachrichtigt, dass das Fernsehteam bereits wieder abgezogen war, und da hatte »Max« es nicht mehr für nötig gehalten, noch zu kommen ...

Ich war sauer. Fünf giftgrüne *jelly beans* auf einmal mussten daran glauben.

Dann klickte ich die erste der beiden Adressdateien an, die noch in dem Ordner waren. Es handelte sich um eine Datenbank-Datei, und ich hatte schon vor dem Aufmachen ein komisches Gefühl.

Es war eine Liste der deutschen Kunden meiner Mutter; sie war auch in Deutsch geschrieben und trug ein Datum von vor etwa vier Monaten. Was machte die hier? Bediente sich Mr. Right etwa heimlich dieser Daten? Ich konnte mir keinen Reim darauf machen; Brooke hatte doch gesagt, der Austausch fände nicht mehr elektronisch statt, sondern in Papierform ...

Der Sache würde ich später nachgehen, das nahm ich mir vor. Jetzt würde ich mir noch die zweite Kartei ansehen.

Und ich traute meinen Augen kaum.

Da war sie – die umfangreiche, gut bebilderte und ziemlich aktuelle Datei mit den amerikanischen Kunden meiner Mutter, die ich eigentlich auf dem Computer von *Matches* erwartet und die Brooke heute Morgen dort noch vergeblich gesucht hatte! Hier war sie – fein säuberlich unterteilt in Männlein und Weiblein, mit Suchkategorien für »Alter«, »Einkommen« und »ethnische Herkunft«, mit guten Fotos und einer Menge Einträgen. Sie war zwar in Englisch und enthielt daher eine Menge kryptischer Vermerke wie »med.-w.« und »5ft.10«, aber ich konnte die Kategorien erkennen und mir mit ein bisschen Mühe einen Reim darauf machen.

Mit dieser Datei hätten wir in Minutenschnelle unsere Männer gehabt und antelefoniert!

Wie zum Teufel kam sie hierher, auf den Computer der *anderen* Firma?!

Hier war etwas faul, das war suppenklar.

Ich überlegte fieberhaft, während ich eine der lila Bohnen anlutschte. Diese Kartei brauchte ich, dringend; Brookes Ordner konnte man dagegen in der Pfeife rauchen. Aber ohne Netzwerk konnte ich sie nicht überspielen, und mit dem Kopieren auf CDs kannte ich mich nicht aus. Außerdem hatte der Oldtimer in unserem Kämmerchen womöglich gar kein CD-Laufwerk; er sah eher so aus, als würde er nur Disketten akzeptieren. Das ließ nur eine Möglichkeit offen: Ich musste mir die ganzen verdammten 211 Seiten ausdrucken; dann hatte ich wenigstens vorläufig etwas in der Hand. Meine Mutter würde sich dann weiter darum kümmern müssen, wenn sie wieder Zeit hatte ...

Also hievte ich mich aus Mr. Brannigans bequemem Sessel, schlich in den Flur und lauschte. Überall war es totenstill. Den Druckerraum hatte ich vorhin gefunden, und dorthin eilte ich jetzt. Ich schaltete alle fünf Drucker ein und zur Sicherheit auch noch die beiden großen Kopierer – man konnte nie wissen. Dann eilte ich wieder ins Chefbüro zurück und ließ mich auf den Stuhl plumpsen.

Aufatmend gab ich den Druckbefehl, sicherheitshalber gleich an zwei verschiedene Drucker. In ein paar Minuten wäre die Chose erledigt; dann hatte ich eine große Hilfe für die Arbeit und außerdem eine Art Beweisstück dafür, dass Mr. Right gegen die Vereinbarung mit meiner Mutter verstieß. Oder was konnte es sonst für einen Grund dafür geben, dass das Eigentum meiner Mutter auf diesem Rechner war, auf unserem aber nicht?!

Während ich auf dem Monitor beobachtete, wie die Drucker arbeiteten, kostete ich eine dunkelblau und silbern geäderte Bohne. Es war die Einzige in dieser ungewöhnlichen Farbe. Ich stützte für einen Moment den Kopf in die Hände. Anstrengend war das hier. Plötzlich hatte ich Sehnsucht nach Sven und meiner Wohnung zu Hause.

Pling! Die Ausdrucke waren fertig. Ich hievte mich vom Stuhl und hastete zum Kopierraum. Die Tür hatte ich weit offen stehen lassen. Ich stürmte hinein – und schrie laut auf.

Vor den Druckern stand ein Mann! Und er hielt meine Listen in den Händen!

Es war ziemlich viel Papier, und er hielt es weit von sich, als könnte er nicht glauben, was er da sah. Einzelne Blätter lösten sich aus den Haufen und segelten schon zu Boden.

Der Schreck verlieh mir eine gehörige Portion Zorn. Mit einem Satz war ich bei ihm und nahm ihm den ersten Stapel aus den Händen. »Entschuldigung, aber das gehört mir. Bedienen Sie sich immer bei den Ausdrucken anderer Leute?!«

Der Mann sagte nichts. Wortlos und ein bisschen ungläubig sah er zu, wie ich meine Papiere an mich nahm und rasch aufeinanderstapelte. Dabei ließ ich den Typen nicht aus den Augen. Wieso kam er mir so bekannt vor?

»Miss, äh . . .«

Hatte er sich von meiner Hochnäsigkeit beeindrucken lassen? Sehr gut! »Tessner«, verkündete ich kurz angebunden. »Ich arbeite hier, wie Sie sehen. Und ich habe es ziemlich eilig, wenn Sie mir also bitte noch die Ausdrucke da drüben reichen würden?!«

Der Mann drehte sich kommentarlos um und zog einen weiteren Stapel aus dem hinteren Drucker. Leider waren die Seiten über und über grau verschmiert, was ich souverän ignorierte.

»Miss äh ... Tessner. Wenn Sie hier arbeiten, müssten Sie eigentlich wissen, dass dieses Gerät gewartet werden muss. Möglich, dass es jetzt ganz hinüber ist ...«

Ich warf ihm einen hochmütigen Blick zu. Wo hatte ich ihn bloß schon einmal gesehen? Seine dunklen, drahtigen Haare waren ein bisschen unfrisiert, sein blaues Hemd stand um zwei Knöpfe zu weit offen, aber um die Augen hatte er immer noch dieses Leuchten! Das war Katherines Freund, derjenige, der mit ihr zusammen im Flur hing! Was machte der denn hier?!

Das konnte ja nur bedeuten, dass Katherine auch wieder hier sein musste.

Nervös presste ich das kostbare Papier an meine Brust und rannte aus dem Raum, ohne den Typen noch eines Blickes zu würdigen. Ich musste flott den Computer im Chefbüro ausschalten, dann merkte sie vielleicht nichts!

Die Maus quietschte, so schnell riss ich sie über das Pad. Ich biss mir hektisch auf die Lippen. Nur diese Datei weg und den Ordner zu, dann ...

»Das ist ja interessant«, sagte der Mann. Er war mir einfach hinterhergerannt!

»Ich musste nur schnell etwas nachsehen«, sagte ich und versuchte, gleichgültig zu wirken. Wie ging noch dieser blöde Spruch: Frechheit siegt?! Das war eigentlich nicht mein Lebensmotto, aber sicher manchmal hilfreich.

»Auch wenn das *Ihre* Ausdrucke waren – zumindest ist das hier nicht *Ihr* Büro und das da nicht *Ihr* Computer. Oder?!«

Ich fand, er hatte einen unverschämten Gesichtsausdruck. Aber pampig sein konnte ich auch, wenn es denn sein musste. »Vielleicht lassen Sie mich einfach in Ruhe meine Arbeit tun, ja?! *Ihr* Büro ist es ja wohl auch nicht.« Endlich – der Computer verabschiedete sich.

»Ich denke schon.«

»Wie bitte?« Ich sammelte eilig meine Unterlagen zusammen.

Er seufzte. »Ich sagte: Ich denke schon, dass das mein Büro ist.«

Ich hatte an ihm vorbeistürmen wollen, aber jetzt stockte mein Schritt. »Ihr . . .«

Seine dunklen Augen blitzten. »Max Brannigan, guten Tag. Wir hatten bereits das Vergnügen zu telefonieren.« Das klang sehr ironisch.

Ich schluckte. Katherines Freund war . . . der Chef von Mr. & Mrs. Right? Der Geschäftspartner meiner Mutter? Dann hatte sie doch keine Affäre mit ihm, sondern sie waren ganz offiziell zusammen?! Das war ja ein bisschen verwirrend . . .

Ich schluckte nochmal, und dann hatte ich mich einigermaßen gefasst. »Das *Vergnügen* ist ganz auf meiner Seite, Mr. Brannigan. Beziehungsweise: Ich *wünschte*, es wäre so. Aber leider gibt es Etliches, womit ich nicht zufrieden bin – meine Mutter wird das zu gegebener Zeit mit Ihnen besprechen. Jetzt habe ich zu tun, wenn Sie mich also bitte entschuldigen wollen . . .«

Es war natürlich geblufft. In Wirklichkeit war ich nicht im Ansatz so cool, wie ich tat; ich wollte einfach nur raus hier und die Kartei für uns sichern und möglichst bald meine Ruhe haben. Mein hochmütiger Blick, der mich etliche Mühe kostete, bewirkte aber leider nicht, dass Mr.

Brannigan den Türrahmen verließ, damit ich gehen konnte. Er rührte sich nicht von der Stelle.

»Miss Tessner – besprechen wir doch lieber gleich, was Sie Dringendes auf dem Herzen haben. Sonst müssen Sie vor lauter Frust noch mehr meiner mühsam gesammelten *jelly beans* aufessen, und das würde mir meine Nichte dann ernsthaft übel nehmen.«

Er schaute demonstrativ auf meinen Mund. Wie im Reflex fuhr ich mir mit der Hand über die Lippen. Im Mundwinkel klebte etwas Dunkelblau-Silbernes, und ich wurde augenblicklich rot. So viel zu souveränem Auftreten – dazu die zerknitterte Bluse, das zerzauste Haar... Einen Preis für das schickste Büro-Outfit würde ich nicht gewinnen; stattdessen musste ich auch noch aushalten, dass dieser impertinente Kerl sich über mich lustig machte.

Er kam zwei Schritte näher – nah genug, dass ich den schwarzen Strich sehen konnte, den seine Augenbrauen bildeten. Er hatte seine Arme vor der Brust gekreuzt wie jemand, der mit Mühe an sich hält. Ich wich automatisch ein Stück zurück und suchte in meinem feigen Herzen nach dem Ärger, den ich ihm gegenüber verspürte. Dieser Typ da hatte meine Mutter geschäftlich betrogen und uns als »doofe Deutsche« bezeichnet – da brauchte ich gar kein schlechtes Gewissen zu haben!

»Unser... der Computer bei uns macht Schwierigkeiten; ich bin aber ziemlich im Druck wegen der Fernsehleute. Bei Ihnen war niemand da, den ich hätte fragen können! Ich musste bloß etwas ausdrucken...«

Brannigan verzog keine Miene. »Katherine hat mir vor einer Viertelstunde Bescheid gesagt, dass sie sich ein Sandwich holt. Ich habe mich sofort auf den Weg hierhergemacht – und finde Sie schon an *meinem* Schreibtisch, in *meinem* Rechner und außerdem dabei, meine Drucker zu ruinieren?! Von einer so weitgehenden gegenseitigen Hilfestellung steht nichts in der Vereinbarung, die ich mit Ihrer Mutter habe – oder haben Sie da etwas anderes gele-sen?«

Wenn ich auch durcheinander war, war mir doch klar, dass ich besser noch nichts von meinem Betrugsverdacht sagen sollte. Das musste erst noch geprüft werden, und außerdem war es sowieso Aufgabe meiner Mutter, dies-bezüglich Krach zu schlagen. Also bemühte ich mich um einen gelassenen Tonfall. »Genau das ist der Punkt – diese Vereinbarung. Da steht etwas von Kooperation, richtig? Also dachte ich, niemand würde etwas dagegen haben, wenn ich mir kurz etwas ausdrucke – mehr war doch nicht!«

In Brannigans Gesichtszügen lag etwas Verächtliches. Das kitzelte meinen Widerspruchsgeist wach. Ich ver-schränkte meine Arme vor der Brust, genau wie er, und zischte: »Und Ihre kostbaren *jelly beans* werde ich Ihnen ersetzen, keine Sorge. Tütenweise, wenn Sie wollen!« Dann schnappte ich mir mit großer Geste meinen dicken Papierstapel, den ich auf seinem Schreibtisch abgelegt hatte.

Zack! Die Schale mit den *beans* klapperte, schwankte und fiel dann mit einer hübschen kleinen Drehung zu Bo-den. Die dreißig bis vierzig verbliebenen bunten Dinger schossen auf unterschiedlichen Flugbahnen durch die Luft und kullerten dann lustig über den dunkelgrünen Teppichboden.

Brannigan zuckte regelrecht zusammen. Ich lief knallrot an, bückte mich hastig und begann die nervigen kleinen Dinger wieder aufzusammeln. »Ich werfe sie weg und bringe Ihnen morgen die doppelte – nein, die dreifache Menge!«

»Geben Sie sich keine Mühe«, erwiderte er trocken. »Lorraine sammelt nur seltene Farben, und was sie da weggefuttert und verschossen haben, war das Ergebnis von ungefähr drei Monaten Suche.«

Mein Mund klappte auf, aber ich brachte keinen Ton heraus – einerseits wegen seiner Antwort und andererseits, weil ich hinter Mr. Brannigans Schulter plötzlich ein einzelnes rotes Auge sah, das ich irgendwoher kannte. Es war noch ein Stück entfernt, näherte sich aber.

Wie in aller Welt kam denn die Kamera hierher?! Und Peter, der mit ihr verbunden war?

Ich rappelte mich hastig auf. Mr. Brannigan folgte meinem verblüfften Blick und drehte sich um. Ich konnte sehen, wie seine Augen sich verengten, dann jedoch setzte er ein freundliches Lächeln auf. »Haben Sie ihnen die schlechten Manieren beigebracht?«, fragte er leise. Der Spott war nicht zu überhören.

Ich hatte eine heftige Erwiderung auf der Zunge, schluckte sie aber schnell hinunter. Erstens waren das wirklich schlechte Manieren, sich nicht einmal vorzustellen, und zweitens lief ja die Kamera – und wer weiß, wie lange schon? Ich wollte keine Bilder davon, wie ich mich mit dem Chef der Partnerfirma zankte – oder vor ihm auf dem Boden herumkroch!

»Frau Leutberger – es wäre nett, wenn Sie vorher Bescheid sagten, wenn Sie filmen«, brachte ich heraus, wobei ich mich um Gelassenheit und Freundlichkeit bemühte.

»Peter – bitte!« Die Leutberger löste sich aus dem Hintergrund und trat auf uns zu. Sie schoss ihrem Kameramann einen unwilligen Blick zu, aber ich glaubte ihr die Entrüstung nicht. Sie hatte Peter doch bestimmt angewiesen, heimlich zu drehen.

»Draußen regnet es, Frau Tessner«, sagte sie herablassend zu mir. »Also können wir keine vernünftigen Außenaufnahmen machen. Wir haben uns entschieden, hierher zurückzukommen und zu sehen, ob es etwas Neues gibt. Und das ist ja wohl der Fall.« Sie bleckte die Zähne. »Sabine Leutberger vom deutschen Fernsehen«, sagte sie zu Brannigan und schüttelte seine Hand. »Entschuldigen Sie bitte – die Aufnahmen werden selbstverständlich nicht verwendet.«

Mein Peiniger lächelte sie charmant an. »Ich freue mich, Sie kennenzulernen! Brannigan, Max Brannigan von Mr. & Mrs. Right – bitte nennen Sie mich Max.«

Igitt, was schleimten die sich hier gegenseitig an. Mich hatte dieser Typ bis jetzt nur angegiftet, aber kaum war das Fernsehen da ... Die Leute waren alle gleich.

Und die Leutberger gurrte: »Ich habe Sie gleich erkannt – das Bild in Ihrer Firmenbroschüre! Das sind übrigens meine Mitarbeiter, Peter und Esther.« Fleißiges Händeschütteln folgte. Brannigan wirkte dermaßen lässig und charmant, dass ich mich fragte, ob es dafür eine Pille gab. Und wieso durfte einer, der offensichtlich ein Idiot war, so gut aussehen?! Da passte er ja wirklich ganz spitzenmäßig zusammen mit seiner hübschen Assistentin ...

»Bei dieser Gelegenheit wollte ich fragen«, fuhr die Leutberger fort, »ob wir denn auch Ihnen ein paar Fragen stellen dürfen, gegebenenfalls auch Ihren Angestellten? Heute Mittag konnten wir ja schon mit Ihrer netten Miss Miller...«

Und sie plapperte auf ihn ein, was das Zeug hielt. So mitteilsam kannte ich sie gar nicht. Na klar, sie war ihm schon verfallen – dabei war er viel zu jung für sie; er war höchstens 35, und die Leutberger war mindestens schon 40 ... Konnte sie sich nicht ein bisschen zusammenreißen?!

Er legte sich ebenfalls mächtig ins Zeug, ließ seine weißen Zähne aufblitzen und machte ganz auf Charme-Offensive. Eigentlich widerlich – nur, weil das Fernsehen da war! Mir gegenüber hatte er sich noch kein einziges nettes Wort abgerungen.

»Sie arbeiten auch samstags, Max?«, zwitscherte die Leutberger jetzt. Die Kamera lief wieder. Esther hantierte mit einem Mini-Scheinwerfer im Hintergrund.

»In dieser Branche haben wir manchmal ungewöhnliche Arbeitszeiten. Das kennen Sie doch auch aus Ihrem Job, oder?!« Brannigan lächelte, und die Leutberger schmolz dahin.

Puh. Ich wollte einfach nur weg. Zerzaust, verknittert und mit riesigen Stapeln Papier im Arm, bot ich sowieso ein klägliches Bild. Ich drückte mich etwas tiefer in den Schatten neben der Tür und wartete auf einen günstigen Moment.

»Was hat Sie denn dazu bewogen, *Matches Worldwide* als Partnerfirma aufzunehmen und wie beurteilen Sie die Zusammenarbeit, Max?«

Himmel hilf. Ich hätte bleiben müssen, jetzt erst recht, aber ich hielt es einfach nicht mehr aus. Ich machte mich dünn und huschte an dem Lichtkegel vorbei, den Esthers Scheinwerfer produzierte.

»Mrs. Tessner suchte Geschäftspartner, als sie vor sechs Jahren in New York war . . .«

Ich verschloss meine Ohren. Wenn dieser unangenehme Mensch über mich herziehen wollte, dann würde ich damit leben müssen. Allerdings vermutete ich, dass er sowieso nicht zu der ehrlichen Sorte Mensch gehörte. Sonst hätte er ja meiner Mutter auch nicht die Datei geklaut . . .

Saturday Night Life

»Was für ein *loser*!«

»Er hat keinen vernünftigen Satz rausgekriegt ...«

»Wo habt ihr *den* denn ausgegraben? Auf dem New Yorker Zentralfriedhof?«

Peter und Esther kicherten. Es war ja schön, dass sie mir gegenüber aufgetaut waren, aber mussten sie gleich *so* locker werden? Sie fanden überhaupt kein Ende mehr.

Wir standen auf dem Gehsteig vor dem »King's Pub«, Peter, Esther und ich. Drinnen hockten Denise und ihr erstes *date*, Gregory Summit, der Physiklehrer, in einer der Sitzecken. Bis vor fünf Minuten hatte auch noch Frau Leutberger bei uns gestanden; sie hatte mich »interviewt«, mir also ein paar Fragen zu Greg gestellt, wo wir ihn her hatten, was ich persönlich von ihm hielte, ob ich glaubte, dass Denise etwas mit ihm anfangen konnte ... Gott sei Dank war ich vorbereitet gewesen, sonst hätte ich wahrscheinlich ziemlich alt ausgesehen. So aber glaubte ich, dass ich eine ganz gute Figur gemacht hatte – trotz des schwierigen Themas.

Bis die drei angefangen hatten, über Greg zu lästern.

Zwar war die Leutberger vor ein paar Minuten nach drinnen verschwunden, weil es angefangen hatte zu nieseln, aber Peter und Esther alleine waren auch nicht gerade zimperlich. Sie nannten Greg »Gregor Gipfel« und zogen über sein linkisches Wesen und seine beginnende Halbglatze her.

Es stimmte, dass Greg nicht der coole Gewinner-Typ war,

114

zumindest nicht auf den ersten Blick. Er war schon ohne Kamera sehr aufgeregt gewesen und hatte dann im Scheinwerferlicht auf die obligatorischen Fragen der Leutberger hin mehr oder weniger nervösen Unsinn von sich gegeben. Und Esther hatte auf seinem schweißglänzenden Kopf eine Unmenge Puder verteilen müssen, damit er nicht leuchtete wie ein Weihnachtsbaum. Aber er wirkte nett und schien ganz entzückend auf Denise einzugehen, war das nichts? Und einen sicheren Job hatte er auch – sogar zwei! Peter und Esther sollten sich mal nicht so haben, was hatten sie denn bisher erreicht?!

Ich grummelte leise vor mich hin und beobachtete Greg und Denise, die sich drinnen an ihren Cocktailgläsern festhielten wie an Rettungsleinen. Das wurde nichts, das sah man auch durch den dicksten Regen. Denise schien auf sein linkisches Wesen nicht anzuspringen; sie wirkte ein bisschen gelangweilt und manchmal fast ungeduldig. Warum rührte sie dieser große, ungelenke, freundliche Mensch denn gar nicht?! Als ich Gregs Unterlagen vor mir gehabt hatte, im Büro, hatte ich das Zusammentreffen ganz anders eingeschätzt.

Ich unterdrückte einen Seufzer und wünschte, ich wäre woanders. Der Nieselregen rann mir in den Mantelkragen, mein Magen knurrte, und meine Füße brannten in den schicken Wildlederstiefelchen, die ich jetzt schon den ganzen Tag anhatte.

So mitteilsam Peter und Esther mir gegenüber auch seit gestern geworden waren, die Sympathie reichte doch nicht dafür aus, mich mit unter den Schirm zu lassen. Esther hielt das graue Ungetüm fürsorglich über Peter und seine kostbare Kamera und schmiegte sich beinahe an seinen schmächtigen Rücken, aber ich blieb natürlich im Regen stehen. Vielleicht dachten sie, ich sei schließlich die Chefin und könne also schon für mich selbst sorgen.

Ich wünschte, Sven wäre in diesem Moment da gewesen. Er hätte mich aufgefordert, doch endlich reinzukommen, und ich hätte »na gut« murmeln können. So aber hatte ich auch noch selbst die Parole ausgegeben, dass wir nicht alle in Sichtweite des turtelnden Paares herumhocken sollten – von wegen Intimität und Zauber der ersten Begegnung und so …

Da klingelte mein Handy, und ich zuckte zusammen. Meine Mutter – jetzt?! Ich hatte den ganzen Nachmittag erfolglos versucht, sie an den Apparat zu bekommen.

Aber zu meiner Verblüffung war es Brooke.

»Gute Nachrichten, Miss Tessner!«, trällerte sie. »Ist das nicht toll?!«

Hätte ich vielleicht auch gefunden, aber ich kannte die Nachricht ja nicht. Ich hatte Brooke am späten Nachmittag nach Hause geschickt, nachdem ich die Kartei gerettet hatte. Brooke hatte übrigens keinen Schimmer gehabt, wie der Datensatz in den Computer von Mr. Right gekommen war. Die Zeit war zu knapp gewesen, den ganzen Packen noch auszuwerten und unsere verlorengegangenen Männer darin zu suchen (wir hatten ja nur die blöden Vornamen!). Brooke und ich würden uns morgen früh wieder treffen – statt auszuschlafen! – und dann sehen, was von den alten Terminen noch zu retten war. Was also wollte sie schon jetzt am Abend?

»Was gibt's denn?«, fragte ich und versuchte, mir meine Ungeduld nicht anmerken zu lassen.

»Raf muss jeden Augenblick bei Ihnen sein! Mein Schwager, wissen Sie noch? Ich habe ihn eben erreicht, als er die Stadtgrenze wieder passiert hat! Er war in New Jersey, wissen Sie, und da ist irgendetwas mit seinem Mobiltelefon, mit dem Empfang da draußen hat es zu tun … deshalb hat er es heute Morgen nicht geschafft! Aber *natürlich* kümmert er sich um Sie, sagt er, er kommt sofort! Er schätzt, dass er in spätestens fünf Minuten in der 39sten ist, okay?! Miss Tessner? Okay?«

»Ja, ich bin noch da. Alles klar – das ist ja schön. Dann müssen wir für den Rückweg nicht wieder das Taxi nehmen.«

»Und, Miss Tessner? Ich bin morgen früh wieder im Büro, ab neun, okay? Für alle Fälle, und um die Kartei ... na ja, ich werde versuchen, sie in unseren Computer einzugeben. Ja?«

Was sollte ich sagen? Es ging eigentlich nicht an, das arme Wesen am Sonntagmorgen im Büro sitzen zu lassen. Aber diese verfluchte Kartei musste tatsächlich eingegeben werden, sie war das Herzstück der Firma! Und irgendjemand musste das machen ... Ich verkniff mir gerade noch, ihr zu widersprechen, sagte, ich würde mich morgens im Büro melden und verabschiedete mich von Brooke.

Mein Magen meldete sich mit einem lauten Rumpeln; er wollte was Richtiges. Außer einem schnellen Sandwich im Hotel und den *jelly beans* von Mr. Brannigan hatte ich seit dem Frühstück nichts gegessen. Und wenn ich Hunger habe, werde ich immer zuerst schlecht gelaunt und dann weinerlich. Mir war irgendwie zum Heulen ...

»Miss äh ... Tessman?«

Ich fuhr herum. Vor mir stand Greg, einen etwas bekümmerten Ausdruck im Gesicht.

»Ich äh ... ich glaube, wir sind fertig, Miss Tessman. Ich meine, die Zeit ist um, oder? Denise hat das gesagt.« Er sprach es wie *Dennis* aus. Ein Gefühl von Traurigkeit überkam mich, ich weiß nicht, warum.

»Wie war's? Okay?« Ich lächelte ihn an.

»Oh, ja – ja, sicher. Ich meine ... es war okay. Ich weiß nicht, ob Denise ... ob sie sich wohl gefühlt hat, wissen Sie.«

»Aber bestimmt! Ihr Englisch ist vielleicht nicht so gut, aber ...«

»Ich glaube nicht, dass es an ihrem Englisch lag, Miss

117

Tessman. Ich glaube, sie findet mich einfach nicht so ... interessant.« Ein feines, melancholisches Lächeln lag auf seinen Lippen.

»Nicht doch!«, sagte ich erschrocken. »Das ist ganz bestimmt nicht der Fall, es ist vielleicht nur ...«

»Lassen Sie nur, Miss. Das ist mir nicht neu, wissen Sie – dass Frauen mich nicht sehr... aufregend finden. Aber hey...« Er zuckte die Achseln in einer traurig-komischen Geste und lächelte. »Ich bin nun mal alles, was ich habe.«

Ein Regentropfen landete genau auf meiner Wimper. »Und das ist eine ganze Menge, das weiß ich!«, sagte ich energisch.

»Vielen Dank«, erwiderte Greg. »Sie sind sehr nett. Wenn alle Matchmaker so wären wie Sie, wären eine Menge Leute glücklicher.« Er hob die Hand zu einer Abschiedsgeste und ging davon, ohne sich noch einmal umzudrehen.

Ich sah ihm nach, wie er über den nassschwarzen Asphalt verschwand. Wenn er wüsste, dass ich gar keine Matchmakerin war! Und auch nie sein wollte – diese Dinge gingen mir zu nah. Eine Szene wie diese konnte ich kaum aushalten – am liebsten wäre ich Greg nachgerannt und hätte ihn zu jeder Menge *dates* verdonnert, bis irgendwann doch der Funke übersprang! Es sollte keine aussichtslosen Fälle geben dürfen. Wieso hatte sich die blöde Denise nicht ein bisschen für ihn erwärmt? Hatte er ihr etwa nicht das Herz gebrochen?!

Ein Schwall kalten Wassers ergoss sich über meine Füße, und mit einem Aufschrei sprang ich zur Seite. Was war das für ein Rüpel – dermaßen rücksichtslos einzuparken, dass die Fußgänger bis auf die Knochen nass wurden!

»Hi, Lady!«, verkündete der Rüpel dann auch noch durchs eilig heruntergelassene Autofenster. »Ist das der

›King's Pub‹? Und wissen Sie vielleicht zufällig, ob sich da so ein Haufen deutscher Fernsehfritzen rumtreibt?!«

Es war Raf, der Schwager mit dem Transportservice und ohne Mobilverbindung in den angrenzenden Bundesstaat. Er war ein kleiner, gedrungener Mann von etwa fünfzig, energiegeladen und mit breitem Akzent einer mir unbekannten Herkunft. Unter seinem Jeanskäppi sahen eine Unmenge drahtiger, schwarzer Haare hervor, und sein freundlich gemeintes Grinsen enthüllte ein schneeweißes Gebiss, vor dem sich Kinder im Dunkeln bestimmt fürchteten.

Ich knurrte eine Art Begrüßung, verschwieg aber auch meine ertränkten Füße nicht. Raf entschuldigte sich, unermüdlich weiter grinsend. Wir verständigten uns kurz darüber, was er zu tun hätte und zu welchen Bedingungen, und dann verschwand ich endlich im Trockenen, um die anderen einzutreiben. Es war kurz vor sieben Uhr, und wir hatten ja noch einen Termin.

An der Bar gab Denise gerade ein kurzes Statement für die Kamera ab. Sie war so nett, das ein oder andere gute Haar an Greg zu lassen. Vielleicht wollte sie aber auch nur nicht öffentlich zugeben, dass sie bereit gewesen war, einen solch krassen Kerl überhaupt in Betracht zu ziehen.

»Er war süß, wirklich!«, verkündete sie. »Aber wie man sich das bei dem Job vielleicht auch so denkt: ein bisschen schüchtern!«

»Worüber haben Sie denn so gesprochen?«

»Ach, über Deutschland und über seine Arbeit ... Er ist ja Physikprofessor, und wie seine Studenten so sind ...«

»Er ist doch Physiklehrer an einer Schule hier, oder?«, bohrte Frau Leutberger, die ganz offensichtlich ein Haar in der Suppe wollte.

»Na ja, die nennen dat hier anders, wissen Sie?! Aber so genau hat er's auch nicht erklärt ...«

Während ich mit halbem Ohr zuhörte, beschloss ich,

Greg unter meine Fittiche zu nehmen. Wenn er glaubte, ich sei eine »Matchmakerin« – nun, dann würde ich für ihn eben eine sein! Ausnahmsweise und nur, weil er mich so gerührt hatte. Ich saß schließlich wirklich an der Quelle, ich konnte ihm doch ein paar Frauen beschaffen! *Pro bono* – hieß das nicht so? Und wenn ich das nicht schaffte, würde ich Katherine bitten …

Peter und Esther stellten jetzt ihre Geräte ab; sie waren fertig für den Augenblick. Ich erklärte allen, dass draußen ein weißer Bus für uns bereitstand. Die Kommentare reichten von »Na endlich!« bis »Wunderbar!« Biggy Westerweg hievte sich vom Barhocker herunter, und ich trieb alle vor mir her zum Ausgang.

»Miss!«, hörte ich eine strenge Stimme hinter mir. Was war denn jetzt schon wieder?!

Der Barkeeper war mit erstaunlicher Geschwindigkeit hinter seinem Tresen hervorgekommen und stand mit gerunzelten Brauen vor mir. »Sie haben die Rechnung vergessen!«

Oh, Mist. Das hatte ich tatsächlich – also durfte ich jetzt leider niemanden anraunzen, sondern musste stattdessen meine Geldbörse zücken. Die Runde ging auf *Matches Worldwide*, das ging nicht anders. »Wie viel macht's denn?«

»Alles zusammen 67 Dollar«, verkündete er ungerührt.

Ich schluckte. Wie viel hatten die denn alle getrunken?! Ich selbst hatte keinen Tropfen von irgendwas gehabt … Hatte die Leutberger etwa heimlich Champagner bestellt?! Zähneknirschend fummelte ich mit diesen Scheinen herum, die alle gleich aussahen, bis ich 75 Dollar beisammen hatte. Ich drückte sie dem Keeper in die Hand und nahm von ihm die Rechnung entgegen.

Gerade wollte ich mich endgültig umdrehen und diese halsabschneiderische Bar verlassen, als ich schon wieder angequatscht wurde. Langsam verlor ich die Geduld.

»Bitte?«, zischte ich den Typen an, der sich neben mir aufgebaut hatte.

»Sie haben doch mit diesen Leuten vom Fernsehen zu tun, die eben hier waren, stimmt's? Sind Sie die Chefin?«

Ein ganz klein wenig war ich wieder versöhnt. Er hatte erkannt, dass ich hier etwas zu sagen hatte! Der Mann sah nicht so schlecht aus, wenngleich er überhaupt nicht mein Typ war. Er war kleiner als ich und ziemlich schmal. »Ja, und?«

»Ich bin Donald, Donald James. Haben wir nicht miteinander telefoniert? Und den Termin für heute ausgemacht?!«

»Äh, wie bitte? Ich weiß nicht ...« Irgendetwas wühlte sich in meinem Gedächtnis aus den Federn.

»Ich muss sagen, ich war schon ziemlich erstaunt, als ich reinkam. Ich war fünf Minuten zu spät, und Sie waren hier schon zugange ... Sie zögern wohl keine Sekunde, wie?!«

»Zögern? Zu spät?«

Er zeigte erste Anzeichen von Ungeduld. »Na ja, Sie haben offensichtlich innerhalb von fünf Minuten einen Ersatz für mich gefunden! *Fünf* Minuten! Das finde ich nicht gerade prickelnd, wissen Sie, zuzugucken, wie ein anderer an meiner Verabredung rumbaggert. Ich fand es nett, das Mädchen, und er ist ja offensichtlich überhaupt nicht gelandet!«

Allmählich dämmerte es mir. Ich starrte ihn mit offenem Mund an. »Sie sind ... wir haben vergessen ... aber das konnten wir ja gar nicht! Absagen, meine ich. Beziehungsweise – das hätten wir ja gar nicht gewollt! Wir wären ja froh gewesen ... ach verdammt, es tut mir leid, ehrlich!«

Jetzt verstand Donald *mich* nicht, aber er hatte wohl keine Lust auf eine längere Diskussion. »Na gut, Ma'am, aber Ihre Agentur sollte besser nicht mehr bei mir anrufen. Streichen Sie mich von der Liste; ihr Deutschen seid mir wirklich zu knallhart.« Sprach's und drehte sich auf dem Absatz um.

Ich rief ihm noch etwas von »Computer abgestürzt« hinterher, aber er war schon zwischen den Leuten verschwunden, die an der Bar herumstanden. Das war Donald, von meiner Mutter höchstpersönlich ausgesucht und von Brooke verschmissen oder verloren! Er wäre der perfekte Kandidat für Denise gewesen, hatte ich das richtig in Erinnerung?! Ich reckte mich, um über die Köpfe der Leute zu spähen. Sollte ich ihm hinterher? Das musste geklärt werden!

Doch von Donald war nirgendwo mehr eine Spur zu entdecken. Er schien sich in Luft aufgelöst zu haben. Jetzt hatten wir zwar immerhin seinen Nachnamen, aber mehr auch nicht. Ob er sich überhaupt wieder versöhnen ließe, wenn ich ihn erwischte?

Von draußen hörte ich ein unmissverständliches Hupen. Ich entschied mich, ihm im Moment nicht hinterherzujagen.

Seufzend trottete ich hinaus in die klamme New Yorker Nacht.

Während Raf uns in seinem etwas altersschwachen, aber noch akzeptablen Kleinbus durch die Gegend schaukelte, dachte ich nach. Als Zwischenfazit konnte man festhalten, dass ich deutlich mehr Probleme als Spaß hatte. Nichts war so wie abgesprochen, nichts lief so *easy* wie geplant. Meine Mutter würde was zu hören bekommen, aber erstmal musste ich versuchen, das Beste aus der Lage zu machen. Wenn Denise auf die anderen von mir ausgesuchten Typen auch so negativ reagierte wie auf Greg, saß ich richtig in der Patsche. Und wer war schuld? Eigentlich – abgesehen von Brooke – nur diese dubiose Partnerfirma. Mr. & Mrs. Right – pah! Nicht für uns.

Ich hatte gerade noch zwei Tage Zeit, um Denise mindestens zwei oder drei Männer zuzuführen, bei denen sie dann begeistert seufzen und sich nicht würde entscheiden können. Meine Mutter hatte mir die Szenerie ausgemalt. »Hach!«, würde Denise strahlen. »Was für eine Auswahl! Diese wunderbaren Männer! Ich weiß nicht, ob ich den erfolgreichen Kinderarzt mit Apartment am Central Park oder den Anwalt aus reicher Familie mit Villa auf Long Island nehmen soll!« Das war Elianes Plan gewesen.

So wie die Dinge lagen, hatten wir aber keinen einzigen Termin mit einem solchen Typen zustande gebracht. Warum war meine Mutter auch so altmodisch?! Was war mit Speed Dating, »Fisch sucht Fahrrad«-Partys oder dem Internet? Zur Not würde ich Denise von so etwas überzeugen müssen, dann kriegten wir vielleicht noch die begeisterten Bilder von ihr. Ich sollte mir von Brooke mal ein paar Single-Bars zusammenstellen lassen, vielleicht veranstalteten die dort zufällig irgendein Fest ... o Gott.

Ich seufzte und schickte einen stummen Fluch nach Afrika. Egal, wie spät es in Tansania war, ich würde bei nächster Gelegenheit dort anrufen und mir ein bisschen Luft machen. Jetzt aber wartete erstmal der nächste Kandidat.

Das »Khungzu Palace« war ein schickes chinesisches Lokal mit deftigen Preisen, wie ich beim Hineingehen zu meinem Verdruss feststellen musste. Frau Leutberger hatte immerhin unser Kommen angesagt, wegen der Dreherlaubnis, und so wurden wir relativ höflich empfangen und in einen hinteren Raum verfrachtet, damit wir die anderen Gäste nicht störten. Wir bekamen ungefragt kleine Vorspeisen serviert, und obwohl ich meinen Geldbeutel stöhnen hörte, langte ich kräftig zu. Wir würden alle etwas essen, beschloss ich, während Denise und der Neue einander beturtelten.

Das dauerte allerdings noch, denn als Matt endlich eintraf, mussten zuerst die obligatorischen Einstellungen gedreht werden. »Was versprechen Sie sich vom heutigen Abend?«, »Gefällt er/sie Ihnen so auf den ersten Blick?«, «Sind Sie aufgeregt? Wie fühlen Sie sich?«

Matt machte zuerst gar keine so schlechte Figur. Er lächelte gewinnend in die Kamera, sagte etwas von »süßes Mädchen« und erklärte, er sei Immobilienmakler. Auf Nachfrage gab er an, zur Zeit eine Art berufliche Pause zu machen; er überlege, sich umzuorientieren ...

Ich wurde ein klein wenig nervös. Von einer Pause hatte er uns am Telefon aber nichts erzählt. Man konnte geradezu sehen, wie das bei Denise und ihrer Mama ankam. Ich konnte es ihnen nicht verdenken. Wenn man sogar in *dieser* Branche seinen Job verlor, dann war es wohl wirklich schlecht um einen bestellt.

Was die Sache so ernst machte, war die altmodische Art meiner Mutter, ihre Partnervermittlung zu betreiben. Hätten wir bei irgendeinem witzigen *dating event* gesessen, hätten Denise und ich gelacht und Matthew vielleicht mit seiner »Pause« aufgezogen. So aber, und zudem in Gegenwart ihrer Mutter, wurde das Ganze zu einer bedeutungsschweren Angelegenheit. Es war, als hätte ich Denises Zukunft in meiner Hand.

Weil wir noch alle beisammenstanden und weil Mama Westerweg gelesen hatte, dass man bei den Amis, was Geld betraf, ganz offen sein konnte, fasste sie sich jetzt ein Herz und fragte: »Wovon leben Sie denn, bitteschön?«

Es klang wie »Fromm wott du ju liff?«, aber es reichte, um Matt ein bisschen ins Schwitzen zu bringen. Frau Leutberger und die Kamera ließen sich natürlich keine Sekunde von diesem Schauspiel entgehen.

Ich hörte mir Matthews weitschweifige Ausreden eine Weile an, dann griff ich ein und verkündete, jetzt sollten wir den Hauptpersonen aber doch endlich die Möglichkeit geben, sich in Ruhe zu beschnuppern.

Gehorsam zogen die beiden ab zu ihrem reservierten

Tisch, aber Denise wirkte schon ziemlich zurückhaltend. Ich hoffte, dass das Tête-à-tète noch etwas herausreißen würde...

Indem ich Essen für alle bestellte, verhinderte ich erstens, dass schon wieder alle über einen Kandidaten herzogen, und erreichte zweitens, dass nicht nur das Teuerste auf der Karte geordert wurde. Außerdem verkündete ich, dass ich vorhatte, meine Mutter anzurufen, die bestimmt mit allen würde reden wollen. Ich lächelte in die Runde und entschuldigte mich »für eine Minute«.

Mit dem Handy ging ich aufs Damenklo. Es war etwa sechs Uhr morgens in Afrika, hatte ich ausgerechnet. Das würde sie aushalten müssen.

Nach dem vierten Läuten hob jemand ab. »Zumhorst Mansion, hello?« Es war eine helle Frauenstimme mit starkem Akzent, vielleicht eine Art Hausmädchen. Ich hatte nicht daran gedacht, dass das Telefon ja nicht bei meiner Mutter auf dem Nachttischchen lag.

Ich erklärte ihr, wen ich sprechen wollte. Das Hausmädchen bat mich zu warten, während sie meine Mutter holte. Nach endlosen fünf bis sechs Minuten hörte ich erst ein Schlurfen, dann die müde Stimme meiner Mutter.

»Nora? Was ist los? Es ist kurz nach fünf...«

»Oh«, sagte ich. »Ich dachte, es wäre schon sechs. Nein, es ist nichts los, zumindest nichts Schlimmes. Nur ein absolutes Chaos, weiter nichts. Hast du Brooke jemals in Aktion erlebt?! Sie richtet den allergrößten Schlamassel an, den du dir denken kannst – der Computer funktioniert nicht, sie hat überhaupt keine Unterlagen, die Termine stehen nicht, und deine Männer für Denise hat sie verloren! Und das Büro müsstest du mal sehen, das ist schon beinahe gruselig, so absurd ist es! Ich habe schon ein paar Mal versucht, dich anzurufen, nie hatte ich Glück! Ich musste mich alleine durchwursteln – obwohl ich von der ganzen Sache nichts verstehe! Und dann diese Rights! Sie betrügen dich, Eliane, so wahr ich hier in den Seilen hänge! Sie haben deine zentrale Kartei auf *ihrem* Rechner, und auf deinem ist sie *nicht*, verstehst du?! Ich hab das entdeckt, leider zu spät, und ich hab sie heimlich ausgedruckt, aber Brannigan hat mich erwischt und war sauer. Wir haben uns gestritten, und das hat die Leutberger auch noch gefilmt! Und das Schlimmste ist, dass ich dauernd gute Miene zum bösen Spiel machen muss, grinsen und nicken und alle davon überzeugen, dass alles bestens läuft! Und dabei tun mir die Füße so weh!« Meine Stimme war immer höher geworden, je mehr ich von meiner Verzweiflung erzählte. Zumindest würde mich niemand, der in einer der Kabinen neben mir saß, verstehen. Das war der einzige Trost.

Meine Mutter reagierte gelassen und brachte mich dazu, ein wenig verständlicher zusammenzufassen, was passiert war. Nach einer Weile ließ meine Hysterie etwas nach, und ich konnte ihr die Lage vernünftig schildern. Ich hatte Dampf abgelassen, und – siehe da – es ging schon wieder.

»Brooke ist ein ganz besonderer Fall«, erklärte meine Mutter. »In manchen Situationen hat sie ein *Händchen*, sage ich dir, schon fast so gut wie meins. Eine Nase für die richtigen Partner, weißt du, ganz unglaublich. Man glaubt beinahe, dass sie die Folien gar nicht braucht! Und dann – du musst das verstehen, Noralein – dann ist sie eben auch nicht so teuer! Eine normale Sekretärin kann ich mir gar nicht leisten, im Moment nicht, aber das wird sich ja ändern! Diese Dokumentation, die wird mich zurück ins Geschäft katapultieren, da wird dir Hören und Sehen vergehen! Deshalb halt durch, Schätzchen, du machst das schon! Anscheinend hast du ja ein paar gute Männer aufgetrieben, na also!«

»Aber das ist es ja – die ersten beiden haben ihr schon nicht gefallen! Mit einem davon sitzt sie gerade noch zusammen, aber das wird nichts, das sieht man ihr an der Nasenspitze an! Und ich hab mir solche Mühe gegeben, die Richtigen rauszufischen ...«

»Da braucht man Übung, Kindchen, das kommt schon noch, und das richtige Gespür. Aber das hast du, ich glaube an dich!« Ich konnte mir lebhaft vorstellen, wie sie durch den Hörer strahlte, um mich anzufeuern. Alles für die Firma! Und ich wollte doch gar kein Gespür für so etwas haben. Noch vor einer Woche hätte ich jeden ausgelacht, der mir gesagt hätte, ich würde demnächst Energie darauf verwenden, wildfremde Leute miteinander zu verkuppeln.

»... und wer der Richtige ist, das spüren die Kunden dann schon – auch Denise!«

»Die Leutberger wird ein hämisches Gesicht machen, wenn ich nicht bald einen George Clooney mit 200.000 Dollar im Jahr präsentiere ...«

»Dann musst du ihr verklickern, dass es nicht immer auf das Äußere ankommt! Mein Motto: In *jedem* steckt ein Held, manchmal sieht man ihn nur nicht auf Anhieb! Und wenn tatsächlich mal keiner drin ist, malst du einen drauf!«

»Aber das können die Leute doch alleine!«

»Eben nicht, Schätzchen! Die wichtigen Dinge im Leben sollte man Profis überlassen! Gute Partneragenturen sind wie Psychologen: Sie nehmen dich an der Hand und führen dich auf einen neuen Weg. Nur gehen musst du ihn dann selbst. Aber den Weg eröffnen, ihn frei für dich machen, das tun wir. Was glaubst du, wie schwer es ist, jemanden objektiv zu beurteilen?! Wenn du auf der Suche bist nach einem Partner, kannst du genau das nicht!«

»Aber ich habe das Gefühl, wir *reden* die Leute bloß schön ...«

»Nora – was glaubst du, wie oft sich Menschen, die ich

anderen schönrede, dann auch als schön entpuppen?! Gar nicht mal so selten! Und wer weiß denn schon wirklich, was er will – oder was ihm guttut? Das Äußere ist doch sowieso nur eine Fiktion ...«

Ich staunte. Meine Mutter als Philosophin! Ich hatte bisher eher gedacht, sie sei durch und durch knallharte Geschäftsfrau.

»Glaub mir, ich habe schon oft gesehen, wie Liebe entsteht, wo man sie für unmöglich gehalten hat. Und wie sie zerplatzt wie eine Seifenblase, wo doch alle Vorzeichen sagten, es würde klappen! Übereinstimmung auf der Folie mit achtzig Prozent – und dann: absolut tote Hose. Trotzdem brauchen wir die Folien, denn nach irgendwas muss man ja gehen. Besser als Pheromone, sage ich immer.« Sie lachte. »Du kannst das auch, bring ein bisschen Herz und Leidenschaft dafür auf! Außerdem kannst du sowieso nicht mehr zurück«, fügte sie trocken hinzu.

Ich seufzte. Zumindest damit hatte sie recht.

»Also, zurück zum Geschäft: Sieh Brooke auf die Finger und treib sie an. Und vertrau auf ihre Fähigkeiten! Was mir mehr Sorgen macht, ist die Sache mit Mr. Right. Ich wusste nicht, dass sie sie aus dem Netz geworfen haben. Vermutlich hat sich Brooke geschämt, mir etwas davon zu sagen. Und du glaubst, sie haben die zentrale Kartei gestohlen? Das gibt's doch nicht, das hätte ich von Max nie erwartet ...«

»Welche andere Erklärung soll es geben?! Sie werden mit deinen Kunden schon was anfangen können! Und dann schieben sie es auf Brooke und ihre Unfähigkeit ...«

»Das können wir nicht zulassen. Das können wir doch nicht einfach so schlucken, bei aller Liebe! Nora-Schatz – folgende Marschrichtung ...« Ihre Stimme klang jetzt sehr entschlossen. »Du versuchst, die Männer, die ich ausgesucht habe, wieder zu finden, unbedingt. Sie sind genau auf Denise zugeschnitten, und auch noch im Hinblick aufs Fernsehen gut! Du hast doch von mir die Liste bekommen! Leider habe ich von keinem die Nachnahmen im Kopf – immer diese Amis mit ihrem *Hi, I'm Steven!* Aber sie sind in der Kartei, und die hast du dir ja zurückgeklaut!«

Ich schwieg und dachte an Don, den wir versetzt hatten und der mit *Matches* jetzt nichts mehr zu tun haben wollte.

»Besonders Don! Er war das Sahnestückchen – er besitzt fünfzehn Boutiquen in Manhattan und ist trotzdem ganz handfest und solide und charmant. Und er *liebte* Denises Foto, sage ich dir! Aber von den anderen sind zwei oder drei auch nicht zu verachten ...«

Mir war ein bisschen schlecht. Lag es an den *jelly beans*?

»Und dann, sobald du das eingetütet hast, suchst du dir einen *Anwalt*! Ja, *genau*: Wir schlagen zurück! Nora! Einen guten Anwalt aus einer guten Kanzlei; lass dir was empfehlen von irgendwem, keine Ahnung. Aber wir müssen sofort handeln, fürs Fernsehen, verstehst du? Die brauchen einen Bösewicht, falls was schiefläuft, und den sollen sie kriegen. Und es ist ja auch wirklich nicht in Ordnung, was Max da treibt ...«

»Aber ...«, quetschte ich dazwischen, sobald sie Luft holte. »Wieso? Ich meine – was soll der Anwalt machen? Und das kostet ja auch ...«

»Ein Unternehmer muss wissen, wann das Geld gut investiert ist. Und es ist gut investiert, wenn das Fernsehen bringt, dass *Matches Worldwide* für seine Kunden keine Kosten und Mühen scheut! Der Anwalt soll ... ja, mein Gott, er soll Max eben verklagen! Auf Schadenersatz, wegen Diebstahl oder Betrug oder wie auch immer man das nennt. Wir haben die Beweisstücke und Brooke als Zeugin – der Anwalt soll dann sehen, was er machen kann! Nora ... Nora, bist du noch dran?«

Ich war ein bisschen sprachlos. Was sollte ich denn jetzt noch managen? Ich konnte das alles doch gar nicht.

»Nora?! Ich höre dich atmen. Beruhige dich, Kind, jetzt hast du doch schon richtig Übung! Schätzchen – ich glaube an dich!«

Das war ja schön. Ich tat es nämlich nicht. Doch meine Mutter ließ nicht mit sich reden. Ich könne das, versicherte sie mir immer wieder, außerdem gehe es sowieso nicht anders. Da hatte sie irgendwie recht.

»Und jetzt gib sie mir mal, die anderen. Es wird Zeit, sie mal wieder ordentlich einzuseifen!«

Also marschierte ich zurück. Gerade wurden die Reistafeln serviert. Ich konnte in aller Ruhe essen, während meine Mutter ausgiebig mit den anderen parlierte, sogar mit Peter und Esther. Sie schien sie so beschäftigen, dass keiner mehr an Denise und Matt dachte – außer mir. Zweimal stand ich auf und warf einen heimlichen Blick auf den Zweiertisch, an dem sie vor den chinesischen Schüsseln hockten: Matt war mit Essen beschäftigt, Denise sah aus dem Fenster. Es sah sogar noch schlimmer aus als die Szene mit Greg.

Und so war es auch. Eine halbe Stunde später kam Denise mit langem Gesicht zu uns zurück.

»Wo ist denn der junge Mann?«, fragte ihre Mutter und spähte vergeblich nach Matt aus.

»Ich hab ihn heimgeschickt!«, verkündete Denise. »Der war ja unmöglich!«

Ich spürte sofort wieder eine Welle von schlechtem Gewissen. »Wieso denn?«, fragte ich kleinlaut.

»Der hat so viel bestellt und dann auch noch aufgegessen! Und dann hat er noch die Reste von meinem Teller genommen, ich hatte den Eindruck, der wollte bloß eine Mahlzeit umsonst.« Sie zog eine Schnute. »Der hat mich noch nicht mal richtig was gefragt.«

Unwillkürlich wanderten die Blicke aller Umstehenden

zu mir, und ich wurde prompt rot, so als wäre ich schuld an allem.

»Dann hat er noch gefragt«, berichtete Denise weiter, »ob wir noch was trinken gehen wollen. Aber mit *dem* – nee. An seinem Sakko war der Saum vom Ärmel ganz verschlissen.«

Ihre Mutter nickte vehement. »Datt hast du ganz richtig gemacht, Kind. Der war es nicht, das konnte man ja gleich sehen. Also, Frau Tessner...« Aha, jetzt war ich schon nicht mehr Nora. »So ganz doll war das ja heute nicht. Ich will ja nicht das Kind mitm Bade ausschütten, oder wie man so sagt, aber es wär doch schön, wenn die Denise mal was Richtiges vor die Flinte kriegt. Entschuldigen Sie die Ausdrucksweise, Sie wissen schon, was ich meine.«

Zu Beginn von Biggys Ansprache hatte Frau Leutberger Peter einen kleinen Wink gegeben, und der hielt jetzt die Kamera auf uns. Aus dem Augenwinkel konnte ich das aufdringliche rote Leuchten unterhalb des Objektivs sehen. Mist! Und das unmittelbar nachdem meine Mutter so gut Stimmung für mich gemacht hatte.

Ich legte mich ins Zeug. »Das tut mir wirklich leid, dass Denise nicht zufrieden war. Aber wir sind ja erst ganz am Anfang! Wir müssen erstmal prüfen, was und wer sie interessiert, und da kann es schon mal vorkommen, dass die ersten *dates* ... nun ja, nicht ganz so wunderbar sind, wie man das gerne hätte!« Ich lächelte zuversichtlich. »Das ist ganz normal! Es wird von Mal zu Mal besser, das kann ich beinahe schon versprechen!« Meine schicke weiße Bluse, die mir sowieso ein bisschen eng war, klebte mir am Rücken.

»Nun, wen wird es denn morgen geben?«, fragte Frau Leutberger. Ich hätte ihr am liebsten die Zunge rausgestreckt.

»Auf jeden Fall geht es morgen schon mittags los!«, verkündete ich strahlend. »Das war ja heute nur zum Aufwärmen, sozusagen. Richtig ernst und hoffentlich ganz aufregend wird es erst noch! Aber Denise und ich haben vereinbart, dass wir im Vorfeld nicht zuviel verraten – damit sie ganz entspannt in die *dates* gehen kann!«

Ich lächelte so heftig, dass mir die Mundwinkel schmerzten, und warf Denise einen bangen Blick zu. Sie sagte nichts, aber in ihrem Gesicht stand der erste Anflug von Zweifel.

Ein Sonntag, der es in sich hat

Der Tag begrüßte mich mit bleigrauem Himmel und gedrückter Stimmung. Ich lag noch eine Weile im Bett und sehnte mich nach Sven, oder zumindest nach einer Ablenkung und einem starken Arm, bevor ich schweren Herzens aufstand.

Ich holte mir einen Kaffee im Frühstücksraum und rief mir ein Taxi, denn Raf sollte erst gegen Mittag auftauchen, um uns zu unserem ersten *date* des Tages zu fahren.

Das Fernsehteam war am Abend zuvor noch losgezogen, um ein paar New Yorker Single-Bars zu besuchen, wegen des Hintergrundmaterials, wie sie sagten. Mutter und Tochter Westerweg hatten sich nicht daran beteiligt, also hatte ich auch nicht mitgehen müssen, Gott sei Dank. Die beiden standen offensichtlich eher auf die betreute, vorhersagbare Form der Partnersuche. Trotzdem weckte ich Denise leider auf, als ich in ihrem Zimmer anrief, um ihr zu sagen, dass ich ins Büro ginge.

Um Punkt neun betrat ich die Halle an der Fifth Avenue. Aus irgendwelchen Gründen musste ich bei dieser Uhrzeit an Herrn Schubert denken, meinen Chef. Wenn er mich hätte sehen können in den letzten Tagen – da hätte er aber gestaunt darüber, was ich alles konnte. Englisch sprechen, Computer bedienen, im Fernsehen auftreten (na ja, so ungefähr)! Vielleicht hatte er ja sogar so etwas geahnt und meine Reisepläne deshalb unterstützt ... War eigentlich auch in Herrn Schubert ein Held drin, irgendwo? Wenn man meine Mutter so reden hörte ...

Raoul hatte offenbar das ganze Wochenende Dienst, denn er stand schon wieder hinter seinem Pult.

»Ah, Miss Tessner!«, begrüßte er mich. »Heute ohne die anderen?« Irrte ich mich, oder wirkte er enttäuscht?

»Guten Tag, Raoul. Die anderen kommen heute vermutlich nicht, ja. Bloß wir beide müssen am Sonntag arbeiten, stimmt's?« Ich zwinkerte ihm solidarisch zu.

Der Puertoricaner lachte. »Das halbe Haus ist heute voll, Miss Tessner. Jeden Sonntag, das ist nun mal so.«

»Im Ernst? So früh am Morgen noch dazu?!« Ich konnte es kaum glauben.

Raoul zuckte die Achseln. »Na ja, nicht ganz, aber es sind eine Menge Leute da. Manche verdienen nur mit Überstunden genug, und einige kommen fast nie aus ihren Büros raus. Diese Agenten im zwölften und die Anwälte im dritten, da ist rund um die Uhr einer da! Und Brooke ist auch schon vor einer halben Stunde gekommen.«

Immerhin, ein hoffnungsvoller Beginn.

Ich winkte Raoul zu und ging zum Aufzug. Während der Fahrt studierte ich die Tafel mit den im Haus ansässigen Firmen, die in verkleinerter Form auch hier hing. Beratungsfirmen, Finanzmakler, Künstleragenten, eine große Versicherung. Drei Anwaltskanzleien, ein Arzt, eine Software-Bude. Eine Detektei und eine – nein, zwei – Partnervermittlungen. Ein Querschnitt des modernen Großstadtlebens, und – da wir in New York waren – sonntags geöffnet. Plötzlich fühlte ich mich, als hätte ich schon immer hier gearbeitet. Es war ein seltsames, aber nicht unangenehmes Gefühl.

Oben öffnete mir Brooke die Milchglastür, in die mit so hübschen Buchstaben MR. & MRS. RIGHT geätzt war. Heute trug sie einen kirschroten Rock und einen gelben Wickelpulli und sah aus wie ein Stück Obstkuchen, das viel zu lange in der Sonne gestanden hat. Sie lächelte mich treuherzig an.

»Oh, Miss Tessner! Ich habe Bagels mitgebracht, aber eben hat leider dieser Student angerufen – Immanuel oder so heißt er, Sie wissen doch noch, ja?! Er schafft es heute nicht bis zwölf, wegen einer Prüfung oder so, aber um eins geht es wohl. Ob das okay ist? Er würde Denise schon gerne kennenlernen . . .«

Meine Laune begann sich zu verändern, ein genervter Zustand stellte sich ein. Auch am Sonntagmorgen gingen also Dinge schief.

»Was bleibt uns übrig?! Wir brauchen ihn leider. Aber wenn ich könnte, würde ich ihn auf den Mond schießen! Wenn schon mal so ein tolles Mädchen wie Denise extra aus Europa hier auftaucht, dann sollte er sich auch ein bisschen ins Zeug legen.« Ich schnaubte – und hielt inne. Jetzt verteidigte ich Denise schon wie meine eigene Kundin oder Freundin. Was war denn los mit mir?

Wir machten uns an die Arbeit, Brooke und ich.

Aus den überreichlichen Ausdrucken von gestern machten wir zwei ordentliche Stapel und begannen, sie nach den verschwundenen Männern meiner Mutter durchzuforsten. Es dauerte, so ganz ohne Suchfunktion. Brookes Bagel (aus einer original jüdischen Bagel-Bäckerei, wie sie mir lang und breit erzählte) schmeckte hervorragend und versüßte mir den Vormittag beträchtlich.

Dann fanden wir endlich einen der Gesuchten: Timothy, den Architekten. Kurze Zeit später war auch Steven da, der immerhin im Presseamt des New Yorker Bürgermeisters arbeitete. Brent und Alex, unsere *dates* von heute, hatten wir auch wieder vollständig, und nicht nur als Uralt-Notiz aus den lila Ordnern, wie das tags zuvor der Fall gewesen war. Bis auf einen – Ernesto, der verschwunden blieb – hatten wir jetzt die vorläufige Liste meiner Mutter wieder in anständiger Form (wichtig für die Leutberger!) beisammen.

Und bis auf Don. Das »Sahnestückchen« hatten wir ja leider schon vergrault.

Ich saß vor seinem Bild und überlegte. Durfte ich ihn einfach unter den Tisch fallen lassen? Meiner Mutter konnte ich ja erzählen, dass er Denise nicht gefallen hätte – in all dem Trubel würde sie es vielleicht noch nicht mal mitkriegen. Aber es gefiel mir nicht, dieses ständige Vorspiegeln falscher Tatsachen. Schuld war ja eigentlich auch da Mr. Right – mit der richtigen Datei wäre das gestern nicht passiert!

Ich seufzte. Es half nichts – ich würde ihn anrufen müssen. Wir brauchten für morgen noch mindestens drei Leute, so war der Plan. Das würde uns am Dienstag und Mittwoch Zeit für erneute Treffen mit denjenigen lassen, die Denise auf »Wiedervorlage« haben wollte. (Hoffentlich würde es da überhaupt welche geben!)

Und ich musste Don auch noch selbst anrufen, das konnte ich nicht auf Brooke abschieben. Ich musste allerdings in eins der anderen Büros ausweichen. Keine Chance, das Telefonat auf Englisch zu schaffen, wenn mir eine New Yorkerin – und sei sie noch so durchgeknallt – dabei zuhörte.

Brooke bekam Timothy und Steven aufgedrückt, und ich schlich mich mit Dons Unterlagen hinaus auf den Flur.

Ich durfte mich nicht noch mal erwischen lassen – auch wenn Mr. Right selbst Betrug und Diebstahl und vielleicht noch Schlimmeres auf dem Kerbholz hatte. Ich lauschte, klopfte an und steckte den Kopf in jeden Raum, sogar in die Toiletten. Diesmal war wirklich keine Menschenseele hier.

Zum Telefonieren suchte ich mir Miss Millers Büro aus, oder das, was ich dafür hielt. Es wies drei Schreibtische auf und war penibel aufgeräumt. Katherines Arbeitsplatz stand günstigerweise direkt neben der Tür, die ich offen ließ, damit ich immer in Richtung Eingang lauschen konnte. Dass es Katherines Platz war, erkannte ich unschwer: Sie hatte eine kleinere Kopie des Fotos im Flur an ihren Monitor gepinnt: Sie und der unsägliche Chef, in dieser gekünstelten »Wir haben euch alle lieb und sind so gut drauf«-Pose. Brannigan musste ein eitler Fratz sein und bildete sich womöglich Gott weiß was auf seine dunklen Augen und die breiten Schultern ein. Konnte er sein Hemd nicht mal bis oben zuknöpfen? Er war ja schließlich keine zwanzig mehr! Jede Wette, dass er mit Katherine schlief und sie nichts dafür kriegte als so einen Prada-Fummel einmal im Jahr, und ansonsten wartete sie sicher jeden Abend mit verweinten Augen darauf, dass er ausnahmsweise mal Zeit hatte ...

Ich rief mich zur Ordnung. Was ging mich dieser Typ denn an?! Er konnte mir völlig egal sein – abgesehen davon, dass ich ihm im Auftrag meiner Mutter einen Anwalt auf den Hals hetzen sollte.

Jetzt war Don an der Reihe, nicht dieser Brannigan. Ich wählte Dons Nummer und atmete tief durch, während ich wartete. Es war kurz vor zehn, da weckte man hoffentlich niemanden mehr auf.

»Ja?«

Eine Frauenstimme. Das war nicht gut.

»Ähm ... *Matches Worldwide*, guten Tag. Mein Name ist Nora Tessner, und ich ... kann ich Don sprechen, bitte?« Puh, auf Englisch zu telefonieren war nicht so einfach.

»*Matches* ...? O ja, ich weiß, Sie sind das! Er hat mir von gestern erzählt ...«

Verdammt. »Darum geht es, wissen Sie, es tut uns furchtbar leid, dass da etwas schiefgegangen ist. Und wir wollten uns entschuldigen.«

Die Frau gab einen Laut von sich, der nach einem leisen Lachen klang. »Na, da wünsche ich Ihnen aber Glück. Wissen Sie, ich bin seine Schwester und kenne ihn seit seiner Geburt, und eins kann ich ihnen versichern: Don ist nachtragend, leider. Aber Sie können es gerne versuchen; vielleicht finden Sie den richtigen Schalter!«

Das war ja sehr ermutigend. »O Gott... Entschuldigung, ich meinte, ja, ich will es gerne versuchen. Können Sie ihn...«

»Er ist nicht da, tut mir leid! Aber ich gebe Ihnen seine Handynummer, falls Sie die nicht schon haben. Er ist beim Sport, aber er geht meistens trotzdem dran – Geschäftsmann eben, Sie wissen schon.«

Sie gab mir die Nummer und wünschte mir nochmal viel Glück. Mir war ziemlich mulmig zumute, als ich auflegte. Solche Sachen lagen mir echt nicht, noch weniger als Leute verkuppeln! Ich brauchte ein bisschen Zuspruch, sonst würde ich das nicht schaffen, ein bisschen Trost und ein paar aufmunternde Worte.

Mir fiel ein, dass ich ja einen Freund hatte. War ein Freund nicht genau dafür da? Sven befand sich zwar auf der anderen Seite der Erdkugel, aber jetzt würde ich ihn aktivieren. Nur ganz kurz, und dann würde ich Don anrufen.

Ich hieb die deutsche Vorwahl und dann Svens Nummer in die Tasten und wartete mit angehaltenem Atem, als wäre ich in wenigen Augenblicken gerettet.

»Mm?« Er war tatsächlich gleich am Apparat!

»Sven, Gott sei Dank, ich bin's, Nora! Ich bin ja so froh, dass du da bist – es ist so schrecklich hier, alles mögliche geht schief, und ich musste dich einfach anrufen, egal, wie viel's kostet... Sven? Ich hab dich doch nicht geweckt, oder? Es ist doch mitten am Nachmittag bei euch, oder?«

»Also, Sven hast du nicht geweckt, aber mich.«

Ich zuckte zurück. »O Gott... äh, wer ist das? Benno? Hab ich etwa... o Scheiße.«

»Du sagst es. Ich hab morgen eine Klausur und hab gestern Nacht noch gelernt, so ist das nämlich. Und Sven wohnt hier nicht mehr, seit gestern, um genau zu sein. Gerade *du* solltest das eigentlich wissen, oder?«

»Ja. Scheiße, das tut mir leid. Entschuldige, Benno. Ich … es ist nur so, dass ich ein bisschen durch den Wind bin und … Mist.«

»Ist New York doch nicht so toll, wie du dachtest? Da wärst du vielleicht besser hiergeblieben und hättest beim Umzug geholfen. Mir tut jetzt noch der Rücken weh.«

Was sollte das denn jetzt? Benno schien zu denken, *er* hätte Probleme … Ich entschuldigte mich nochmal, obwohl ich Benno am liebsten gesagt hätte, was er mich mal könne. Dann hackten meine Finger schon die ersten Ziffern von Svens Handynummer ein. Während ich dem Tuten quer über den Atlantik lauschte, legte ich frech meine Beine auf Katherines Schreibtischplatte. Es war eine Wohltat für meine Füße, die mir die Wildlederstiefelchen von gestern immer noch übelnahmen.

Und endlich war Sven dran.

Ich heulte mich ein bisschen aus, aber er sagte kaum etwas. Als ich ihm von dem Betrug der Partnerfirma erzählte, brummte er missbilligend. Als ich von den missglückten *dates* berichtete, sagte er, so ein Job als Verkupplerin sei ja ätzend.

»Ach – hast du die FlycamTwo schon gekriegt?«, fragte er.

»Die …? Nein, noch nicht. Ich hatte ja kaum Zeit, zwischendurch mal was zu *essen*.«

»Hm. Du darfst dir das nicht gefallen lassen, Nora. Von deiner Mutter nicht und von den anderen auch nicht. Die haben einfach nicht die Verabredung eingehalten und dir die ganze Arbeit aufgehalst …«

»Aber ich kann doch nicht einfach alles stehen und liegen lassen und shoppen gehen! Jetzt stecke ich nun mal mitten drin. Und jetzt muss ich diesen Typen anrufen und mich entschuldigen …«

»Dann lass es doch einfach, wenn du nicht willst. Bleib

cool, Baby. Und schau mal bei J & R wegen der Kamera, Martin hat gesagt, die hätten die größte Elektronik-Auswahl in New York und wären nicht so teuer. Findest du den Laden?«

»Hm«, sagte ich. Seine blöde Kamera ging mir auf die Nerven.

»Prima. Ich muss jetzt los, ich hab heute Sondereinsatz, am Sonntagnachmittag, stell dir das mal vor! Und hier ist noch nichts ausgepackt; ich finde mein Rasierzeug nicht. Hast du vielleicht 'ne Ahnung, wo wir das eingepackt haben?«

»Nein, weiß ich jetzt nicht.« Ich zögerte einen Moment, irgendwie unglücklich. »Dann mach's gut, ja?!«

»Na, wird schon gehen. Zwei Stunden Pressekonferenz, ätzend! Das Bett steht auch noch so blöd hier, das müssen wir noch ändern, wenn du kommst. Also – mach's gut, Süße.«

»Ja. Bis dann.«

Ich hielt den Hörer noch einen Moment in der Hand, bis ich das Klicken hörte, dann legte ich langsam auf.

Vielleicht hatte ich es ihm nicht so gut erklären können, die Situation hier. Er war normalerweise gar nicht so unsensibel, und zuhören konnte er auch. Nicht immer, aber öfter. Er musste selbst ein bisschen im Stress sein – der Umzug und so, und jetzt allein in der neuen Wohnung ... Aber er redete halt nie viel davon, wie er sich *fühlte*; er gestand sich eigene Probleme nie gerne ein.

Mein Blick verharrte auf dem Foto von Mr. Brannigan. Er hatte mir einen gut Teil der Schwierigkeiten bereitet; er war im Grunde dafür verantwortlich, dass ich jetzt diesen Anruf machen musste. Wahrscheinlich glaubte er, die doofen Deutschen würden eh nichts merken und im Schlamassel untergehen.

Wenn er sich da mal nicht täuschte! Ich setzte mich gerade hin und wählte Dons Handynummer.

Es klingelte, aber niemand ging ran.

Irgendwann sprang seine Mailbox an, und ich legte schnell auf.

Dann fluchte ich ein bisschen und wählte erneut. Vielleicht war es ja viel besser, wenn ich ganz nett auf den Anrufbeantworter sprach, dann konnte er mich wenigstens nicht beschimpfen. Und die Chance bestand ja immer noch, dass er zurückrief.

»Don James.«

Scheiße! »Äh ... hier, hallo! Ich bin Nora, wir haben uns gestern getroffen ... Entschuldigen Sie die Störung beim Sport, aber Ihre Schwester sagte, Sie wären Geschäftsmann und da ... ja, ich ...«

»Nochmal von vorn, wenn ich bitten darf. Ich habe kein Wort verstanden.«

Ich wiederholte mein Sprüchlein, diesmal in etwas klareren Worten. Ich sprach schnell, damit er nicht zwischendurch auflegen konnte. Ich holte erst Luft, als ich zum zweiten Mal betont hatte, wie leid mir die Sache tue, dass ich es gerne wiedergutmachen würde und dass ich Anfängerin sei, die ihre wegen eines Notfalls abberufene Mutter vertreten müsse.

Don zögerte für den Bruchteil einer Sekunde, bevor er antwortete. »Immerhin unternehmen Sie noch einen Versuch, das spricht für Sie.«

Das fand ich aber auch!

»Ich pflege mein Wort zu halten – und zu meinen Verabredungen zu erscheinen, nebenbei gesagt. Und ich habe Ihnen gestern gesagt, dass ich kein Interesse mehr an *Matches Worldwide* habe, nicht wahr? Also wird das wohl nichts werden ...«

»Aber haben Sie schon mal überlegt, was Sie da riskieren?! Sie vermasseln sich vielleicht ihre Zukunft – nur wegen Ihrer Prinzipien?! Vielleicht haben Sie gestern Abend ein bisschen überreagiert, wäre das nicht auch möglich? In diesem Fall wäre es doch viel souveräner, die eigene Entscheidung zu korrigieren!«

Ich wartete, ein bisschen atemlos. Das war frech, aber ich hatte das Gefühl, es könnte funktionieren.

Don lachte ein bisschen.

»Und Denise – haben Sie schon mal an sie gedacht? Finden Sie es richtig, dass sie Sie nicht kennenlernen darf, nur weil *wir* einen Fehler gemacht haben? Sie hat damit überhaupt nichts zu tun, und nun grämt sie sich, weil sie ja Ihr Foto schon gesehen und sich auf das *date* gefreut hat …«

Ich wurde ein bisschen rot, aber das sah Don ja nicht. Ich hatte gar nicht gewusst, dass ich so schamlos lügen konnte! Was tat ich bloß alles für meine Mutter!

»Für eine Anfängerin sind Sie aber schon ganz fit, Nora. Sie glauben, dass jeder Mensch eitel ist und mit Komplimenten zu kriegen, stimmt's? Womöglich haben Sie damit sogar recht. Also gut, etwas haben Sie erreicht: Ich werde es mir überlegen. Ich melde mich morgen bei Ihnen im Büro und gebe Bescheid, okay? Und wenn ich dann souverän genug war, meine Entscheidung nochmal zu korrigieren, treffe ich mich mit Denise. In Ordnung?«

Ich nickte heftig und bedankte mich. Als ich aufgelegt hatte, spürte ich, wie ein Schweißtropfen in den Ausschnitt meines T-Shirts sickerte.

Immerhin.

Brooke hatte auch immerhin – einen Termin für Montag geschafft, Steven Cheninsky aus dem Bürgermeisterbüro. Der Architekt, Timothy, fiel flach, weil er auf Dienstreise ging. Die hatte er seinem Chef zugesagt, nachdem er von uns nichts mehr gehört hatte. Brooke war feuerrot angelaufen, als sie mir diese Panne gestand; ich unterdrückte einen Seufzer und zuckte die Achseln.

»Suchen wir uns noch einen Neuen aus, auch nicht schlimm«, sagte ich. »Aber erstmal geben wir die Jungs, die wir schon haben, an Biggy ins Hotel durch. Sie ist bestimmt schon total ungeduldig, und die Redakteurin auch. Sie behaupten, sie müssten genau wissen, wen Denise treffen wird. Aber die Einzige, für die es wirklich wichtig ist, ist doch Denise, oder?«

»Für die Familien ist es genauso wichtig«, sagte Brooke leise, aber entschieden. »Man lebt ja schließlich nicht im leeren Raum.«

Ich warf ihr einen überraschten Blick zu, sagte aber nichts.

Wir machten uns wieder über die Kartei her, aber ich war mit keinem der Typen zufrieden, die wir noch ausbuddelten. Wenn Alter und Interessen stimmten, dann sah er doof aus oder war Nachtwächter; wenn er an George Clooney erinnerte, dann war er auch genauso alt oder sammelte Briefmarken im Hauptberuf. Irgendwann gab ich auf. Wahrscheinlich hatte meine Mutter wirklich alles aus ihren Listen herausgepresst, was sie hergaben. Und dann war es ja auch blöd, für die wenigen Tage zu viele Termine zu vereinbaren. Was, wenn Denise beim ersten *date* des Tages den Mann ihres Lebens traf? Dann mussten wir den anderen sowieso absagen ...

Ich rief die Westerwegs im Hotel an und teilte ihnen mit, dass wir uns Viertel vor eins vor dem Haupteingang des Grand Central treffen würden. Dann würde es endlich losgehen mit der Parade der tollen Männer, so wie das ursprünglich geplant war. Dann würde die Leutberger endlich ihren kritischen Blick abstellen und mir vor der Kamera die Frage stellen, wie es sich denn so anfühlte, Menschen glücklich zu machen. Und dann konnte ich endlich mal abschalten und durch Chinatown schlendern und es mir gut gehen lassen.

So weit der Plan.

Bis dahin hatte ich noch eine gute Stunde Zeit – zu wenig, um ins Hotel zurückzufahren oder irgendetwas Schönes zu unternehmen. Sollte ich einfach einen kurzen Spaziergang um den Block machen? Allerdings würden meine Füße das sicherlich nicht für eine gute Idee halten.

Seufzend legte ich sie auf der Kante von Brookes Schreibtisch ab. »Entschuldigung«, sagte ich, »aber ich habe mir diese verdammten Blasen gelaufen ...«

Brooke sah mich verständnisvoll an und begann, ihre säuberlichen Papierstapel zur Seite zu räumen, damit ich mehr Platz hatte. »Soll ich Sandwiches besorgen oder einen Kaffee machen? Oder ich könnte im Kühlschrank nach Eiswürfeln suchen, und wir stecken sie in einen Beutel und kühlen Ihre Füße? Meine Schwester schwört auf Eiswürfel! Sie sagt, sie hat damit den Tumor ihrer Katze zum Schrumpfen gebracht, wissen Sie, sie hatte ein schlimmes Geschwür, in der Leber, glaube ich – die Katze! Brenda hat schon immer an Kälte geglaubt, sie kann es im Sommer nicht aushalten hier in New York, aber jedenfalls ...«

Ich lauschte staunend dieser Geschichte aus dem echten Leben und wusste nicht, ob ich lachen oder weinen sollte. Die Eiswürfel lehnte ich allerdings ab, weil ich mich ein bisschen gruselte. Aus irgendwelchen Gründen fiel mir während Brookes Erzählung wieder Greg ein, mein liebenswerter Physiker. Ob er wohl jemanden hatte (und wenn es bloß eine Schwester war), dessen verrückten Geschichten er am Sonntagmorgen lauschen konnte und der ihm ein Sandwich oder einen Beutel Eiswürfel anbot? Ich hatte die Befürchtung, dass Greg in seiner vermutlich winzigen Zwei-Zimmer-Wohnung alleine aufwachte, und das schon seit Jahren, und auch nicht zum Sonntagsbrunch irgendwohin eingeladen wurde ... Das musste man ändern.

Abrupt setzte ich die Füße wieder auf den Boden. »Brooke, erinnern Sie sich an Greg, den wir gestern hatten?

Den Lehrer? Warum können wir ihm eigentlich keine Partnerin besorgen? Haben Sie – oder meine Mutter – das früher schon versucht, ich meine, ernsthaft? Ich weiß, er ist nicht mehr bei der Agentur, ist ihm das Geld ausgegangen? Ich möchte versuchen … ja, ich weiß nicht – ihm zu helfen!«

Brooke sah mich an. Dann lächelte sie ein feines Lächeln. »Willkommen«, sagte sie nur.

Wir einigten uns darauf, dass ich den Kaffee machte und sie in den Ordnern nachschlug, ob Greg schon mal vermittelt worden war – und wenn ja, mit wem und warum es schiefgegangen war.

Ich marschierte also – erstaunlich beschwingt – durch den Flur in Richtung Wartezimmer, wo diese schicke Espressomaschine stand. Jetzt hatte ich richtig Lust auf einen Latte, wenig Kaffee, viel Milch, einen Gute-Laune-Latte, wie ich ihn liebte … In den Büros war immer noch niemand zu sehen; alles war aufgeräumt und totenstill.

So ungefähr präsentierte sich mir dann auch die Kaffeemaschine. Sie gehörte zu diesen edlen Teilen, die quasi keine Bedienungsknöpfe mehr haben und noch weniger Aufschriften, die einem Orientierung bieten. Es hätte sich genauso gut um den Bordcomputer eines außerirdischen Flugobjekts oder die neueste Spielkonsole von Nintendo handeln können.

Ich fragte mich einen Moment lang, ob Brooke ernsthaft *dieses* Gerät gemeint hatte, als sie von Kaffeemaschine sprach; hieraus würde sie auch in zehntausend Jahren keinen Tropfen Flüssigkeit herausgeholt haben. Aber ich war ja noch jung und kam mit Technik ganz gut zurecht.

Als Erstes drückte ich auf alle Stellen des schwarzglänzenden Kunststoffs, bei denen es sich möglicherweise um ein *touchscreen* handelte. Danach fuhr ich mit der Hand in zehn Zentimeter Abstand über alle Außenseiten der Maschine, für den Fall, dass sie auf Körperwärme oder Bewegung reagierte. Als das auch nicht half, fasste ich mir ein Herz, beugte mich etwas tiefer zu diesem Wunderwerk hinunter, sodass mein Mund etwa in Höhe der Milchschaumdüse war, und sagte: »Kaffee, bitte.«

Ich hatte klar und deutlich gesprochen, aber das Gerät tat keinen Mucks. Ich wollte schon aufbrausen und die Faust zu Hilfe nehmen, als mir einfiel, dass ich Deutsch gesprochen hatte! Na, das konnte nicht klappen – ein Übersetzungscomputer war wohl noch nicht drin in dieser Maschine.

Also beugte ich mich noch einmal hinunter und sagte, noch klarer und deutlicher: »*Coffee, please*«. Der Maschine das mit dem Latte zu erklären, wäre dann der nächste Schritt.

Hinter mir fing jemand an, laut zu lachen. Wie von der Tarantel gestochen fuhr ich herum und sah mich meinem augenblicklich größten Feind gegenüber: Mr. *Ganove* Brannigan.

Durfte das denn wahr sein?! Wieso lauerte der mir schon wieder auf? Und dann noch in so einem Moment?! In Sekundenschnelle war ich knallrot angelaufen.

»Sehr witzig!«, schnappte ich. »Es war sogar ziemlich kreativ, nicht dämlich! Aber von solchen Feinheiten verstehen *Sie* ja garantiert nichts!«

Brannigan schüttelte sich immer noch vor Lachen, aber er war wenigstens nicht mehr so laut. Er kam ein paar Schritte näher und sagte: »Das war der köstlichste Anblick seit dem Gesicht meiner Tante Louise, als sie erfuhr, dass ihre beste Freundin in Wirklichkeit ein Mann war.«

»Ha, ha!«, zischte ich. »Hauptsache, Sie amüsieren sich gut. Sind Sie deswegen am Sonntag ins Büro gekommen, um über die ahnungslose Deutsche mal ein bisschen zu lachen, oder hatten Sie befürchtet, ich würde wieder Ihre kostbaren Drucker ruinieren?!«

Er grinste von einem Ohr bis zum anderen. »So ungefähr,

Miss Tessner. Aber wie ich sehe, haben Sie sich stattdessen die Espressomaschine vorgenommen!« Mit zwei Schritten war er hinter dem Tresen der Bar und stand unangenehm dicht neben mir. »Wenn ich Ihnen zeigen darf, wie es geht...« Und er schob mit einer lässigen Handbewegung eine Abdeckung an der Maschine zur Seite. Darunter kam ein Bedienungsfeld zum Vorschein, mit allen Knöpfen und Symbolen, die man sich nur wünschen konnte.

Ich hatte die Arme vor der Brust verschränkt und sah mit muffeligem Gesichtsausdruck zu. Am liebsten hätte ich die Abdeckung wieder zugeknallt, solange seine Finger noch daruntersteckten, aber ich riss mich zusammen. Völlig unzusammenhängend fragte ich mich, warum das Leben eigentlich so ungerecht war: Nette Kerle wie Greg sahen aus wie ein Schluck Wasser, und Typen wie Brannigan – eitel, böse und von sich selbst überzeugt – sahen aus wie aus der Dior-Werbung und hatten eine Ausstrahlung, die wahrscheinlich jeder Frau in fünf Kilometer Umkreis weiche Knie verursachte. Außer mir, natürlich. Ich lebte schließlich in einer glücklichen Beziehung und war außerdem intelligent genug, Brannigans schlechten Charakter hinter der schönen Fassade zu erkennen.

Er war ein Jäger, ein Pirat ... er sah nicht nur so aus, sondern tummelte sich ja zudem auch noch als Oberhecht in einem Karpfenbecken der einsamen Frauen – aber mich würde er nicht becircen, und wenn ich dafür die ganze Zeit mit zusammengebissenen Zähnen durch die Gegend laufen musste!

Gerade zog der Hecht ein Kaffeepad aus einer Dose im Regal, zeigte mir das verborgene Fach, in das man es einlegte, und fragte: »Latte macchiato, war das nicht so? Wenig Kaffee, viel Milch?!«

Ich staunte, und mein Groll war einen Augenblick lang vergessen.

»Woher wissen Sie ...?«

»Ihre Mutter hat das nebenbei am Telefon erwähnt«, sagte er leichthin. »Als sie mich gebeten hat, Ihnen eventuell zur Seite zu stehen.«

Er hantierte mit dem Wasserbehälter herum, und ich hatte Zeit, ihn unauffällig zu betrachten. Er hatte sehr dunkle Augen und einen schön geschnittenen Mund, und so dicht neben ihm roch man einen ungewöhnlichen Hauch von Zimt und Leder. Seine Haare wirkten schon wieder unfrisiert, so als nähme er grundsätzlich seine Hände statt eines Kamms.

»Wollen wir das Kriegsbeil begraben?«, fragte er plötzlich und sah mich an. In seinem Blick lag ein Ausdruck, den ich nicht erwartet hatte und den ich auch nicht deuten konnte.

»Wir vergessen unseren missglückten Start«, sagte er, »und gehen beide davon aus, dass wir *gemeinsame* Interessen haben, nicht gegensätzliche ...«

Oh, er war sehr überzeugend, wenn er so dicht vor einem stand. Der Latte war fertig, und man hätte beinahe nicht entscheiden können, wer von beiden leckerer aussah ...

»Max? Bist du da?!«

Wir fuhren herum, als hätten wir etwas Verbotenes getan. In der Tür stand Katherine, sie sah umwerfend aus – kurzer Rock, endlos lange Beine und eine Bluse, für die gleich mehrere meiner Freundinnen gemordet hätten – na gut: gelogen und betrogen.

»Max, wegen unseres Termins heute Abend ...«, flötete sie und ignorierte mich vollkommen, und ich hörte nicht weiter zu und biss mir auf die Lippen. Die doofe Deutsche, ja?! Beinahe hätte ich mich tatsächlich becircen lassen, beinahe wäre ich eingeknickt und vielleicht bereit gewesen, eine fadenscheinige Erklärung für den Betrug an meiner Mutter zu akzeptieren – ein paar Sekunden noch, und ich hätte mein Gespür dafür verloren, dass dieser Mann nichts Gutes im Schilde führte.

Gut, dass Blondschöpfchen rechtzeitig aufgetaucht war, um mich daran zu erinnern. Ob sie gelauscht hatte und dann genau im rechten Moment hereingesprungen war, um ihre Ansprüche geltend zu machen?! Das Traumpaar, das sich nicht zu blöd war, in der eigenen Firma von plakatgroßen Fotos an der Wand herunterzugrinsen... beinahe hätte ich mich lächerlich gemacht. Brannigan war einer, der wahrscheinlich nichts lieber tat, als auf möglichst vielen Hochzeiten gleichzeitig zu tanzen.

Ich nahm Brannigan kurzerhand das Glas aus der Hand und eilte an ihm vorbei in Richtung Tür. Aus dem Augenwinkel sah ich seinen Blick, der mir folgte – wahrscheinlich bedauerte er gerade, dass er mich nicht länger auf die Schippe nehmen konnte.

Männer im Dutzend

Brooke hatte tatsächlich Gregs Vorgeschichte ausgegraben, was mich beinahe verblüffte. Er hatte *Matches Worldwide* vor fast einem Jahr verlassen, denn er war mit keiner einzigen Frau zurechtgekommen, die meine Mutter (via Brooke) ihm vorgesetzt hatte.

Was war denn mit dem vielgerühmten »Händchen« gewesen, das die beiden angeblich besaßen?!

Ich studierte den Zettel aus einem der Ordner mit lila Aufschrift, auf dem Gregs Geschichte des Scheiterns in knappen Sätzen zusammengefasst war. Er hatte immer bloß ein einziges *date* geschafft; nie hatte ihn eine der Frauen ein zweites Mal treffen wollen.

Ich fand das unmöglich. Wo hatten denn all diese Weiber ihr Gespür? Wollten die immer nur die Brannigans dieser Welt – die mit Geld, strahlendem Gebiss und rabenschwarzer Seele?

»Brooke . . .«, sagte ich nachdenklich und kaute auf dem Ende eines Kulis herum, »wir brauchen für Greg eine sensible Frau, musisch interessiert . . .«

Rrrriiing!!! Dieses scheußliche Bürotelefon versetzte mir immer einen Schock. Dabei hatte ich gerade eine richtige Inspiration gehabt.

»Ihre Leute sind unten«, verkündete Brooke. »Zumindest eine von ihnen, sagt Raoul. Ob sie Sie abholen sollen, fragen sie.«

Ich sah sie ein wenig ratlos an. »Wieso denn? Wir waren doch am Grand Central verabredet . . .« Aber ich stand bereits auf. Auch gut, wenn ich nicht zur U-Bahn humpeln musste.

Während ich mir meine Handtasche schnappte und mit leichtem Bedauern einen letzten Schluck von dem ziemlich guten Kaffee trank, gab ich Brooke Anweisungen, wonach sie im Fall Greg suchen sollte. Höchstens eine Stunde, sagte ich, dann solle sie nach Hause gehen; es war schließlich Sonntag.

Brooke strahlte mich an und nickte. Sie sah so dünn und verloren aus, wie sie da hinter dem riesigen Schreibtisch hockte, dass ich versucht war, ihr fünf Dollar für ein Sandwich in die Hand zu drücken. Vielleicht war das der Grund, warum meine Mutter es nicht schaffte, sie rauszuschmeißen – dass sie so mitleiderregend wirkte.

Von diesem Moment an war es, wie ich später feststellen sollte, abwärtsgegangen. Meine wichtigste Kundin stand schon wieder an Raouls Pult und plauderte mit ihm. Hätte ich geahnt, dass Denises Gespräch mit dem Doorman noch ihre angenehmste Unterhaltung mit einem Mann am heutigen Tage sein würde, hätte ich an meinem Verstand und ganz sicher an meinem Können gezweifelt. So aber fuhr ich mit meinen Schäfchen relativ vergnügt Richtung Grand Central.

Alle waren in aufgekratzter Stimmung; der Regen war verschwunden und hatte einem azurblauen Oktoberhimmel Platz gemacht. Die Sonne strahlte auf den glänzenden Asphalt. Einen Block vor dem imposanten Haupteingang des Bahnhofs sah ich zufällig das Schild einer Apotheke und beschloss spontan, hier auszusteigen und mir Blasenpflaster zu besorgen – ich wollte so schnell wie möglich wieder schickere Schuhe anziehen können.

Raf ließ mich aussteigen, und wir vereinbarten, uns in zehn Minuten unter der großen Uhr in der Bahnhofshalle zu treffen – der erste Mann sollte uns auch dort treffen, zur selben Zeit.

Er war auch da, genauso wie ich, nur von den anderen war leider keine Spur zu entdecken. Immanuel aber, ein großer, blasser, verkniffen aussehender Typ, hatte wie verabredet die Fünf-Kilo-Wochenendausgabe der ›New York Times‹ unter dem Arm. Kein anderer Mensch wäre wohl je auf die Idee gekommen, dieses Papier-Ungetüm mit sich herumzutragen. Vom Aussehen her hätte ich Immanuel nicht erkannt; er musste das Foto aus der Datei stundenlang bearbeitet haben ... Na ja. Vielleicht gefielen Denise ja sein rotblondes Haar und seine kantigen Gliedmaßen – alles war schließlich eine Frage des Geschmacks.

Nur fand ich, wie gesagt, Denise nicht, um ihr Immanuel vorzuführen. Ich verfluchte die Tatsache, dass die anderen keine Handys dabei hatten. Unglaublich: Im Ausland fürs Fernsehen zu arbeiten und dann kein taugliches Handy! Wo zum Teufel steckten sie bloß? Sie hätten viel früher hier sein müssen als ich ...

Um fünf nach eins fing Immanuel an, sich über mangelnde Pünktlichkeit zu beklagen. Gerade das habe er sich bei Deutschen anders vorgestellt. Um Viertel nach eins, als die anderen endlich auftauchten, war Immanuels gute Laune (sollte er in seinem Leben so etwas jemals gehabt haben) endgültig dahin. Er konnte sich kaum dazu aufraffen, Denise anzulächeln, so schockiert war er.

Die anderen entschuldigten sich und erzählten eine wilde Geschichte von Raf, einem gegnerischen Lieferwagen, einem frechen Fahrer desselben und einem heftigen Streitgespräch, an dessen Ende herannahende Cops und eine Flucht ins Parkhaus standen.

Ich verstand die Geschichte nicht hundertprozentig, weil ich durch das Mienenspiel von Denise und Immanuel abgelenkt war. Die beiden konnten sich nicht leiden, das sah ein Blinder.

Die Chose war also gelaufen, bevor sie überhaupt angefangen hatte. Alle wahrten jedoch die Form, plauderten ein bisschen und gaben sich Mühe für die Kamera. Doch es blieb bei einem höflichen Drink an irgendeiner Bar im Bahnhof, und dann verschwand Immanuel auf Nimmerwiedersehen.

Alle waren irgendwie frustriert, sogar die Leutberger. Ich hätte ein böswilliges Glitzern in ihren Augen erwartet, aber sie verzichtete sogar darauf, Denise zu löchern. Wir schienen tatsächlich alle darauf zu warten, dass Denises Gesicht zu leuchten anfing, wenn sie mit einem Mann redete, dass ein Funke übersprang, dass ein Techtelmechtel anfing. Wir alle – bis hin zu Peter und Esther, die das Ganze doch eigentlich kaltlassen konnte.

Doch einstweilen passierte nichts dergleichen.

Wir lungerten nur herum bis zum nächsten Termin, weil die Zeit wieder nicht reichte, etwas zu unternehmen. Mit Brent waren wir beim Ententeich im Central Park verabredet, und wunderbarerweise waren sowohl wir pünktlich als auch er.

Doch zwischen ihm und Denise blieb wieder alles still – da sprang nichts über und fing nichts an zu leuchten. Brent selbst betrachtete meine kleine blonde Klientin sogar mit einem gewissen Wohlwollen, aber bei Denise tat sich einfach nichts. Dabei sah Brent gar nicht mal schlecht aus; er war im richtigen Alter, hatte einen anständigen Beruf und versprühte diese lustige amerikanische Herzlichkeit, die schon beinahe zum Klischee geworden ist. Bloß, dass Denise eben keine Lust zu haben schien auf einen jüngeren Jim Carrey mit Steakhaus (Brent betrieb ein Restaurant mit Namen »Meaty`s«).

Trotzdem gab es den obligatorischen Spaziergang um den Teich. Mama Westerweg, das Team und ich zockelten in größerem Abstand hinterher – ich als Schlusslicht, denn ich hatte keine Lust, meine Birne andauernd vor eine Kamera zu halten.

Ich nutzte den Abstand, um heimlich in Afrika anzurufen. Erstaunlicherweise erwischte ich meine Mutter auf Anhieb. Ob es normal sei, dass einer Kundin denn selbst der *vierte* Mann immer noch nicht gefalle, fragte ich, und meine Mutter beruhigte mich, ich solle mal cool bleiben, sechs bis acht *dates* seien normal. Und die würde ich ja wohl noch zusammenkriegen, oder?! Was denn eigentlich mit der Mama sei – der von Denise? Wir hätten doch darüber gesprochen, wie toll es wäre, wenn wir auch sie... insbesondere jetzt, für das Fernsehen! Ich seufzte tief und bereute, dass ich angerufen hatte. »Ich habe wahrhaftig andere Probleme, als Leuten einen Partner zu verschaffen, die gar keinen wollen«, sagte ich, legte auf und humpelte den anderen weiter hinterher.

Mein Füße schmerzten trotz frisch gekauftem Blasenpflaster. Plötzlich überfiel mich der dringende Wunsch, am Morgen zu Hause in meiner neuen Wohnung aufgewacht zu sein, neben Sven, ohne ein rotes Auge, das in zwei Metern Entfernung blinkte, mit einer gewissen Chance auf guten Sex und mit der Aussicht auf einen stressfreien Tag und eine gemütliche Zukunft.

Es war nach vier, als Raf uns an der Ecke Central Park South und Park Avenue wieder einsammelte. Die Zeit reichte gerade für einen kurzen Abstecher ins Hotel, um das Make-up aufzufrischen. Ich wies Brookes Schwager an, in der Zwischenzeit Sandwiches für uns alle zu besorgen. Die verdrückten wir dann im Bus auf der Fahrt zum Broadway.

Meine Hoffnungen ruhten jetzt auf Alex. Laut der Kartei meiner Mutter war Alex Kostümbildner, sah gut aus und wollte zwei bis drei Kinder, so etwa in fünf Jahren. Das passte exakt zu Denises Vorstellungen; außerdem waren da noch die Hobbys Kino, Reisen und Musik hören, die die beiden gemeinsam hatten. Da Alex auch noch Schütze war und Denise Wassermann (passten die nicht gut zusammen?), durfte ich mir gewisse Hoffnungen machen, redete ich mir ein.

Irrtum.

Alex gab sich allerdings Mühe. Er scharwenzelte tatsächlich ein bisschen um Denise herum, lächelte gewinnend in die Kamera und plauderte auch angeregt mit Biggy, aber es half nichts.

Hinterher meinte Denise, ein klein wenig verächtlich, Alex habe sich mehr für das Fernsehteam interessiert als für sie; sie habe gesehen, wie er ständig heimliche Seitenblicke geworfen habe.

»Einmal sind Bekannte von ihm reingekommen, und er hat fürchterlich herumgehampelt, damit die die Kamera sehen – nee!« Und sie schüttelte vehement den Kopf.

Mir war etwas mulmig zumute. Und siehe da – die Leutberger wies Peter mit einem Fingertippen an, mich aufs Korn zu nehmen.

»Was sagen Sie dazu, Frau Tessner, wenn der Kunde nach all den *dates* immer noch unzufrieden ist?«

»Nun, dazu hat jeder das allergrößte Recht! Schließlich geht es um etwas – da muss man schon genauer hinsehen, oder?! Niemand kann erwarten, dass gleich nach den ersten ein, zwei Treffen der Mann fürs Leben dabei ist; da braucht es ein bisschen Geduld – und Spucke...« Ich grinste dämlich und wusste nicht mehr weiter. Es war fast ein kleiner Blackout.

»Aber was tun Sie, wenn ein Kunde extra nach New York geflogen ist und sich dann einfach kein Erfolg einstellen will? Schließlich kann er das ja nicht zweimal im Monat machen!«

Am liebsten hätte ich mich entmaterialisiert, aber mir wollte nicht einfallen, wie das ging. »Nun, das kommt natürlich hin und wieder vor – ich sagte ja, dass das Ganze ein sensibles Thema ist. Natürlich kann er nicht mal eben für einen neuen Termin nach New York jetten ... aber im Notfall fliegen wir die Männer ein, nach Deutschland!« Hilfe, was redete ich da?! Es war mir einfach so gekommen – aber es klang ganz gut. »Ja, wir tun, was wir können, und manchmal drehen wir den Spieß eben um! Alles kein Problem ...«

»Ach ja?«, staunte Biggy. »Das ist ja praktisch!«

Ich lächelte breit und wechselte schleunigst das Thema. »Was halten Sie alle davon, heute relativ früh Schluss zu machen?! Sicher sind alle erschöpft und ...«

»Müssen Sie sich ausruhen?«, fragte Frau Leutberger. »Sind *Sie* erschöpft, Frau Tessner?«

»Aber nein!«, lachte ich. »Ich dachte nur ...«

Mama Westerweg unterbrach mich mit ernstem Blick. »Frau Tessner, Nora, lassen Sie uns doch mal kurz reden, ja? Wir machen datt jetzt seit gestern Morgen mit, aber irgendwie kommen wir zu keinem Ergebnis.«

Denise warf ihrer Mutter einen kritischen Blick zu. Was war denn da los – die beiden waren doch bisher ein Herz und eine Seele gewesen?!

»Die Denise und ich – also einig sind wir uns bei der Tatsache, dass bisher nichts Richtiges dabei war. Aber dann ist auch schon Ende, ne, Denise? Ich persönlich hätte ja gedacht, wir kriegen Ärzte oder Anwälte. Wo sind denn die? Oder einen von der Uno, mein Günter meint immer, so einer bei der Uno, datt wäre doch mal was. Hier ist doch gleich die Uno, oder, das kann doch nicht so schwer sein! Ihre Mutter hat sie uns doch angekündigt, solche Männer.«

»Mama ...«

»Ja, ich weiß schon, Denise. Die Denise achtet jetzt nicht unbedingt so auf den Beruf, sie ist ja auch noch jung, aber – auch für sie war ja nix dabei! Sie sagt, es macht einfach nicht Klick, na, Sie wissen schon. Und jetzt fragen wir uns natürlich, warum es nicht Klick macht? Und warum kein Arzt kommt?!«

Aus dem Augenwinkel sah ich die Kamera. Ich schluckte. Natürlich durfte ich Biggy gegenüber nicht mein Herz ausschütten, auch wenn ich das gerne getan hätte; wir wurden beobachtet. Außerdem war Denises Mama – trotz aller Herzlichkeit und Direktheit – doch von einem altmodischeren Schlag. Gefühle waren wichtig, ja, aber noch mehr das Einkommen und der gesellschaftliche Status. Erstaunlich, dass Denise am Anfang, als ich sie kennenlernte, noch genauso gedacht zu haben schien, und jetzt nicht mehr.

»Frau Westerweg . . .«

»Biggy!«

»Biggy . . . es tut mir sehr leid, wenn Sie bisher nicht zufrieden waren, wirklich! Aber statistisch gesehen ist es immer so, dass Sie sechs bis acht Kontakte brauchen, bis dieser Klick kommt – mindestens! Man darf die Flinte nicht zu früh ins Korn werfen! Aber . . . na ja, wie soll ich es sagen? Der Beruf eines Mannes ist nicht automatisch die Garantie dafür, dass eine Beziehung etwas wird, verstehen Sie? Ich meine – man kann auch mit einem Lehrer glücklich werden, oder?! Oder mit einem Schneider, oder sogar mit einem – einem Makler, theoretisch! Wenn die Gefühle stimmen!«

»Schön gesagt, Nora, sicher. Aber einen Lehrer finden wir ja auch im Rheinland, da brauchen wir doch nicht nach New York, oder? Das war doch gerade der Grund für hier, das Internationale und die vielen Männer, die was Besseres sind! Datt brauchen wir doch nicht zu verschwiemeln, dass uns die schon interessieren, was, Denise?!«

Denise sah auf ihren Teller.

»Man soll sein Geld auch zu Geld tun, sagt mein Günter

157

immer, wenn es denn geht zumindest. Irgendwie muss ja auch wieder reinkommen, was uns der Spaß hier kostet, ne?!« Biggy lachte ein bisschen, aber ich konnte sehen, dass ein Funken Ernst dabei war. »Hier zum Beispiel – hier sieht es zumindest schon gut aus! So haben wir uns datt vorgestellt, jetzt fehlen nur noch die richtigen Männer dazu!«

Ihre Geste umfasste das gesamte schicke Café, in dem wir saßen. Es war voll hipper, teuer gekleideter Leute, die vor Beginn der Vorstellungen in den Broadway-Theatern eine Kleinigkeit aßen oder einen Drink nahmen. Es war kein einziger dabei, der keine wichtige Miene machte und dessen Frisur nicht mindestens hundert Dollar gekostet hatte.

Ich nickte und wusste nicht, was ich sagen sollte.

»Finden Sie Denise schwer vermittelbar, Frau Tessner? Sind Ihre anderen Kundinnen schneller zufriedengestellt worden?«

Diese Nervensäge Leutberger. Hätte ich mich nur nie, nie auf die Sache mit dem Fernsehen eingelassen! Jetzt war es also so weit: Sie fing an, nach Problemen zu wühlen wie ein Schwein nach Trüffeln. Doch ihr Stänkern gab mir seltsamerweise Kraft.

»Aber nein!«, flötete ich. »Das ist schon eine seltsame Frage! Denise ist so ein tolles Mädchen, charmant und gutaussehend und alles – ich wüsste niemanden, der leichter vermittelbar wäre! Aber bei der Partnerwahl spielt eben auch immer das Schicksal mit, und das geht manchmal unerforschliche Wege! Da braucht man ein bisschen Geduld, ein bisschen Flexibilität und auch ein bisschen Glück! Aber das kriegen wir schon hin, das mit dem Glück!«

Ich lächelte ein Gewinner-Lächeln und war ein bisschen stolz darauf. Das hätte meine Mutter auch nicht besser hingekriegt, eine solche Antwort.

Aber trotzdem war die Stimmung irgendwie gedämpft, als wir wieder auf die Straße traten. Es war sieben Uhr abends, und eigentlich hatten wir wohl alle gedacht, wir wären heute länger beschäftigt ... wir würden zusammenhocken und mit Denise die schwierige, aber aufregende Frage wälzen, welchen der tollen Männer sie denn noch einmal treffen sollte.

Raf wartete, wie immer, draußen im Bus auf uns. Als er uns aus dem Café kommen sah, mit unseren betretenen Gesichtern, machte er sich sogar ausnahmsweise die Mühe, auszusteigen und die hintere Schiebetür für uns zu öffnen.

»Was machen wir denn nun?«, fragte Denise. Sie blieb vor der offenen Tür stehen und schaute mich an.

»Ja«, sagte die Leutberger. »Was jetzt?« Zwischen ihren gezupften Augenbrauen stand eine kleine, hartnäckige Falte. Die würde sie auch mit einem ganzen Kanister Botox nicht mehr wegkriegen, dachte ich, die gehörte zu ihrer Seele.

»Wir können ...«, sagte ich zaghaft, »wir können ja noch ein bisschen Sightseeing machen oder ...«

»Ach nee«, meinte Biggy. »Irgendwie haben wir andere Sachen im Kopf, oder? Auf so was könnte ich mich jetzt gar nicht konzentrieren.«

Denise nickte. Ausnahmsweise meldete sich jetzt die schweigsame Esther zu Wort.

»Wie wäre es mit einer Single-Bar oder so was?!«

Ihre Chefin verzog das Gesicht. »Hatten wir doch gestern schon genug. Eine Party wäre das Richtige, so ein Lonely-Hearts-Schuppen, aber das hat *Matches* ja nicht im Programm.«

Die Kritik war nicht zu überhören. Ich hätte ihr am liebsten gesagt, dass man keine teure Partneragentur brauchte, wenn man auf Lonely-Hearts-Partys ging, aber ich wollte unter keinen Umständen mit der Alten streiten.

»Wir könnten …«, murmelte ich wieder. Ich hatte keine Ahnung, was ich vorschlagen sollte.

Plötzlich trat Raf in unseren trübsinnigen Kreis; er hatte mit Peter das Equipment eingeladen und sich dabei mit ihm unterhalten.

»Ladies!«, sagte er und lächelte breit. »Pete hat mir erzählt, dass Sie alle ein bisschen genervt sind. Na ja, ist klar, wenn einer nach dem anderen ein Flop ist!« Er zuckte die Achseln und grinste mich arglos an. »Aber da ist mir eine prima Idee gekommen – ich weiß nämlich, wie man's macht, dass es einem wieder besser geht: Sie brauchen alle einfach ein ordentliches Stück Fleisch in den Magen! Das wirkt Wunder, sage ich Ihnen! Also lad ich Sie alle zum Barbecue ein, bei mir zu Hause, jetzt gleich!«

Wir sahen ihn sprachlos an. Biggy berappelte sich als erste; die Idee von Essen gefiel ihr wohl.

»Aber Raf, wir sind zu sechst, so viele Leute!« Ihr Englisch klang einfach süß. (*Raf, we are sssix, so much piieepel!*)

»Kein Problem, Mrs. W., überhaupt keins! Wir grillen sowieso jeden Abend, Brenda und ich, und in der Tiefkühltruhe ist immer zu viel Zeug drin, seit die Kinder nicht mehr im Haus sind! Kommen Sie, rein in den Wagen, jetzt zeige ich Ihnen das wahre New York!« Und er wartete keine weitere Erwiderung ab, sondern lief um den Bus herum zur Fahrertür. Dabei zog er sein Handy aus der Tasche und drückte ein paar Tasten.

Wir anderen sahen uns einen Moment an, aber eigentlich gab es nichts mehr zu besprechen. Jeder von uns hatte eigene Gründe, das Angebot klasse zu finden – die Leutberger und ihre Mannschaft vielleicht, weil sie echtes Lokalkolorit vor die Linse kriegen würden, die Westerwegs, weil es ordentlich was zu essen geben sollte, und ich, weil ich mir Ablenkung und daher eine Besserung der allgemeinen Laune versprach.

Wir stiegen ins Auto, und kaum hatten wir die Tür geschlossen, verkündete Raf auch schon, dass alles in Butter sei. »Brenda, mein Eheweib, ist gespannt wie ein Flitzebogen! Sie sagt, sie schlachtet schon mal die Kuh!« Er wieherte, setzte mit großer Geste den Blinker und scherte auf die Fahrbahn aus.

BBQ

Es war gegen acht, als wir vor Rafs Zuhause in Queens vorfuhren – einem schmalen, zweistöckigen Haus mit Holzvertäfelung, das genauso aussah wie alle anderen Häuser in der Straße. Sie unterschieden sich lediglich ein bisschen in der Farbe oder der Bepflanzung der handtuch-großen Vorgärten, und sie lagen alle in einer endlosen Reihe direkt am Grand Central Parkway, einer der Haupt-achsen vom Flughafen JFK in die Stadt. Es war ein beein-druckendes Bild, als wir ausstiegen: gefühlte zwanzig Fahrbahnen tosenden Verkehrs, selbst jetzt am Sonntag-abend, sozusagen in Spuckweite des kleinen Häuschens. Hier vorne an der Straße war es so laut, dass man brüllen musste, um etwas zu verstehen.

Aber Raf war stolz darauf, ein eigenes Haus zu haben. Er führte uns durch einen schmalen Durchschlupf neben dem Haus nach hinten, in den *backyard*. Dort war es lau-schiger als vorne, und seltsamerweise hörte man den Lärm der Straße auch nur noch sehr gedämpft. Ob das an den zwei altersschwachen Pflaumenbäumen lag, die den kleinen Garten zierten, an dem etwas kümmerlichen Ra-sen oder der ungeordneten Reihe von Schuppen, Mauern, Häusern und anderen Gartengrundstücke, die sich hinter einem wackligen Maschendrahtzaun am Ende des Ra-sens abzeichnete, war nicht zu sagen.

Hinter dem Haus gab es eine Veranda, die überdacht war und auf der ein riesiger rauchgeschwärzter Grill stand – offensichtlich ein viel genutztes Haushaltsgerät.

Rafs Frau Brenda trat gerade aus der Tür, eine gigantische Schüssel Kartoffelsalat in den Händen. Sie stellte sie auf einem großen runden Metalltisch auf dem Rasen ab und eilte herbei, um uns zu begrüßen.

Während wir uns gegenseitig vorstellten, fiel mir wieder ein, dass es sich ja um jene Brenda handelte, die den Tumor ihrer Katze mit Eiswürfeln geheilt hatte. Ich hatte ganz vergessen, dass sie Brookes Schwester war. Sie war klein wie ihr Mann, aber viel runder als Brooke; nur das braune Haar und die geschwungene Form der Augen erinnerte an das fragile Wesen aus dem *Matches*-Büro.

»Brooke kommt auch gleich noch«, berichtete Brenda, während sie die Schüsseln auf dem Tisch herumschob, um für das Bier Platz zu machen, das wir mitgebracht hatten. Biggy hatte darauf bestanden, unterwegs kurz anzuhalten, damit wir nicht mit leeren Händen kamen.

»Woher haben Sie so viel Essen, so kurzfristig?«, staunte ich. Es gab Kartoffelbrei, Maiskolben, grünen Salat und eine Menge kleinerer Schälchen mit Speisen, die ich nicht sofort identifizieren konnte. Raf stand bereits auf der Veranda und hantierte mit einer enormen Platte roher Steaks und Hamburger vor dem Grill herum.

»Das ist nicht besonders viel«, versetzte Brenda. »Sie sollten sehen, wie viel ich mache, wenn Rafs italienische Verwandtschaft aus Flushing kommt! Hier gibt's abends öfter mal Überraschungsgäste, deshalb haben wir immer was im Haus. Außerdem kann Raf nicht leben ohne Grill; Sie sollten hören, wie er jammert, wenn's im Januar dann wirklich nicht geht, weil der Schnee meterhoch auf der Veranda liegt! Dann grillt er im Haus, ohne Rücksicht auf Verluste.« Sie strich sich seufzend über die wohlgerundete Hüfte und ging hinein, um weitere Schüsseln zu holen.

Die Stimmung war entspannt; alle hatten sich gesetzt, tranken Bier und blinzelten in den dunkel gewordenen Himmel, über den die Lichter der Scheinwerfer zuckten wie die Landefeuer außerirdischer Besucher. Es war warm für einen Oktoberabend, und der angenehme Geruch der brutzelnden Fleischstücke auf dem Grill verbreitete sich im Garten. Brenda und Raf unterhielten jeden, der sich nicht zurückzog, mit Anekdoten über ihre riesige italienisch-jüdische Familie.

Kurze Zeit später kam Brooke, die nur ein Haus weiter wohnte, wie sich herausstellte. Sie hatte Stanislaus Gerber, einen Nachbarn und guten Freund mitgebracht, der, wie er uns sofort mitteilte, schweizerische Vorfahren hatte, die vor hundert Jahren über Polen in die Neue Welt gekommen waren – oder so ähnlich, ganz genau wusste man es nicht mehr. Jedenfalls hielt er sich für einen Europäer und war stolz darauf; er setzte sich bald zu Biggy auf die Veranda und berichtete ihr ausführlich von seinem Eisenwarenladen, den er vor zwei Jahren aufgegeben hatte, nachdem er zum fünften Mal überfallen worden war. Die beiden gingen ganz in ihrer Unterhaltung auf, und mir fiel wieder ein, dass der verstorbene Herr Westerweg ja Schrotthändler gewesen war, daher vielleicht das gemeinsame Interesse an Metallen.

Peter, Esther, die Leutberger und Raf hockten am großen Tisch und redeten. Denise und Brooke waren hineingegangen, weil Brenda ihnen etwas in der Küche zeigen wollte, und ich schlenderte langsam durch den hinteren Teil des Gartens, der ein wenig im Dunkeln lag.

Irgendwie krass, dieses unerwartete Eintauchen in eine völlig fremde Welt. Es war eine Sache, in Manhattan durch die Straßen zu flitzen – aufregend, aber touristisch. Hier in Queens zu sitzen, im Hinterhof irgendwelcher total normaler, nicht besonders wohlhabender New Yorker, war etwas vollkommen anderes. Es hatte beinahe etwas Surreales, als wäre man kopfüber in eine neue Realität gesprungen. Als wäre alles möglich ... Sogar die Leutberger und ihre zwei Gesellen schienen das zu spüren; sie hatten ihre Kamera nicht mal angerührt.

Ich seufzte. Mein kleiner Buchladen in Berlin, meine kleine Wohnung in der Vorbergstraße waren so weit weg, dass sie fast nicht mehr real waren. Was hatte ich mich in den letzten Tagen verausgaben müssen, um das hier durchzupauken?! Wow, was alles möglich *war* ...

Von meinem Platz unter dem Pflaumenbaum sah ich, wie Brooke jemanden in den Garten führte. Noch ein unerwarteter Gast?

Da läutete mein Handy, und ich zuckte erschrocken zusammen. Es war, als würde mich jemand zurück in eine Welt voller Probleme zerren.

»Nora, Schätzchen?!« Es war meine Mutter. Es musste mitten in der Nacht sein in Afrika, und trotzdem rief sie an.

»Schläfst du denn nie?«, fragte ich.

»Wir reden hier immer stundenlang, wenn im Resort Ruhe eingekehrt ist, und das ist erst nach elf der Fall! Erwin kriegt man bis dahin nicht zu fassen, und Xenia will danach immer genau wissen, was Erwin gesagt hat!« Meine Mutter seufzte tief, genau wie ich vorhin. »Na ja. Ich glaube, es gibt einen Hoffnungsschimmer am Horizont. Vorhin hat sie ihn zum ersten Mal nicht mehr ›Arschloch‹ genannt.«

»Die äh ...?« Ich brauchte einen Moment, bis ich wusste, wovon sie redete.

»Die Zumhorstens, genau! Der Grund dafür, warum du jetzt überhaupt in New York bist. Aber kurz noch, Schätzchen, bevor ich hier wirklich ins Bett kippe – wie ist der Stand bei euch? Wie lief's heute?«

Ich berichtete knapp, dass sich Denise zu einer eher mäkeligen Kundin entwickelte und sogar hin und wieder anderer Meinung war als ihre Mutter. Dass die Männer bislang alle nicht bei ihr angekommen waren und dass ich für morgen nur einen hatte, weil ich nicht mit einer solchen Versagerquote gerechnet hatte. Dass ich nicht wüsste, wie lange ich die Leutberger noch ruhigstellen und ihr vorgaukeln konnte, alles liefe ganz normal.

Meine Mutter schwieg nachdenklich, aber natürlich nicht lange.

»Pass auf, Nora, wir machen aus der Not eine Tugend, das ist der Plan! Wenn es nicht normal läuft, liefern wir ihnen einen guten Grund dafür – der mit *uns* nichts zu tun hat, darauf kommt es an! Egal, wie es nun wirklich war – wir müssen aus Max den Schuldigen machen. Und er hat ja wirklich was auf dem Kerbholz, stimmt's?! Der Tenor muss sein, was wir alles für unsere Kunden tun! Du gehst morgen zum Anwalt, gleich in der Früh. Und parallel dazu ziehst du noch mal alle Register, um Don zu kriegen. Er ist der Beste, er ist unser Kronjuwel! Steven für morgen ist gut, aber wenn du dann noch Don präsentierst, können alle nur noch den Hut ziehen! In einer schwierigen Situation solche Männer – *das* wird die Leutberger dann denken, verstehst du?!«

Ich schloss die Augen. Wie war ich bloß in diese Situation geraten?

»Und halt, Nora, ein Letztes noch: Halt sie bei Laune! Red dir den Mund fusselig, lad sie zum Essen ein, leg ihnen eine Rose zum Frühstück neben die Teller! Versprich ihnen den Himmel auf Erden! So geht das, Schätzchen, verstehst du?!«

Ich seufzte tief und vernehmlich. »Und wenn er nicht kommt, der Himmel?«

»Das wird er aber. Der Mensch will daran glauben, und dann kommt er auch! Man muss ihn nur *erkennen*, wenn er vor der Tür steht, verstehst du?!«

Vielleicht hatte sie recht, meine eitle, spießige, um sich

selbst kreisende Mutter. Es kam darauf an, richtig zu *sehen* – den wunderbaren, liebevollen und geistreichen Mann in Greg, zum Beispiel. Oder den kraftvollen, weltgewandten Mann in Peter, so wie ihn vielleicht Esther sah, oder Biggy Westerwegs ominösen Günther, der immer die richtigen Ratschläge hatte, auch wenn er meilenweit entfernt war ...

Ich versprach meiner Mutter, mich zu bemühen, und wunderte mich gleichzeitig darüber, dass ich ihr nicht einfach alles vor die Füße schmiss und auf *Matches Worldwide* pfiff. So war das ja alles schließlich nicht ausgemacht gewesen – betrügerische Partner und abstürzende Computer, Anwälte und verlorengegangene *dates* ...

Wir legten auf, und ich kehrte zurück zu den anderen, um mir noch ein Bier zu gönnen. Irgendwie war mir, als hätte ich mir eins verdient.

Als ich wieder ins Licht trat, glaubte ich für einen Moment, in den falschen Film geraten zu sein. Da standen Denise und der Doorman aus der Fifth Avenue und plauderten angeregt miteinander! Ich kniff die Augen zusammen, aber sie waren immer noch zu sehen, direkt neben den zwei Stufen, die zu Rafs Veranda hinaufführten.

Brenda wackelte gerade an mir vorbei, unter der Last eines riesigen Topfes mit Eiskrem fast schwankend. Sie lachte, als sie meinen Blick sah.

»Raoul wohnt auch nicht weit von hier – er hat gerade seinen Hund ausgeführt, als Raf ihn gesehen hat.«

»Aber ...«, staunte ich. Dass New York *so* klein war, hätte ich mir nicht träumen lassen.

»Na ja, so ein Zufall ist es auch wieder nicht«, erklärte Brenda. »Raf hat ihm doch über Brooke den Job besorgt! Wir kennen Raouls Familie schon lange; er ist ein guter Junge, und als Brooke erzählt hat, dass die Security-Firma neue Leute einstellt...« Sie zuckte die Achseln und ging zum Tisch hinüber.

Raoul hatte mich jetzt gesehen und kam, um mir die Hand zu schütteln. Wir redeten ein bisschen über sein Zuhause, seine beiden Jobs (in der Praxis eines Hausarztes übersetzte er aus dem Spanischen) und seinen Hund Donkey, den er draußen im Vorgarten angebunden hatte. Nach einer Weile setzte ich mich zu Biggy und Stan auf die Veranda und verfolgte ihre Diskussion über die Frage, ob man Schrauben einzeln verkaufen sollte oder nicht. Am Tisch auf dem Rasen erzählte Brooke Peter und Esther angeregt und mit flatternden Händen von den Vorzügen der Partnervermittlung. Raf und Brenda waren endlich selbst zum Essen gekommen und saßen vor voll gepackten Tellern. Die Leutberger hockte träge daneben, ihre Bierdose im Schoß haltend; ich hatte den Eindruck, als fielen ihr hin und wieder die Augenlider zu. Sieh an, dachte ich, der Gegner schwächelt...

Dasselbe tat ich kurze Zeit später auch. Ich war müde geworden, hörte dem animierten Gespräch von Biggy und Stan schon lange nicht mehr zu und dachte darüber nach, wie ich Raf elegant dazu bringen könnte, uns jetzt alle wieder in die Stadt zu fahren. Ich hatte morgen schließlich eine Menge zu tun...

Und endlich einmal klärte sich etwas von selbst, ohne dass ich dafür eine Hand rühren musste: Peter, der im Verlauf des Abends so mitteilsam war wie während der ganzen letzten Tage nicht, bat um Aufbruch, und Raf und die anderen erhoben sich umstandslos. Einzig Biggy schien sich nur ungern aus ihrem Gespräch zu lösen, aber als wir alle begannen, uns bei den Gastgebern zu bedanken und zu verabschieden, blieb ihr nichts anderes übrig.

Wir waren abmarschbereit, als plötzlich irgendjemand sagte: »Aber wo ist denn Denise?«

Eine gute Frage, denn sie war tatsächlich weg. Und mit ihr Raoul.

»Wie jetzt?«, fragte ihre Mutter verblüfft. »Sie hat ja gar nix gesagt!«

Raf meinte, sie wären vielleicht schon nach vorne gegangen, um den Hund zu besichtigen, also trabten wir alle um das Haus herum. Aber dort war niemand, noch nicht einmal ein Hund. Noch immer lag ein monotones Brausen in der Luft, ansonsten war es friedlich.

Wir teilten uns auf, der eine Trupp ging rechts, der andere links die Straße hinunter. Wir spähten in die dunklen Ecken und riefen: »Denise? Bist du da?« Es war ein bisschen lächerlich, aber uns fiel nichts anderes ein. Raf rief uns schließlich zum Haus zurück und meinte, wir sollten lieber aus dem Auto heraus suchen, während Brenda bei Raoul zu Hause anrief.

»Meine Güte«, murmelte Biggy, »das Kind.« Stan legte ihr beruhigend die Hand auf die Schulter.

Wir kletterten alle in den Wagen, bis auf Brooke und Brenda, die bereits ins Haus geeilt war. Raf startete den Motor, als plötzlich Brookes dünne Stimme zu hören war: »Da! Ist sie das nicht?!«

In der Ferne waren drei Gestalten im Lichtkegel einer Straßenlaterne aufgetaucht – zwei größere, rundliche und eine kleinere, windschnittige auf vier Beinen.

Wir sprangen alle wieder aus dem Auto heraus und warteten auf das ausgebüxte Trio.

»Was ist denn los?«, fragte Denise ahnungslos, als sie uns erreicht hatten. »Was steht ihr denn alle hier draußen?«

»Wir haben uns Sorgen gemacht!«, brauste ihre Mutter auf. »Warum hast du denn nichts gesagt?«

»Wir wollten uns nur die Beine vertreten, ganz kurz! Mit dem Hund!« Denise schob die Unterlippe ein wenig vor; offensichtlich gefiel ihr der aufgeregte Ton ihrer Mutter nicht.

Raoul, der zwar nichts verstanden hatte, aber das Mienenspiel der beiden begriff, entschuldigte sich ausdrücklich; Denise habe den Hund sehen wollen, und sie hätten nicht gewusst, dass wir schon so bald aufbrechen wollten ...

Rasch entspannte sich die Situation, und wir fuhren in Richtung Manhattan davon.

Verflixter Montag

»Wie? Bloß einen?!«

»Mama, ist doch egal ...«

»Was sagst du ...?«

»Frau Tessner – haben Sie keine Männer mehr im Angebot?«

»Ich ...«

»Was ist denn mit dir *los*, Kind? Seit zwei Tagen kenne ich dich gar nicht mehr wieder ...«

»Frau Tessner?«

Es war zum Verzweifeln. Montagmorgen, und wir saßen im Hotel beim Frühstück und beharkten uns gegenseitig, als habe es nie einen harmonischen Grillabend in Queens gegeben ... Die Einzigen, die sich wie immer heraushielten, waren Peter und Esther. Dafür kramten sie unter dem Tisch schon wieder unauffällig nach Kamera und Tongerät.

Ich konnte mich kaum auf die impertinenten Fragen der Leutberger konzentrieren, weil Denise und ihre Mutter zwischendurch kleine gereizte Dialoge führten – etwas, was ich bei ihnen noch nicht erlebt hatte. Eben hatte ich auf Nachfrage gestanden, dass wir heute nur einen einzigen Termin hatten – Steven, den Presseamtsmitarbeiter. Biggy gefiel das ganz und gar nicht, aber Denise schien es egal zu sein – was wiederum Biggy ärgerte. Die Leutberger hatte mich schon x-mal nach weiteren Plänen, *dates* und Männern gefragt und immer wieder wissen wollen, was ich machen würde, wenn Denise nun keiner gefiel ...

171

Irgendwann reichte es mir. Ich nahm meine ganze Kraft für ein Lächeln zusammen (die Kamera lief inzwischen) und verkündete, dass ich gleich ins Büro ginge, um Weiteres zu regeln. Außerdem stünde ja noch ein absoluter Traummann in der Startbox, den noch keiner zu Gesicht bekommen habe: Donald! Don James, Herr über eine Kette schicker Boutiquen in Manhattan, sensibel und erfolgreich, musisch begabt und weltgewandt, gut aussehend und außerdem sehr interessiert an – Denise!

Als ich fertig war, staunten alle, und mir brach der Schweiß aus. Hoffentlich hatte ich mich jetzt nicht um Kopf und Kragen geredet ... Wenn Don absagte, weil er ein verdammter Sturkopf war, wäre guter Rat teuer. Also durfte er nicht absagen ... ich nahm mir vor, ihm notfalls auch die Füße zu küssen, falls das etwas änderte.

Dann flüchtete ich.

Diesmal stand nicht Raoul am Pult in der Fifth Avenue, sondern ein baumlanger Schwarzer, der erst wissen wollte, wer ich war, bevor er mich nach oben ließ.

Im Aufzug fiel mir wieder ein, dass ich ja noch eine weitere unangenehme Aufgabe vor mir hatte: diese leidige Anwaltsgeschichte. Darauf hatte ich heute früh noch weniger Lust als darauf, fremde Männer auf Teufel komm raus zu einem *date* zu überreden, aber was blieb mir übrig? Meine Mutter hatte beschlossen, diesen Brannigan fertigzumachen, und dieser Gedanke hatte nun mal eine gewisse Logik.

Es war ein noch ungewohnter Anblick, dass bei Mr. & Mrs. Right richtig was los war. Ein junger Mann öffnete mir die Tür und begrüßte mich freundlich, als er erfuhr, wer ich war – bis mir einfiel, dass ich mit dem Feind ja nicht auf zu engem Fuße stehen sollte. Ich ließ ihn stehen und hastete an den offenen Büros vorbei in Richtung Hinterzimmer. Gott sei Dank waren weder die schöne Katherine noch ihr Hengst Brannigan zu sehen. (Lagen sie noch im Bett – zusammen?!)

Brooke war schon da, hatte für Kaffee und Donuts gesorgt. Ich wünschte für einen Moment, sie beherrschte auch den Umgang mit ihren Arbeitsmaterialien so zuverlässig und souverän, dann hätte ich ein paar Schwierigkeiten weniger gehabt...

Don hatte noch nicht angerufen. Was noch kein Beinbruch war, denn es ging erst auf halb zehn zu, war also noch ziemlich früh.

Brooke und ich begannen damit, eine Art Notfallplan zu entwickeln – das hatte ich mir auf der Fahrt überlegt. Wenn Don platzte und auch das mit Steven nichts wurde, musste ich für die letzten zwei Tage improvisieren. Deshalb suchten wir aus den einschlägigen Magazinen und Zeitungen Hinweise auf Single-Partys, *speed dating*s und angesagte Internet-Cafés heraus, wo die Leute gegenseitig miteinander chatteten, während sie im gleichen Raum saßen (davon hatte ich mal gelesen). Brooke hatte von all diesen Dingen keine Ahnung, das wurde schnell klar. Hatte sie bisher wohl auch nicht gebraucht, bei der Art, wie meine Mutter den Laden führte. Wäre ich hier verantwortlich gewesen, dachte ich bei mir, hätte ich da mal die eine oder andere neue Methode eingeführt...

Doch weil die Woche gerade erst angefangen hatte, war das Angebot nicht sehr üppig, um nicht zu sagen: nicht vorhanden. Enttäuscht schlug ich schließlich vor, uns ein bisschen um Greg zu kümmern, solange wir auf Dons Anruf warteten.

Brooke tippte am Computer herum (ich rechnete nicht mit einem Erfolg), als sie plötzlich aufquietschte.

»Oh, Miss Tessner! Eine Mail!« Sie war nicht dazu zu bewegen, mich Nora zu nennen.

»Eine Mail? Für wen?« Ich war genauso aufgeregt wie sie. Man stelle sich vor! Nur weil dieser Rechner sich einmal verhielt wie alle anderen auch und eine Mail anzeigte.

»Moment, ich schau gleich . . .« Wunderbarerweise ging nichts schief. »Sie ist von Ihrer Mutter, soll ich mal vorlesen? ›Liebe Nora, liebe Brooke: Vollgas und toi, toi, toi!‹ Das ist alles.«

Ich seufzte. Hatte meine Mutter die Gabe, über Kontinente hinweg die Versäumnisse ihrer Tochter zu riechen?! Sie trat mir in den Hintern, genau das vermittelte diese Mail. (Man kennt sich eben, als Mutter und Tochter, auch wenn man jahrelang kaum Kontakt hat.)

Und leider hatte sie auch noch recht. Was brachte es, die Sache auf die lange Bank zu schieben?

Ich überlegte einen Moment und sagte dann zu Brooke: »Ich muss kurz weg. Ich brauche einen Anwalt, wegen der Sache mit der Datei hier, Sie wissen schon. Ich glaube, ich gehe einfach mal zu einer der Kanzleien hier im Haus . . .« Ich brach ab, weil Brooke mich mit so offenem Mund anstarrte, dass ich mir eine fundierte Meinung über die Qualität ihres Zahnarztes bilden konnte.

»Miss Te . . . aber das dürfen Sie nicht!«, platzte sie dann heraus.

Ich starrte sie an.

»Er . . . Max . . . Sie schätzen ihn vollkommen falsch ein, Miss Tessner! Okay, er ist ein guter Geschäftsmann, er verdient gutes Geld mit Mr. Right, aber er würde nie . . . niemals würde er jemanden betrügen, den er mag!«

»Den er mag?«, wiederholte ich. »Was hat das damit zu tun – und woher wollen Sie wissen, wen er mag?« Hoffentlich kam sie jetzt nicht mit der Nummer, dass Brannigan *sie* so gern mochte.

»Aber er schätzt Ihre Mutter; er würde nie . . .! Max ist nicht so, er ist eine Seele von Mensch, auch wenn er manchmal verschlossen wirkt . . .«

Verschlossen wäre nun nicht das Wort gewesen, das ich

gewählt hätte – eher ausgekocht, selbstverliebt und nur auf den eigenen Vorteil bedacht.

»… er kann sich manchmal in etwas verbeißen, aber doch nicht zu seinem eigenen Vorteil, sondern nur, wenn er von etwas überzeugt ist!«

Was sollte das denn besser machen?! Brooke gehörte ganz offensichtlich zu dem Teil der weiblichen Welt, den Max Brannigan erfolgreich beflirtet hatte und der ihn nun für einen Ausbund an Charme und Integrität hielt. Ein Grund mehr, sich endlich gegen ihn zu wehren.

»Ich fürchte, Brooke, es führt kein Weg daran vorbei, einen Anwalt einzuschalten. Aber das nehme ich auf meine Kappe, okay? Ich werde es Brannigan auch so sagen, damit er Ihnen keine Vorwürfe macht.«

Ich öffnete bereits die Tür, um jeder weiteren Diskussion aus dem Weg zu gehen, und winkte beim Hinausgehen kurz mit der Hand.

»Aber er würde nie …«, hörte ich noch hinter mir, bevor die Tür zuging.

Ich seufzte nochmal (ein Montag der Seufzer) und begab mich zunächst nach unten in die Halle.

Der neue Doorman wusste nicht, worauf die einzelnen Kanzleien spezialisiert waren, konnte mir aber immerhin sagen, hinter welchen Namen sich die Anwälte verbargen. Ich hatte nicht den blassesten Schimmer, wo ich am besten aufgehoben sein würde. Schließlich entschied ich mich aus einem einzigen Grund für Merwanian, Kurtz & Grushkin: Ihre Kanzlei lag nur zwei Stockwerke über Mr. Right.

Der Aufzug spuckte mich in einen gediegenen Empfangsbereich aus, in dem eine hübsche Sekretärin freundlich meinem Begehr lauschte. Ohne Termin, sagte sie, sei es ungewöhnlich, und sie müsse erst sehen, ob jemand kurzfristig frei sei. Nach zwei kurzen Telefonaten schickte sie mich dann aber doch nicht nach Hause, sondern ein paar Türen weiter zu Mr. Glitz.

Mr. Glitz kam aus seinem Büro gestürzt, als hätte er seit Wochen keinen Mandanten mehr gehabt; er war noch sehr jung (kaum dreißig, schätzte ich) und ganz in seinem Element, als ich endlich vor seinem Schreibtisch saß. Er bot mir als Erstes Kaffee an, noch bevor er überhaupt wusste, was ich wollte, sprang dann wieder auf, um die Jalousie ein Stückchen herunterzulassen, weil mich das Licht blendete, und forderte mich mindestens fünfmal auf, es mir bequem zu machen, bis ich endlich richtig zu Wort kam.

»Mr. äh ... Glitz, ich ...«

»Jamie, bitte, nennen Sie mich Jamie!« Er strahlte mich an.

Jetzt sollte ich meinen Anwalt auch schon beim Vornamen nennen, kaum dass ich ihn das erste Mal gesehen hatte! Na ja. So waren sie eben, die Amis.

»Jamie – ich weiß nicht, ob Sie so etwas übernehmen: Vertragsbruch zwischen Geschäftspartnern, in betrügerischer Absicht, so könnte man es vielleicht nennen ...«

In meinem deutlich begrenzten Englisch versuchte ich, ihm zu verklickern, worum es ging. Er hörte mir konzentriert zu, warf hin und wieder eine Frage dazwischen, und als ich fertig war, lehnte er sich gemächlich zurück wie ein richtiger Anwalt im Kino und sagte: »Miss äh ... Tessner? Selbstverständlich übernehmen wir solche Klagen, jederzeit – alles, was die Mandanten wünschen!« Er strahlte. »Diebstahl, Unterschlagung, Vertragsbruch und Vorspiegelung falscher Tatsachen, alles strafbar im Bundesstaat New York! Sollen wir sofort zivil- *und* strafrechtlich vorgehen oder eins nach dem anderen?«

Mir war etwas komisch zumute. Gleich so zuschlagen? »Na ja, müssen wir denn gleich Klage erheben? Wir wissen doch noch nicht genau, was eigentlich passiert ist. Vielleicht kann man ...«

»Nun, wir können natürlich auch erst Aufklärung fordern! Einen Brief als ersten Schritt, in dem wir vom Beklagten eine Versicherung an Eides statt verlangen! Wenn Sie das wünschen ...« Mr. Glitz – Jamie – kritzelte ein paar Worte auf den Block, der vor ihm lag, und lächelte mich dann wieder an. »Sind *Sie* die Firmeninhaberin oder Ihre Mutter? Sie verstehen, ich brauche eine Bevollmächtigung, Ihre Interessen zu vertreten ...«

Wir besprachen das Ganze noch ein bisschen. Ich versuchte, die Angelegenheit auf kleiner Flamme zu halten. Jamie allerdings war ziemlich enthusiastisch und holte sich gleich bei einem Vorgesetzten das Okay ein, für uns tätig zu werden, obwohl er noch keinen schriftlichen Auftrag meiner Mutter vorliegen hatte. Einstweilen würden sie sich mit meiner Unterschrift begnügen. Es deutete wirklich alles darauf hin, dass Jamie noch nicht lange in dieser Kanzlei war.

Er erklärte mir dann in groben Zügen die Vorgehensweise, die er plante, aber ich verstand nur die Hälfte davon. Einen Brief würde er sofort schreiben, das allerdings war wichtig, damit ich dem Fernsehteam etwas vorweisen konnte – den Beweis dafür, dass wir für unsere Kunden weder Kosten noch Mühen noch Ärger mit der Partnerfirma scheuten.

Dann geleitete er mich in den Eingangsbereich zurück, um mich zu verabschieden.

»Miss Tessner«, sagte er und lächelte, »ich bin sehr froh, dass Sie ausgerechnet zu mir gekommen sind.«

Er machte mich ein klein wenig verlegen, wie er so dastand und mich mit blauen Augen anstrahlte. Er war groß und schlaksig, und sein hellbraunes Haar hing um zwei Zentimeter zu lang über seinem blütenweißen Hemdkragen. Irgendwie war er süß, und als ich kurz darauf mit dem Aufzug wieder herunterfuhr, schoss mir durch den

Kopf, dass er ein idealer Mann sein könnte – für Denise, natürlich. Ich hatte seine Visitenkarte eingesteckt ... zur Not würde ich ihm einfach mal auf den Zahn fühlen.

Brooke teilte mir mit, dass Don zwar nicht angerufen, sie aber schon zwei bis drei gute Vorschläge für mein Sorgenkind Greg herausgesucht hatte. Max Brannigan erwähnte sie nicht mehr, und ich war ihr dankbar dafür.

Während ich die Unterlagen von Maggie, Amber und Ingvild studierte, allesamt New Yorker Enddreißigerinnen, die eigentlich einen europäischen Mann suchten, machte ich mir Sorgen um Don. Da ging es schließlich um was – sollte ich ihm einfach auf die Nerven fallen und selbst nochmal anrufen?! Er hatte eigentlich zuverlässig gewirkt – ich würde ihm noch bis mittags Zeit lassen.

Ich nahm mir wieder Ingvild vor: 38, Übersetzerin bei einem Buchverlag, als Kind mit den Eltern aus Schweden eingewandert. Offensichtlich wollte Ingvild wieder ins beschauliche alte Europa zurück; sie hatte angegeben, von New Yorker Männern (eigentlich allen amerikanischen) die Schnauze voll zu haben – zu viel Statusdenken, zu viel Jagd nach dem Geld, zu viel Fassade und zu wenig Herz. So war das also, dachte ich. Gut, dass *ich* schon so einen alten Europäer hatte. Der hatte genug Herz – auch wenn man es nicht immer gleich fand.

Für Greg waren die drei nicht wirklich ideal, aber was sollte ich machen? Niemand hier kam auf die Idee, zu *Matches Worldwide* zu gehen, wenn er im heimischen Revier seine Beute suchte. Beinahe gedankenverloren griff ich zum Telefonhörer, um Ingvild dennoch anzurufen. Gerade noch rechtzeitig hielt ich inne. Was um aller Welt tat ich hier eigentlich? Ich benahm mich ja genau wie meine Mutter! Und mir hatte noch nicht mal jemand den Auftrag gegeben, mich nach Frauen für Gregory Summit umzusehen!

Beinahe erschrocken ließ ich die Hand wieder sinken. Ich hatte die Profession meiner Mutter doch immer verabscheut – jetzt vertiefte ich mich hier ernsthaft in die Partnersuche für fremde Menschen, dachte darüber nach, wer zu wem passen könnte und wo ich noch weitere Kunden herbekommen könnte ... Hilfe! Ich ärgerte mich noch nicht mal mehr darüber, was ich hier in New York alles verpasste, weil ich dauernd arbeiten musste.

Da klingelte es – an genau dem Telefon, das ich gerade hatte benutzen wollen. Das musste Don sein!

»*Matches Worldwide*, guten Morgen!« Ich freute mich so, dass er anrief, dass ich richtig in den Hörer trällerte.

»Äh ... hallo?« Das war nicht Don. Aber irgendwie kam mir die Stimme bekannt vor.

»Ja bitte – *Matches Worldwide*! Was kann ich für Sie tun?« Ich konnte den amerikanischen Tonfall schon ziemlich gut nachmachen, fand ich.

»Nora? Bist du das?! Du klingst absolut bescheuert ...«

»Sven? Wie ... Sven?!«

»Ja, klar, wer sonst? Also das hört sich ja echt ziemlich ätzend an, ich hab deine Stimme erst gar nicht erkannt!«

»Aber was ... woher hast du die Nummer? Und was ...?«

»Von der Sekretärin deiner Mutter, dieser Lucy oder wie sie heißt. Ich wollte nicht auf deinem Handy anrufen, das kostet ja ein Schweinegeld, und da hab ich sie gefragt.«

»Aber ... aber das hier kostet doch auch Geld ...«

Sven lachte leise. »Ja, aber nicht meins! Ich musste nochmal in die WG, hab ein paar Sachen vergessen, und da ... na, du weißt schon. Hör zu – warum ich anrufe: Ich kann meine Lederweste nicht finden, die braune, mit den vielen Taschen. Ich brauch sie aber unbedingt, ich hab einen Zettel drin gelassen mit ein paar Notizen ... hab ich die Weste bei dir? Oder weißt du, wo wir sie eingepackt haben?«

Es ging um eine Lederweste, das konnte nicht wahr sein. War dieser Typ nicht fähig, sich um seine Klamotten zu kümmern?! Deshalb rief er mich in Amerika an?! Ich unterdrückte einen Seufzer. »Sie könnte wirklich in meiner Wohnung sein; ich kann mich zumindest nicht erinnern, dass wir sie eingepackt hätten...« Das hatte ich nun davon, dass ich ihm beim Packen seiner Umzugskartons geholfen hatte.

»Mist«, knurrte er. »Dann muss ich erst den Schlüssel für deine Bude suchen, verdammt. Ich weiß nämlich auch nicht so genau, wo der ist. Scheißumzug.«

»Ja«, sagte ich. Mehr fiel mir nicht ein. Sein Anruf war irgendwie nicht von der Welt, in der ich mich zur Zeit bewegte.

»Na gut. Wie geht's dir sonst? Alles in Butter?«

»Ja. Ja, alles klar so weit. Ist halt viel Arbeit...«

»Ja, klar. Aber du bist ja bald fertig, oder? Wann kommst du – übermorgen?«

»Donnerstag früh sind wir wieder da, aber wir fliegen Mittwochabend schon hier weg...«

»Ich hol dich natürlich ab, wenn's nicht *zu* früh ist, ja, Süße? Sag mir Bescheid. Und denk an die Flycam – ich muss jetzt Schluss machen! Ciao!« Und weg war er.

Ich weiß nicht, warum, aber ich erzählte Brooke von meiner Beziehung zu Sven. Wie er war, was wir gemeinsam hatten, wie ich ihn kennengelernt hatte. Sie hörte mir mit aufmerksamem Gesichtsausdruck zu und unterbrach mich kein einziges Mal, was ich sehr angenehm fand. Dann erzählte ich ihr noch von meiner großen Liebe, Johannes, der mich vor fünf Jahren sitzengelassen hatte und an den ich immer noch hin und wieder dachte. Brooke nickte mitfühlend – und ich ertappte mich bei dem Gedanken, dass ich mir eine solche Mutter gewünscht hätte: zugewandt, interessiert, nicht vorschnell urteilend. Aber man kann sie sich nicht aussuchen, nicht wahr? Und man ist vermutlich immer unzufrieden, so oder so. Wäre Brooke meine Mutter gewesen, hätte ich mich vermutlich schrecklich geschämt für ihre Verrücktheiten und mir eine andere gewünscht ...

Später vertrieben wir uns die Zeit mit der Eingabe der Karteidaten in den Computer – was keine wahre Freude war. Immer wieder machte er Mucken, und ich nahm mir vor, so schnell wie möglich einen neuen zu besorgen, koste es, was es wolle.

Als ich wieder auf die Uhr sah, war es schon kurz vor eins. Ich schreckte auf. Nichts von Don – verdammt! In spätestens einer halben Stunde würden mich die anderen hier abholen und erwarten, dass ich diesen Mann endlich präsentieren konnte! Für Höflichkeiten war jetzt keine Zeit mehr. Ich gab mir einen Ruck und wählte Dons Handynummer.

Es klingelte lange, aber es ging niemand dran.

Ich machte mich bereit, auf die Mailbox zu sprechen, aber auch die sprang nicht an.

Ich versuchte es nochmal, vielleicht hatte ich mich verwählt. Nichts.

Aber ich hatte ja auch seine Privatnummer. Ich rief dort an, aber wieder hatte ich keinen Erfolg. Es klingelte endlos und vergeblich.

Mist.

Da klopfte es an der Tür. Brooke und ich schauten überrascht auf, weil wir so früh niemanden erwarteten, doch da ging die Tür schon auf, und Biggy Westerwegs kugelige kleine Gestalt kam zum Vorschein.

»Hallo!«, trompetete sie fröhlich. »Wir sind schon mal da!«

Hinter ihr stand allerdings niemand. Sie kam herein und trabte vor bis zum Schreibtisch, wo sie sich ohne Umschweife niederließ. »Ah, ich muss mich mal setzen! Die haben uns hier durch alle Büros geführt und so eine Art Stehempfang im Salon gemacht! War aber lecker, der Prosecco! Und der Mr. Brannigan ist ja so ein Charmanter!«

Brooke und ich sahen sie schon wieder – oder immer noch – ziemlich überrascht an. Stehempfang? Brannigan?

Biggy sagte: »Na, ihr wisst doch – weil das Fernsehen doch auch mal die von Mr. Right interviewen wollte. Vor einer halben Stunde sind wir gekommen, da hat der Chef alles vorgeführt und alle Leute vorgestellt und uns dann zu einem Schluck eingeladen – warum wart ihr eigentlich nicht dabei? Ist ja schon eine dolle Firma, alles so schick und vom Feinsten!« Sie machte eine beseelte Miene und merkte nicht, dass sie uns – Brooke, mich und *Matches* überhaupt – damit auch bewertete, niedriger natürlich ...

Ich konnte Brookes Gesichtsausdruck entnehmen, dass sie auch nichts von einem Empfang für unsere Klienten gewusst hatte. Mein Ärger über den ätzenden Chef von Mr. Right erwachte erneut. »Ich finde, jemand hätte uns Bescheid sagen können«, brachte ich heraus, aber Biggy war schon beim nächsten Thema.

»Und jetzt geht's gleich wieder los, ja? Wann haben wir denn den Guten, mit dem Sie uns gestern den Mund wässrig gemacht haben – Dan oder so?«

Ich ging nicht darauf ein, so böse war ich jetzt. Ich packte meine Handtasche, stand auf und sagte zu Brooke, während ich schon zur Tür marschierte: »Bitte versuchen Sie es weiter bei Don – die Nummern dort auf dem Tisch! Das hat oberste Priorität, okay? Biggy, bisher haben wir ihn nicht erreicht, aber wir bleiben dran. Jetzt muss ich erst mal jemanden zur Rede stellen – ich hab die Faxen dicke!«

Und ich rauschte zur Tür hinaus.

Draußen herrschte ganz normaler Geschäftsbetrieb; die Türen zu den anderen Büros standen offen, und nett aussehende Menschen telefonierten, stierten auf ihre Computerschirme oder blätterten in Papieren. Von Brannigan oder seiner Tussi Katherine war nichts zu sehen.

Biggy im Schlepptau, eilte ich nach vorne in den Eingangsbereich. Die Tür zum Salon stand ebenfalls weit offen, und ich konnte die Silhouette der Leutberger sehen, die ihren Kameramann offensichtlich gerade zu einer bestimmten Stelle dirigierte – jedenfalls gestikulierte sie wild mit ihren Händen herum. Mit zwei Schritten war ich im Raum. Tatsächlich, auf dem Tresen vor der schnieken Bar stand ein Haufen benutzter Schampusgläser. Denise lümmelte auf einem der Sofas und schaute gelangweilt aus dem Fenster. Esther, Peter und die Redakteurin standen vor der schönen Katherine und lauschten ihrem melodiösen Stimmchen.

»... ich die persönliche Assistentin von Max – Mr. Brannigan bin, zeichne ich verantwortlich für den Katalog. Er ist, auf Papier und im Netz – unser Schmuckstück!« Sie strahlte wie ein Honigkuchenpferd in die Kamera.

Als Peter die Szene im Kasten hatte, drehte er sich halb zur Leutberger um, die in ihren Notizen blätterte. Irgendetwas war seltsam an ihr, aber ich kam nicht darauf, was es war.

»Entschuldigung«, sagte ich. »Miss Miller? Könnten Sie mir erklären, wie es zu dieser... dieser Feier gekommen ist? Und warum *Matches Worldwide* davon noch nicht einmal *erfahren* hat?!« Beinahe hätte ich meine Arme in die Seiten gestützt.

»Aber... Feier? Das war doch keine Feier, und außerdem haben wir doch diesen Zettel...«

»Wie nennen *Sie* es denn, wenn ein Haufen Leute herumsteht und Sekt trinkt und fröhlich miteinander plaudert? Da wo ich herkomme, nennen wir das eine Party! Oder einen Empfang, bitte schön! Einen Empfang mit *unseren* Kunden, vor *unserem* Büro und mit *unserem* Fernsehteam – und Sie halten es nicht einmal für nötig, uns Bescheid zu sagen?! Das nenne ich eine schöne Partnerschaft! So interpretieren Sie also den Vertrag, den wir miteinander haben!« Ich blitzte Katherine an, die mit rudernden Händen versuchte, Einspruch zu erheben.

»Aber Sie verstehen das falsch! Wir haben nur …«

»Nur versucht, uns zu hintergehen, ja?! Wollten Sie das sagen?«

»Miss Tessner – wenn hier einer den anderen hintergeht, dann sind *Sie* das!«, sagte eine laute Männerstimme in meinem Rücken. Ich fuhr erschrocken herum.

Max Brannigan stand vor mir, und er *hatte* die Arme in die Seiten gestützt. Seine dunklen Augen sprühten, sein Hemd war mal wieder nicht ordentlich zugeknöpft, und in seiner Hand hielt er zwei Blätter Papier, die er jetzt anklagend in die Höhe hob.

»Hier bekomme ich, eben per Boten überreicht, einen rotzfrechen Brief der Kanzlei Merwanian, Kurtz und irgendwas, die mir mitteilen, sie vertreten die Firma *Matches Worldwide* und verlangen eine Erklärung zu angeblich von uns entwendeten Dateien! Sie drohen an, Klage gegen mich einzureichen wegen Vertragsbruch, Diebstahl und Unterschlagung, wenn ich nicht innerhalb von 24 Stunden eine eidesstattliche Erklärung einreiche! Kann das denn wahr sein?! Das nenne *ich* hintergehen!« Er blitzte mich böse an.

Ich hörte, wie Katherine hinter mir nach Luft schnappte, und neben mir erkannte ich aus dem Augenwinkel, dass das rote Auge der Kamera wieder leuchtete. Natürlich … das war wohl jetzt der Moment, auf den meine Mutter spekuliert hatte – und sie sollte es sogar richtig dramatisch kriegen.

Ich holte tief Luft. »Sie dürfen sich nicht wundern, wenn wir eine Erklärung verlangen! Unsere zentrale Kartei, das Herzstück unserer Firma, war auf *Ihrem* Rechner, aber auf unserem verschwunden! Genau in dem Moment, in dem

wir mit wichtigen Kunden und dem Fernsehen hier auftauchen und absolut darauf angewiesen sind! Ist das nicht
ein seltsamer Zufall?!«

»Das ist kein Zufall, das ist Blödsinn! Wir haben die Daten gerettet, weiter nichts, weil *Sie* nicht das Geld für einen
funktionierenden Computer ausgeben wollten und Brooke
mit der alten Kiste völlig überfordert ist! Katherine hat
mühselig jeden einzelnen handschriftlichen Zettel mit Daten eingegeben, aber doch nicht für uns!«

»Das soll Ihnen irgendjemand glauben?!«, höhnte ich.
»Dass Sie nur edle Motive hatten, als Sie *unsere* Kunden
bei sich auf die Rechner gepackt haben?! Ich glaube eher,
Sie haben ein Geschäft gewittert: *Matches* vergeigt die Termine, hat keine vernünftigen Leute, und dann springen
Sie ein, als edler Retter in der Not – macht sich gut im Fernsehen – und kassieren auch noch, indem Sie unsere Kunden vermitteln!«

Brannigan schüttelte den Kopf, als könnte er nicht glauben, was er da hörte. Seine Wut machte anscheinend einer
Art komischen Verzweiflung Platz. »Miss Tessner! Ich
habe jahrelang gut mit Ihrer Mutter zusammengearbeitet.
Sie hat das Büro hier bekommen, wir haben unsere Daten
abgeglichen, und wir haben hin und wieder telefoniert,
um uns gegenseitig auf dem Laufenden zu halten. Genau
das beinhaltet ja auch unser Vertrag. Aber da ist Brooke,
und Brooke ist besonders. Sie steht auf Kriegsfuß mit
elektronischen Geräten, aber sie hat ein riesengroßes Herz
und eine Begabung für unseren Beruf. Also helfen wir
ihr, suchen ihre verschwundenen Dateien, reparieren ihr
Telefon und erklären ihr den Kopierer, wieder und wieder...«

»Und schmeißen sie aus dem Netzwerk!«

»Es ging nicht mehr anders! Sie hat unser System tagelang außer Gefecht gesetzt, zum Schluss zweimal im Monat! Wir konnten hier nicht mehr vernünftig arbeiten! Ich

habe ihr gesagt, sie soll mit Ihrer Mutter sprechen, einen neuen Computer anschaffen ...«

»Sie hat sich geschämt! Und ich finde es überhaupt nicht gut, hier alles auf Brooke zu schieben ...«

»Gar nichts schiebe ich auf Brooke – begreifen Sie das denn nicht?! Sie ist, wie sie ist, und Ihre Mutter weiß darüber Bescheid. Aber dann schickt sie *Sie*, in einer schwierigen Situation, und Sie stolpern – mit Verlaub – hier herein und entwickeln hektische Aktivität, verstehen offenbar nichts von der Partnervermittlung, behandeln meine Assistentin von oben herab ...«

»Was?« Ich schnappte nach Luft. »Wie können Sie ...?«

»... und fragen nicht *ein*mal nach, bitten um kein Gespräch – sondern rennen stattdessen zum Anwalt!«

Peter und seine Kamera hatten Brannigan umkreist und hielten jetzt direkt auf mein Gesicht. Ich musste cooler werden, unbedingt!

»Ich handele nur im Interesse unserer Kunden«, sagte ich. »Einzig und allein darum geht es. Sie haben wichtige Daten für unsere Kunden unterschlagen, so sieht es zumindest aus, und dagegen müssen wir uns wehren. Ansonsten verstehe ich durchaus etwas von Partnervermittlung und glaube auch nicht, dass hier in Ihrer Edelboutique Leute aus dem richtigen Leben, Leute mit Herz und Charakter, gut aufgehoben sind.« Zack – dieser Angriff saß hoffentlich. Er war mir ganz spontan eingefallen.

»Sie sind nicht auf den Mund gefallen, Miss Tessner, aber von einer seligen Ahnungslosigkeit. Die Menschen, die sie da meinen, die *echten* Leute, so wie Ihre Denise zum Beispiel, brauchen das Gespräch, den Kontakt! Man muss mit ihnen reden, sie kennenlernen, sie zu Hause besuchen und vielleicht sogar *mögen* – dann, und *erst* dann, können Sie vielleicht einmal darüber nachdenken, ihnen einen potenziellen Partner vorzustellen. So betreibe ich mein Geschäft – Sie können es meinetwegen Edelboutique nennen!

Aber Sie – haben Sie jemals richtig mit Denise gesprochen? Versucht, sie kennenzulernen, damit Sie begreifen, was sie sich wünscht?!« Er sah mich herausfordernd an. Verflucht, woher wusste er das? Das hatte ich nicht, wenn ich ehrlich war, aber ging ihn das etwas an?

»Sie wollen doch nur ablenken von Ihren Machenschaften«, beeilte ich mich. »Sie ...«

»Wissen Sie, Miss Tessner, ich glaube nicht, dass Sie grundsätzlich verkehrt sind ...«

Ich schnappte entrüstet nach Luft.

»...ich glaube nur, dass Sie mit Ihren eigenen Gefühlen nicht zurechtkommen. Was in diesem Beruf ein gewisses Problem darstellt – Sie wissen nämlich nicht, was Liebe ist.«

Das war einfach unglaublich! »Ich kann nicht fassen, was Sie sich hier herausnehmen! Für wen halten Sie sich – für *Dr. Love*?! Okay, Sie vögeln Ihre Assistentin, jagen jedes weibliche Wesen, das zufällig in ihren Dunstkreis gerät, und haben womöglich zu Hause noch eine Ehefrau, die von all dem nichts weiß! Aber das macht Sie noch lange nicht zu einem Experten für Gefühle – und schon gar nicht für meine!«

»Das ist es schon wieder, Miss Tessner – Sie schätzen mich so vollkommen falsch ein ... Wenn Sie ein Gespür für Menschen hätten, wenn Sie mich und meine Firma kennen würden, würden Sie niemals behaupten, ich hätte ein Interesse an Ihren Daten.« Er sah mich an, als hätte er plötzlich einen Entschluss gefasst. »Kommen Sie!« Mit einem Schritt war er neben mir und griff nach meinem Arm. »Ich werde Ihnen etwas zeigen!«

Ich war so verdattert, dass ich mich zunächst überhaupt nicht wehrte. Er zog mich aus dem Raum, und ich sah noch die verwirrten Gesichter von Biggy, Peter und der Leutberger neben mir, dann waren wir schon im Eingangsbereich.

»He, was soll das?«, protestierte ich. »Lassen Sie mich los!«

Doch er reagierte nicht. Hinter uns hörte ich die eiligen Schritte der anderen, die uns folgten.

»Lassen Sie mich los! Wohin wollen Sie denn?« Ich versuchte, meinen Arm aus seinem Griff zu befreien, aber er ließ nicht locker. Mittlerweile waren wir bereits draußen bei den Aufzügen. Brannigan hieb mit der flachen Hand auf den Knopf.

»Wohin gehen Sie? Was bedeutet das?«, war die Leutberger in unserem Rücken zu hören. Aus dem Augenwinkel sah ich Peter mit der Kamera, Esther dicht hinter ihm. Biggy mischte sich ebenfalls ein; vor lauter Aufregung sprach sie Deutsch. »Sie können die Nora doch nicht einfach so wegzerren, was…«

Mit einem sanften Schnurren öffnete sich die Aufzugtür. Brannigan zog mich ohne viel Federlesen in die Kabine, hieb wieder auf einen Knopf und drehte sich zu unseren Verfolgern um.

»Sie kriegen sie wieder«, knurrte er und streckte die Hand aus, um die anderen davon abzuhalten, ebenfalls in den Aufzug einzusteigen. Die Leutberger rief irgendetwas von »Treppe« und »Beeilung«, und ich sah noch, wie sie schwankend davoneilte.

Mir hatte es vor lauter Empörung die Sprache verschlagen. Erst als sich die Aufzugtür geschlossen hatte, lockerte Brannigan den Griff um meinen Oberarm.

»Was ist in Sie gefahren? Wollen Sie jetzt auch noch eine Entführung auf die Liste Ihrer Straftaten setzen?!« Ich funkelte ihn böse an.

Er wich meinem Blick nicht aus. Eine einzelne Strähne seines dunklen Haars hing verwegen in seine Stirn. »Bleiben Sie auf dem Teppich, Miss. Wir sind in zwanzig Minuten wieder zurück. Aber diese eine Chance werde ich Ihnen geben, und Sie werden mich nicht davon abhalten.«

Mir fiel keine einzige vernünftige Antwort ein. Aber weiter als bis in die Eingangshalle würde er mich nicht kriegen; ich würde dort einfach den Doorman zu Hilfe rufen. Der holte sicher die Polizei, und dann war Mr. Brannigan Geschichte.

Begegnungen der besonderen Art

Doch es kam anders.

Zwar zog mich Brannigan tatsächlich in die Eingangshalle hinaus, als der Aufzug angehalten hatte, doch der Doorman war nicht an seinem Platz – ganz nach dem Motto: Wenn man sie wirklich braucht, sind sie nicht da.

Brannigan hatte mich an der Hand genommen wie ein ungehorsames Kind. Die Tatsache, dass hier heller Tag war und draußen massenhaft Leute herumliefen, entspannte mich allerdings etwas, sodass ich seinem Griff weniger Widerstand entgegensetzte. Außerdem merkte ich, dass ich doch ein ganz klein wenig neugierig war. Trotzdem war ich mir noch ein Aufbäumen schuldig.

»Wenn Sie mir nicht wenigstens sagen, was Sie vorhaben, mache ich hier ein Mordsgeschrei!«, verkündete ich und blieb abrupt stehen.

Brannigan blieb ebenfalls stehen und sah mir in die Augen. »Sie würden etwas verpassen, Miss Tessner. Ich will Ihnen jemand vorstellen, weiter nichts. In einer Viertelstunde sind wir zurück.« Sein Blick war kühl und herausfordernd.

Ich zögerte nur kurz, dann nickte ich und hoffte, mindestens so cool zu wirken wie er. »Also gut«, sagte ich mit einem lässigen Achselzucken.

Als wir das Gebäude verließen, warf ich einen kurzen Blick über die Schulter. Ganz am Ende der Halle stand eine Tür offen, die ich bisher noch nicht einmal bemerkt hatte. Dahinter war ein winziger Ausschnitt einer baumlangen

Gestalt in Uniform zu sehen. »Charlene, *Baby*, das kannst du nicht machen …!«, hörte ich jemanden in ein Telefon flehen, bevor die Eingangstür hinter mir zufiel.

Brannigan riss bereits die Tür eines Taxis auf, das eben langsam herangerollt war – das Glück war anscheinend mit den Bösen. Ehe ich mich's versah, saß ich neben ihm auf der Rückbank. Er rief dem Fahrer eine Adresse zu.

Es ging nach Süden. Nach ungefähr fünf Minuten, die wir in eisigem Schweigen auf dem Rücksitz hockten, bog das Taxi von einer der großen Avenues links ab, die Häuser wurden kleiner und ein bisschen schäbiger, und Brannigan knurrte etwas von »East Side« zu mir herüber, nachdem er meinen unruhigen Blick bemerkt hatte. Ich hatte beinahe den Eindruck, als wäre da ein amüsiertes Funkeln in seinen Augen. Aber bevor ich mir ernsthaft Sorgen machen konnte, waren wir schon da.

Der Wagen hielt vor einem winzigen Laden. »JOE'S & EDNA'S« stand in grüngoldenen Lettern darüber, und kleiner: »Delicatessen«. Wollte mich Brannigan mit irgendwelchen Leckereien bestechen?!

Vor dem schmalen Geschäft, das in der tristen Straße einen seltsam farbenfrohen Eindruck machte, türmten sich die Waren unter einer fadenscheinigen Markise. Herbstblumen in leuchtenden Farben warteten neben Körben mit Pilzen, Salat, Nüssen und Äpfeln. Ein riesenhafter Kürbis, aus dem schon ein schmaler Spalt herausgehauen war, lag auf dem Boden, bewacht von Kräutertöpfen, Eimern voll bunter Flaschen und hohen Ständern, an denen Gewürze und Tüten mit Kartoffelchips hingen. Irgendwo in dem überfüllten Durcheinander leuchteten grüne Neonbuchstaben mit den Worten »Fresh Fruit & Grocery«.

Brannigan stürmte in den Laden, ohne sich nach mir umzusehen, und wenn ich nicht so neugierig gewesen wäre, hätte ich auf dem Absatz kehrtmachen und einfach davonstolzieren können.

So aber trabte ich ihm schnurstracks hinterher – und staunte. So viele Lebensmittel hatte ich noch nie auf kleinstem Raum angeboten gesehen. Die bis zur Decke reichenden Regale bogen sich förmlich unter Dosen, Flaschen und Gläsern. Hinter einer riesigen gläsernen Theke stapelten sich Berge von Hühnerbeinen, Würstchen und Käselaiben, daneben tummelte sich diverses Meeresgetier auf antarktisgroßen Eisschollen. Von der Obst- und Gemüsetheke blinkte es tausendfach in üppigen Farben, und von der Decke hingen Schinken, Salami und Zwiebelzöpfe in dichten Reihen.

Irgendwo dazwischen, kaum zu sehen hinter zwei gigantischen Holzstöcken mit lustig aufgespießten Bagels, war der Kopf eines menschlichen Wesens aufgetaucht – eigentlich nur die Augen. Der Rest war Bagel.

»Max!« Eine weibliche Stimme wehte heran. »Wie schön, dass du dich mal wieder sehen lässt!«

Irgendetwas knarrte, und dann tauchte die weißbeschürzte Gestalt einer Frau auf, die sich zwischen den Brot- und Crackerbergen vor der Theke hindurchzwängte. Sie war klein und mittleren Alters; ihr offensichtlich kräftig gefärbtes Haar wies einen schneeweißen Rand auf, der sie gleichzeitig verwundbar und auch verwegen aussehen ließ. Man konnte sehen, dass sie früher einmal viel dicker gewesen sein musste, denn ihre Haut an Wangen und Hals hatte tiefe Falten. Doch ihre Augen strahlten, als sie jetzt auf uns zukam und Brannigan fest in die Arme schloss.

»Wie geht's dir, mein Junge? Du arbeitest auch nicht zuviel, oder?! Irgendwas hast du da unter den Augen, ich hoffe für dich, dass es keine Augenringe sind! Ich werde dir ein paar Weintrauben einpacken und zwei, drei Orangen – wahrscheinlich passt du wieder nicht richtig auf deine Ernährung auf!«

»Edna ...«

»Warte, mein Lieber, ich muss Joe Bescheid sagen, sonst

ist er böse auf mich!« Die Frau drehte sich halb um und rief mit lauter Stimme ins Hintere des Ladens: »Joe! Joe Epstein, komm doch mal her, Max ist da! Und er hat uns jemanden mitgebracht!«

Womit sie mich mit hellen, neugierig funkelnden Augen betrachtete, als wäre ich jemand, auf dessen Besuch sie schon lange, lange gewartet habe.

»Edna, das ist Miss Nora Tessner, die Repräsentantin von *Matches Worldwide* – du weißt doch, die Partneragentur bei uns im Büro. Miss Tessner – Edna Epstein, Besitzerin dieses besten aller New Yorker Delis und alte Freundin von mir.«

»Schmeichel mir nicht so unverschämt!«, sagte Edna, wobei sie Max mit einem liebevollen Blick bedachte. Zu mir gewandt erklärte sie: »Wir sind bloß ein kleines Lebensmittelgeschäft. Max hat uns damals dieses Deli aufgeschwatzt, aber wir werden nie mit ›Katz‹ konkurrieren können – und das wollen wir auch gar nicht. Stimmt's, Joe?!«

Aus den Tiefen des Raums war ein kleines Männchen aufgetaucht – noch eine Handbreit kleiner als seine schon nicht sonderlich große Frau, schmächtig und mit einem lustigen, runden Rest grauer Haare rund um den kantigen Kopf. Seine Wangen wirkten ein bisschen bleich und eingefallen, aber in seinen Augen blitzte der Schalk und die Freude über den Besuch.

Mir fiel auf, dass er – während er Brannigan umarmte und mir freundlich die Hand schüttelte – nie den Kontakt zu seiner Frau verlor. Er bedachte sie mit liebevollen Blicken, und sie berührte zart seinen Arm und lächelte ihm zu. Es war ihnen gar nicht bewusst, aber sie strahlten eine enorme Wärme aus, als wären sie frisch verliebt. Was ja irgendwie nicht sein konnte. Sie mussten, grob geschätzt, auf die sechzig zugehen, waren verheiratet und betrieben offenbar seit einigen Jahren zusammen ein Geschäft. Irgendetwas an den beiden kam mir vage bekannt vor.

»Wie wär's mit einem Truthahn-Sandwich, Max?«, fragte Joe aufgeräumt. »Du kommst doch, um dir dein Mittagessen zu holen, oder etwa nicht?! Wir haben eben frisches Tabule gemacht...«

Brannigan winkte lächelnd ab. »Danke, Joe, heute nicht. Ich muss Miss Tessner gleich wieder zurückbringen, sonst gibt's gewaltigen Ärger...«

Ich schoss ihm einen bösen Blick zu. Wenn er es jetzt wagen würde, hier vor diesen netten alten Leutchen über mich herzuziehen, würde ich auf dem Absatz kehrtmachen und auf fürchterliche Rache sinnen.

»... ich bin bloß hergekommen, um ihr zu zeigen, was man aus unserem Beruf machen kann. Worauf es ankommt...« Er wirkte plötzlich verlegen, so als wäre ihm gerade aufgegangen, dass er womöglich einer schlechten Idee aufgesessen war. Seine penetrante Selbstsicherheit schien mit einem Mal ins Wanken zu geraten. »Ach, ich weiß nicht genau, was ich eigentlich wollte. Euch vorstellen, vielleicht. Ihr seid immer eine Reise wert«, sagte er beinahe ein bisschen unwirsch, aber der Blick, den er den Epsteins zuwarf, war warm und voller Sympathie.

Edna hatte ihn aufmerksam beobachtet, während er sprach. Jetzt wandte sie sich überraschend an mich.

»Sehen Sie, Schätzchen, mit Max ist es so: Er mag wie ein halber Pirat aussehen, aber in Wirklichkeit ist er väterlicherseits Schotte mit irgendeiner deutschen Urgroßmutter. Und genau so unergründlich wie diese Abstammung sind manchmal auch sein Herz und sein Verstand! Vermutlich hat er Ihnen gesagt, Sie sollten einmal ein wirklich glückliches Paar sehen, das er zusammengebracht hat. Aber das ist bloß die halbe Wahrheit...«

»Edna...«, unterbrach Brannigan sie unbehaglich.

»Na, Max – sonst hättest du sie ja nicht hergebracht, oder?! Du willst ihr irgendetwas sagen, das dir anders nicht gelingt! Deshalb sage ich's Ihnen, Schätzchen, auf meine Art: Max ist ein wunderbarer Mensch, auch wenn er sich Mühe gibt, dass es nicht jeder merkt. Egal, was zwischen euch schiefgegangen ist – vergessen Sie's und lassen Sie einfach nur Ihr Herz sprechen.«

»Danke, Edna, aber darum ging es nun wirklich nicht. Es ist eine rein berufliche Sache, und wir müssen jetzt auch dringend wieder zurück. Im Büro wartet ein Haufen Leute ...«

Edna und Joe wechselten einen verschmitzten Blick, während ich leicht verunsichert von einem Bein aufs andere trat. Wovon genau war hier die Rede?! Unterstellte die alte Dame etwa, Brannigan und ich ... wären irgendwie aneinander interessiert?!

Bevor ich dieses gigantische Missverständnis ausräumen konnte, war Brannigan schon halb an der Tür und Edna rief ihm hinterher: »Max, warte! Du wirst diesen Laden nicht verlassen, ohne etwas mitzunehmen, das weißt du genau!«

Neben ihr packte Joe bereits schmunzelnd mehrere riesige, glänzende Orangen in eine Papiertüte. Brannigan blieb widerstrebend stehen und wollte abwinken, aber die beiden beachteten ihn gar nicht. Edna drehte sich um und angelte nach irgendetwas, das hinter ihr von der Decke hing. Ich suchte nach Worten, um mich zu verabschieden.

»Hier, Schätzchen«, sagte Edna und wandte sich wieder zu mir. »Das ist für Sie. Die einzig wahre Pastrami von ›Berkowitz‹ drüben in Brooklyn. Legen Sie sie auf dunkles Roggenbrot mit einem Klacks Senfsauce.«

Und sie drückte mir einen riesigen Fleischbrocken in die Hände, der so schwer war, dass ich automatisch ein paar Zentimeter in Richtung Boden sackte. Ich war so verdattert, dass mir noch nicht einmal das Wort »Danke« einfiel. Wollte sie mir etwa dieses komplette Ungetüm schenken?! Das Ding war so groß wie ein halbes Kalb!

Joe, der mit seiner Tüte Orangen auf dem Weg zur Eingangstür war, tätschelte mir im Vorbeigehen freundlich den Arm.

»Machen Sie uns die Freude«, sagte er augenzwinkernd. »Meine Edna beglückt nun mal gerne Gäste von außerhalb, und wo Sie sogar Max' Freundin sind ...!«

An dieser Stelle hätte ich nun wirklich lautstark widersprechen müssen. Aber wie hätte ich das tun sollen, wo ich doch gerade unter dem Gewicht eines Schinken schwankte, der eine fünfköpfige Familie ein halbes Jahr lang mit Fleisch versorgt hätte, wo ich doch gleichzeitig von einer alten Dame umarmt und gedrückt wurde, die mich vor gerade mal zwei Minuten überhaupt erst kennengelernt hat, und wo außerdem noch ein böse dreinblickender Mensch an der Tür stand und ungeduldig mit den Füßen scharrte, damit ich endlich in die Gänge kam ...

Ich grinste also bloß dämlich, murmelte irgendetwas von »Überraschung« und »das kann ich doch nicht ...« und stolperte gleichzeitig in Richtung Ausgang. Ich musste die Pastrami annehmen, das war gar keine Frage, sonst wären Edna und Joe ziemlich beleidigt gewesen.

Irgendwie verabschiedeten wir uns, und ich torkelte hinter Brannigan auf die Straße hinaus. Als ich einen letzten Blick über die Schulter warf, sah ich die beiden Arm in Arm unter ihrer Markise stehen. Sie schauten uns nach, einträchtig und in Frieden mit sich selbst, und Edna hob eine Hand und winkte.

Natürlich dachte mein Entführer (denn das war er ja wohl!) in keiner Weise daran, mir mit dem Fleischbrocken zu helfen. Er zog ein finsteres Gesicht, marschierte den Gehweg entlang und hielt Ausschau nach vorüberfahrenden Taxis, während ich stumm neben ihm herstolperte und versuchte, nicht allzu lächerlich auszusehen. Gott sei Dank hatte er schon wieder das Glück, ziemlich schnell ein unbesetztes Taxi zu entdecken.

»Uff«, entfuhr es mir unwillkürlich, nachdem ich in das Polster des Sitzes gesunken war. Ich sah ihn von der Seite an. Er stierte immer noch düster vor sich hin.

Was mir natürlich Oberwasser bescherte. In süffisantem Ton fragte ich: »Und was sollte das Ganze jetzt bewirken?! Offensichtlich ist Ihnen das ja selbst entfallen, oder? Ich sehe wirklich keinerlei Zusammenhang mit unseren geschäftlichen ... Differenzen.«

Brannigan schoss mir einen giftigen Blick zu. »Das liegt daran, dass Sie vor lauter Vorurteilen sowieso kaum etwas sehen!«, knurrte er. »Deshalb musste ich drastisch werden, damit Sie überhaupt etwas begreifen.«

Ich musterte ihn finster, verkniff mir aber eine Retourkutsche.

»Edna und Joe kamen vor fünf Jahren zu mir«, fuhr er leise fort und sah aus dem Fenster. »Sie waren beide Ende vierzig, übergewichtig, einsam und verbittert. Sie hatten gescheiterte Ehen hinter sich und endlose Jahre des Alleinseins. Es war der reine Zufall, dass sie gleichzeitig bei mir landeten, ich musste gar nichts tun – die beiden liebten sich von der ersten Sekunde an. Sie strahlten innerlich, wie zwei Glühbirnen, die man ahnungslos anknipst und dann feststellt, dass sie aus unerfindlichen Gründen zusammengeschaltet sind. Ein einziger Stromkreis, verstehen Sie?« Er sah mich immer noch nicht an. »*Dafür* betreibe ich mein Geschäft – nicht, um möglichst vielen Leuten möglichst viel Geld aus der Tasche zu ziehen. Verstehen Sie mich nicht falsch: Joe und Edna haben ganz normal bezahlt – ich verdiene mein Geld damit, ich handle nicht aus reiner Passion! Aber ich stehle meinen Geschäftspartnern keine Kunden. Ich ziehe die Leute nicht über den Tisch, um möglichst viel abzusahnen. Ich wünschte, das würden Sie erkennen. Und ich hatte gedacht, Ihre Mutter wüsste das auch.«

Ich schluckte, plötzlich betreten. Erstaunt stellte ich fest, dass ich den dringenden Wunsch verspürte, ihm zu glauben – eine Art unerwarteter Sicherheit, dass er die Wahrheit sagte, dass er die Datei nicht geklaut hatte und nicht vorhatte, meine Mutter und *Matches* zu betrügen...

Weil er schwieg und ich nicht wusste, was ich sonst sagen sollte, murmelte ich: »Irgendwie kamen mir die beiden bekannt vor, ich weiß nicht, wieso...«

»Sie haben ihr Foto in der Agentur gesehen. Im Flur, auf dem Weg nach hinten.«

Es dämmerte mir sofort. Das beleibte Paar vor dem FRUIT & VEGETABLES-Schild – natürlich, das war Edna vor einigen Jahren!

»Die beiden haben aber ziemlich abgenommen«, sagte ich nachdenklich.

»Joe ist kurz danach sehr krank geworden. Zwei Jahre lang hat Edna an seinem Bett gesessen und gleichzeitig den Laden geschmissen. Sie hat mit ihm zusammen abgenommen, und sie hat die Zeit mit ihm zusammen überstanden.«

Ich seufzte. Es war eine schöne Geschichte – eine von diesen Liebesgeschichten, nach denen wir uns insgeheim alle sehnen. Ich bemerkte plötzlich, dass Brannigans dunkle Augen auf mir ruhten. Anstatt eilig woanders hin zu sehen oder eine unnahbare Miene aufzusetzen, erwiderte ich seinen Blick.

Irgendetwas lag darin, das mich ganz nervös machte, das ich aber nicht deuten konnte. Wie schrecklich fand er mich? Und wieso sah er mich so an? Ich schluckte. Mein Blick wanderte tiefer, zu seinem klar geschnittenen Mund. Plötzlich merkte ich, wie dicht wir nebeneinandersaßen. Da war wieder dieser Geruch, den ich aus seinem Büro kannte – der schwache Duft von Zimt und Leder. Ich spürte, wie mir aus unerfindlichen Gründen der Schweiß ausbrach. Sein Blick ließ mich nicht los.

In dieser Sekunde wurde die Tür des Taxis aufgerissen,

und eine weibliche Stimme quengelte in höchsten Tönen: »Gott sei Dank, Max! Wir dachten schon, du wärst ... na ja, es wäre irgendwas passiert!«

Wir schauten in das bleiche, sorgenvolle Antlitz der schönen Katherine.

Ich schüttelte mich innerlich. Was war das denn gerade gewesen, dieses seltsame Gefühl? Strahlte vielleicht die Pastrami irgendwelche Lockstoffe aus, die einem das Gehirn vernebelten?!

Mit Mühe rappelte ich mich aus dem Fond, die schwere Rinderbrust im Arm. Brannigan war längst auf der anderen Seite herausgesprungen, wurde bereits von seiner blonden Assistentin befingert und dachte anscheinend nicht im Traum daran, mir mit dem Fleischberg zu helfen.

»Wo wart ihr denn?! Wir haben überall gesucht! Der Doorman hat Stein und Bein geschworen, dass ihr nicht an ihm vorbeigekommen seid!«

Brannigan murmelte irgendetwas vor sich hin und würdigte mich keines Blickes. Langsam wurde ich ein bisschen sauer.

Katherine jammerte weiter. »Aber das ist ja gar nicht der Punkt! Die Dame vom Fernsehen ist auch weg, *das* ist es! Habt ihr sie gesehen? Hat sie euch gefunden?«

»Wie bitte?«, fragte ich. »Meinen Sie Frau Leutberger?«

»Ja, natürlich, Ihre Regisseurin!«

»Aber ...«

Wir standen mittlerweile in der Eingangshalle, und plötzlich tauchten aus mehreren Richtungen gleichzeitig Leute auf, als hätten sie in der Kulisse ihr Stichwort gehört. Brooke eilte händeringend von der Rezeption herüber, Biggy und Denise im Schlepptau. Im linken Flur, der in andere Bereiche des Gebäudes führte, erschien Peter, der ohne Kamera irgendwie nackt aussah. Unmittelbar darauf öffnete sich die Aufzugtür, und Esther trat zu uns.

Es dauerte eine Weile, bis alle berichtet hatten, was passiert war:

Nachdem Brannigan mich in den Aufzug gezerrt hatte, hatte die Leutberger die Verfolgung aufgenommen. Sie wusste offensichtlich genau, wo das Treppenhaus war, und rannte voraus, während Peter und Esther noch einen Augenblick brauchten, um ihr Equipment zu packen. Sie liefen ihr nach, fanden auch das Treppenhaus, nicht jedoch ihre Chefin. Sie riefen nach ihr, bekamen aber keine Antwort. Dann machten sie sich auf den Weg nach unten, weil sie vermuteten, Brannigan habe mich aus dem Gebäude gebracht. In der Halle sagte ihnen der Doorman, keine Menschenseele sei bei ihm aufgetaucht, weder wir noch die Leutberger.

Oben war sie aber eindeutig auch nicht, und auch sonst nirgendwo. Die Westerwegs und Katherine durchsuchten die Büros im 15. Stock, und Peter und Esther nochmal das Treppenhaus.

Sie waren alle nicht wenig verblüfft und auch ein bisschen besorgt – drei Leute wie vom Erdboden verschluckt, am helllichten Tag in einem belebten Gebäude. Da konnte etwas nicht stimmen.

Katherine hatte den Doorman gebeten, sich im Kellergeschoss umzusehen, wobei Esther ihn begleitet hatte. Nirgendwo war eine Spur der Leutberger zu finden. Wenigstens *wir* seien wieder da, wisperte Brooke mit flatterndem Blick und lächelte Brannigan sehr herzlich zu.

»Aber wo *wart* ihr denn?«, flüsterte Biggy mir neugierig zu.

Ich winkte ab und murmelte: »Später«.

In der Sekunde fiel mir siedendheiß ein, dass wir ja einen Termin hatten. »Um Gottes willen, wie spät ist es? Wir sind verabredet, wir haben ein *date* mit Steven, er ist unsere … na, jedenfalls müssen wir da unbedingt hin! Jetzt!«

Es war zwanzig vor zwei, wie sich herausstellte. Es war allerhöchste Zeit, wenn wir nicht gnadenlos zu spät kommen wollten. »Verdammt!«, sagte ich.

»Aber wir können doch nicht ... Sabine ist vielleicht etwas zugestoßen!« Esther setzte sich für ihre Chefin ein; das war ja auch in Ordnung.

»Ja, sicher. Aber eigentlich glaube ich das nicht – was soll ihr denn zugestoßen sein? Sie ist doch eine erwachsene Frau, oder? Im Vollbesitz ihrer geistigen Kräfte? Sie hat das Gebäude nicht verlassen und liegt auch nirgendwo mit gebrochenem Bein. Vielleicht hat sie sich verlaufen und jemanden kennengelernt, der sie auf einen Kaffee eingeladen hat ...« So richtig überzeugend fand ich meine Vermutung selbst nicht.

»Und wenn sie die falsche Tür genommen hat und jemand hat sie sich ... geschnappt?!« Denises Augen waren groß und erschrocken.

»Das halte ich für unwahrscheinlich. Es ist nur ...« Peter wirkte ein wenig verlegen.

»Was, nur?«, fragte ich misstrauisch.

»Na ja, sie hat ... Sabine hat vielleicht ein oder zwei Gläser zu viel von dem Prosecco abgekriegt. Sie war äh ... nicht mehr ganz so sicher zu Fuß ...«

Das war es also, was mir vorhin aufgefallen war: Die Leutberger hatte gesoffen! Was die Situation natürlich wirklich ein wenig verschärfte. Aber wir mussten trotzdem los, wir hatten keine andere Wahl!

Brannigan, der seltsamerweise verstanden hatte, was los war, obwohl wir Deutsch sprachen, mischte sich ein. »Fahren Sie, jetzt gleich. Wir werden hier weitersuchen. Sie beide ...«, er nickte Peter und Esther zu, »sollten allerdings hier bleiben, für alle Fälle ...«

Niemand widersprach, auch ich nicht. Ich gönnte ihm allerdings keinen Blick, während ich Brooke die Anweisung gab, das Telefon zu besetzen (Don!), und mich dann mit den beiden Westerwegs auf den Weg machte. Wir mussten uns ernsthaft beeilen, Leutberger hin oder her ...

Eine Minute später bemerkte ich, dass ich das riesige Stück Schinken immer noch im Arm hielt, nur dass ich diesmal nicht in einem Taxi saß, sondern in Rafs Lieferwagen. Seufzend rollte ich den Brocken auf den Sitz neben mir und bat Raf, ihn seiner Frau mitzubringen. Joe und Edna würden mir verzeihen, wenn sie es wüssten, redete ich mir ein. Der Schinken kam mir irgendwie vor wie die Fleisch gewordene Summe all meiner New Yorker Probleme.

Es war das erste Mal, dass wir ohne das aufdringliche Auge der Kamera unterwegs waren. Ich fand es angenehm, aber Biggy sagte, kaum dass wir in Rafs Wagen saßen: »Man fühlt sich ja fast nackig ohne die drei!«

Mir ging es besser ohne die Leutberger. Ich hatte zwar ein schlechtes Gewissen – wer weiß, was ihr passiert war! –, aber ich bin eben auch nur ein Mensch. Und mir kam der Gedanke, während wir in Richtung Süden düsten, dass dieses *date* vielleicht unter einem glücklichen Stern stehen könnte, gerade *weil* es unbeobachtet sein würde ...

Als nicht ganz so glücklich stellte sich dann aber die Tatsache heraus, dass wir zehn Minuten zu spät kamen.

Steven war sauer, auch wenn er zu höflich war, seine Laune deutlich zu zeigen. Er erklärte stattdessen, dass er in einem engen Zeitkorsett arbeite und nur eine Mittagspause von 45 Minuten habe ... eigentlich sei er ja davon ausgegangen, dass er Denise am Sonntag treffen würde, so habe er das mit meiner Mutter vereinbart. Er lächelte freundlich. So, und das Fernsehen sei nun auch nicht dabei, aha ...

Puh – so viel Kritik auf einmal! Denise sah mich betreten an. Ich war ein bisschen erstaunt, dass sie die hübsch verpackten Sticheleien überhaupt verstanden hatte – ihr Englisch war offenbar doch besser, als ich gedacht hatte.

Auf jeden Fall funkte es zwischen Steven und ihr überhaupt nicht. Die beiden luden uns sogar ausdrücklich ein, bei ihrem kurzen Gespräch im Park des Civic Center dabei zu sein, und letztendlich parlierte Steven mehr mit Biggy als mit ihrer Tochter.

Die schüttelte sich wie ein nasser Hund, als wir schließlich unverrichteter Dinge wieder in den Bus kletterten. »Datt war doch nun der Letzte, oder?!«, sagte sie und klang fast ein wenig erleichtert.

»Na . . .«, erwiderte ich, »uns bleibt natürlich noch der Beste, und außerdem haben wir ja noch eine große Kartei . . .«

»Ach ja«, murmelte Denise.

Biggy sagte nichts, sah aber mit mürrischem Gesicht aus dem Fenster. Raf, der uns zwar nicht verstand, von unseren Mienen aber ablesen konnte, wie es um uns bestellt war, begann, ein Liedchen zu pfeifen. Und unvermittelt, als wäre es ihm eben eingefallen, richtete er Biggy herzliche Grüße von Stan aus; dieser sei am Morgen extra noch mal zu ihnen gekommen, um den Auftrag zu erteilen . . .

»Ach, was!«, sagte Biggy und sah schon nicht mehr so mürrisch aus.

Als Raf uns schließlich vor dem Hotel aussteigen ließ, war die Stimmung schon wieder gelockert. Meine beiden Schutzbefohlenen plauderten munter mit ihm und erwogen die Frage, sich noch einmal zu treffen, bevor wir übermorgen abreisten.

Meine Laune dagegen war deutlich schlechter. Wenn die Leutberger nun wieder aufgetaucht war, würde sie mir gleich die Hölle heiß machen: »Wie – der letzte Kandidat?«, »Was – Sie müssen nochmal von vorne anfangen?«, »Wie erklären Sie sich denn, dass es überhaupt nicht gefunkt hat?« Das Ablenkungsmanöver mit der Klage gegen Mr. Right würde wahrscheinlich nicht funktionieren, angesichts dieses Flops mit den Männern für Denise ... Verflucht.

Unwillkürlich wanderte mein Blick nach oben, schweifte über die Fassade des Bürogebäudes, in dem sich meine Probleme versammelt hatten und händereibend auf mich warteten. Eigentlich ein hässliches Haus, dachte ich, auch wenn es zehnmal an der Fifth Avenue lag ...

Halt – was war *das*?! Ich spähte mit zusammengekniffenen Augen in den schmalen, kaum zwei Meter breiten Spalt zwischen »meinem« Gebäude und dem Nachbarhaus. Oben, irgendwo zwischen dem ersten und zweiten Stock, auf der eisernen Feuerleiter, war ein heller Fleck zu sehen. Das Kleiderbündel, so sah es aus, lag auf dem Absatz vor der Leiter, und es hatte, wenn man genauer hinsah, die Form eines menschlichen Körpers.

Verblüfft ging ich meinem Verdacht nach und trat ein paar Schritte in die Gasse hinein. Als ich unter dem Gitter stand und durch die rostigen Stäbe nach oben schaute, erkannte ich sofort den hässlichen hellblauen Blazer, den die Leutberger im Wechsel mit der schwarzen Jacke trug.

Mein Gott. Die Frau lag da oben und war krank, bewusstlos oder vielleicht sogar tot.

»Hallo! Frau Leutberger! Hallo!« Etwas Klügeres fiel mir nicht ein.

Durch mein Rufen aufgeschreckt, kamen jetzt auch Denise, Biggy und Raf angelaufen.

»Was is denn ...«

»Um Gottes willen!«

»Das ist ja ...«

Das Bündel rührte sich nicht, und wir vier sahen uns für einen Augenblick sprachlos an.

In dieser Sekunde hörten wir plötzlich ein Geräusch: ein röhrendes Schnarchen, gefolgt von einem gurgelnden

Schmatzen. Zum Schluss kam ein hohles Plopp, das irgendwie an ein altersschwaches Abflussrohr erinnerte.

Wir standen wie vom Donner gerührt. Dann fing Denise an zu kichern.

Eine halbe Stunde später hatten Raf, Peter und der zur Stelle geholte Hausmeister die Leutberger von der Feuerleiter heruntergeholt.

Es stellte sich heraus, dass sie bei der Verfolgung von Brannigan und mir geglaubt hatte, über die Feuertreppe schneller zu sein; jedenfalls war sie irgendwo unterwegs hinausgeklettert, vermutlich beflügelt von zu viel Prosecco. Als sie dann bemerkt hatte, dass die Leiter vier Meter über dem Erdboden aufhörte, hatte sich das Fenster nicht mehr öffnen lassen. Also hatte sie sich auf den unteren Absatz der Treppe gesetzt in der Hoffnung, jeden Moment werde jemand auftauchen und sie befreien. Und darüber war sie wohl eingeschlafen.

Natürlich war ihr die Sache peinlich. Zwar hätte sie den Fehltritt niemals zugegeben, aber in einer ungewohnt zurückhaltenden Art ließ sie verlauten, dass sie ins Hotel zurück wollte, um »früher Schluss zu machen«. Sie fragte noch nicht einmal, was denn bei Steven herausgekommen war oder was es mit der Entführung durch Mr. Brannigan auf sich hatte ... Hätte ich geahnt, was Alkohol bei ihr anrichtete, hätte ich sie längst schon mal abgefüllt.

Ich schickte das Fernsehteam mit Raf zurück ins Hotel und wandte mich Biggy zu, die mich zu einem Gespräch in den Salon gebeten hatte.

Es saßen schon zwei Kunden von Mr. Right da, zwei verschüchtert wirkende Menschen, die in einer Ecke stumm vor Kaffee und Keksen hockten und sich hin und wieder heimlich beäugten. Biggy und ich verzogen uns in die entgegengesetzte Ecke.

»Also«, keuchte Mama Westerweg, die immer noch unter der Aufregung der letzten beiden Stunden litt, »jetzt mal im Ernst: Es ist ja eigentlich nix rausgekommen bis jetzt. Darf man doch so sagen oder... ohne dass Sie gleich beleidigt sind. Ein oder zwei waren ja dabei, da hätte ich gesagt, die wären was – aber die Denise hat ihren eigenen Kopf. Aber die ganze Sache hat mich nun mal 8.000 Euro gekostet, so ungefähr, und da will man ja auch so eine Art Ergebnis, stimmt's?! Anders ausgedrückt, Nora – darf ich doch sagen, ne? – wir wollen den Don oder Dan oder wie er heißt. Und möglichst noch einen oder auch zwei andere. Datt muss noch drin sein, finde ich. Wenn das dann nix wird, dann ist es eben so, dann haben wir wirklich alles versucht. Sehen Sie das nicht auch so, Frau Tessner?«

Ich unterdrückte den millionsten Seufzer dieses Tages. »Ja, im Prinzip haben Sie sicher recht. Ich habe nur den Eindruck, dass Denise... irgendwie die Lust verloren hat, und da ist es natürlich auch schwer...« Das war nun keine Ausrede; es kam mir wirklich so vor.

»Die Denise! Ja, mein Gott, vielleicht irgendwie schon, aber... mein Günter sagt, das Kind besinnt sich schon wieder – spätestens wenn wir auf dem Rückflug sind, und dann ist es zu spät! Also muss man ihr *vorher* zum Glück verhelfen, oder?! Er kennt seine Pappenheimer, sagt mein Günter, und er weiß, datt sich die Denise hinterher schwarz ärgern wird!«

Dieser Günter hatte ja auch etwas von einer Nervensäge. Telefonierte Biggy eigentlich jeden Tag stundenlang mit ihm? Ich nickte langsam und sah, wie die kleine stämmige *lady* in der anderen Ecke endlich wagte, dem schüchternen Mann auf dem Sofa gegenüber die Zuckerdose zu reichen.

»Wo ist eigentlich Denise?«, fragte ich abgelenkt.

Biggy sah mich erstaunt an, als hätte sie die Abwesenheit ihrer Tochter eben erst bemerkt. »Keine Ahnung! Vielleicht hinten bei Brooke? Vorhin hat sie nochmal mit dem Brannigan geredet. Ist ja auch ein charmanter und properer Kerl, wie? Der könnte mir auch gefallen für die Denise, gut aussehen tut er und er ist sooo nett, und immer gut angezogen ...«

Unwillkürlich verengten sich meine Augen. Über Brannigan wollte ich als Allerletztes sprechen! Er schleimte sich ganz schön bei meinen Kunden ein, wie es aussah, tat aber dann so, als wäre er ganz Enthusiast und Weltverbesserer – pah!

»Apropos«, sagte ich. »Diese Sache mit dem Anwalt, die Sie ja vorhin mitbekommen haben ... das hat auch etwas damit zu tun, dass Sie nicht ganz zufrieden sind; wir glauben, Brannigan könnte unsere Datei ... nun ja, manipuliert haben. Aber es ist nur ein Verdacht ...«

»Ja, aber, das glauben Sie doch nicht im Ernst! So ein netter Mensch, Nora! Datt kann ich mir beim besten Willen ...«

Ich hob die Hände, um sie mir in Unschuld zu waschen. »Ich weiß es nicht, ich sage, es ist nur ein Verdacht! Aber wie auch immer, wir sollten jetzt überlegen ...«

Plötzlich stand Brooke vor uns; sie schwenkte einen kleinen Zettel und hatte ein erleichtertes Lächeln auf dem Gesicht.

»Miss Tessner, es ist Don! Er hat angerufen und sagt, er will – ich meine, er will das date! Er ist einverstanden, und er sagt, es geht auch heute noch, am frühen Abend, und ...«

»Wunderbar!«, jubelte ich. Ich freute mich wirklich. Das Sahnestückchen – jetzt konnte alles gut werden. »Haben Sie einen Termin ausgemacht? Wann, wo?«

Brooke reichte mir den Zettel und sagte gleichzeitig: »Ja, noch nicht richtig; wir haben uns darüber unterhalten, was früher Abend ist, und ich meinte, es ist ab fünf, aber er sagt, er findet, es ist erst ab sechs ...«

Auf dem Zettel stand nur ein einziges Wort: Don. Ich sah Brooke verwirrt an. »Don?«

»Ja, Don, genau. Das habe ich ja aufgeschrieben! Don.«

»Ja, aber – der Termin?«

»Ja, den sollen Sie lieber ausmachen, dachte ich ... weil ich doch nicht genau weiß, was Ihre Pläne für heute Abend sind, und die von Biggy und Frau ...«

»Ach so, okay. Na gut. Kann ich ihn gleich zurückrufen? Wo ist er denn jetzt?«

»Na, am Telefon. Er wartet ...«

»Sie meinen, er ist *jetzt* am Telefon? Er wartet in der Leitung?!«

»Ja, natürlich. Ich sagte ihm ...«

Ich war schon aufgesprungen. Unhörbar fluchend eilte ich aus dem Salon, vorbei an dem Pärchen, das jetzt auf den Kanten seiner Polsterstühle hockte und sich schüchtern anlächelte.

Don hatte noch nicht aufgelegt. Wir vereinbarten einen Termin um sechs, und er schlug ganz unkompliziert die Bar des »Skyline«-Hotels vor; ich dankte ihm überschwänglich.

Kaum hatte ich aufgelegt, klingelte das Telefon wieder. Es war Mr. Glitz, der Anwalt. Er sagte, er habe noch keine Reaktion auf sein Schreiben bekommen, er hoffe, ich sei zufrieden mit seinen Formulierungen, und er habe außerdem noch überlegt, ob nicht ein weiteres Schreiben sinnvoll sei. Im Grunde fehle im ersten Brief eine Summe für eine eventuelle Schadenersatzforderung, zwei bis vier Millionen Dollar vielleicht ...

Ich schnappte nach Luft. Weil er mich missverstand, entschuldigte sich Mr. Glitz tausendmal und verbreitete sich darüber, dass es manchmal psychologisch effektiver sei, einen zweiten, unerwarteten Brief hinterherzujagen. Er bat mich händeringend um einen Termin, bei dem wir das alles besprechen konnten – unbedingt heute Abend noch, da wir ja unter Zeitdruck seien.

In meinem Hirn machte es Klick. Ich bestellte Mr. Glitz für halb neun in die »Skyline«-Bar. Fairerweise sagte ich ihm, ich würde ihm dann auch eine Klientin vorstellen, und wir könnten einfach ein Glas zusammen trinken. Mr. Glitz war sehr erfreut.

Als ich aufgelegt hatte, kam ich mir trotzdem schäbig vor.

Wir wollten ins Hotel zurück; zwei Stunden blieben uns bis zur nächsten Runde, und ich fühlte mich auch wie ein Boxer kurz vor dem technischen K.o.. Als ich mit Biggy vor den Aufzügen stand, fürchtete ich, Brannigan oder sonst wer könnte hinter mir auftauchen und mich zur nächsten Scharade zwingen. Ich brauchte eine kurze Pause von der Rolle der »toughen Geschäftsfrau«, der »sensiblen Partnervermittlerin« oder des »Gerne vor der Kamera herumhopsenden Organisationstalents« und war heilfroh, dass Raf uns nun zum Hotel bringen würde.

Wir fanden Denise unten am Doorman-Pult, im Gespräch mit Raoul, eisten sie los und bestiegen draußen den Van. Ich lehnte mich in die abgewetzten Polster zurück und dachte an Sven. Zum ersten Mal lag kein rechter Trost darin.

Zwei durch eins ist einer zuviel

Der Aufzug im Hotel knirschte und ruckelte, während er mich nach unten trug. Automatisch musste ich an den anderen Aufzug denken, den ich heute in der Fifth Avenue benutzt hatte ... und wie ich da neben dem Mann gestanden hatte, den alle so zu mögen schienen und der trotzdem mein Gegner war. Er hatte mich entführt, das durfte man ruhig so ausdrücken, und er hatte meine Mutter betrogen und vielleicht noch Schlimmeres. Seine Hand auf meinem Arm, seinen Duft hatte ich erst später wahrgenommen, wahrscheinlich war ich am Anfang noch zu aufgeregt gewesen. Er und die schöne Katherine – ein Bilderbuchpaar, das musste ich zugeben, natürlich alles reine Oberfläche, sie blond und er mit diesem schwarzen Haar, das ihm manchmal in die Augen fiel ...

Die Aufzugtür öffnete sich im Erdgeschoss und ein Haufen eben eingetroffener Touristen, die sich hineindrängelten, holte mich in die Gegenwart zurück. Ich schlüpfte zwischen den dicken Koffern hindurch und ging am Souvenirstand vorbei in Richtung Hotelbar. Es war reichlich Betrieb für Montagabend, aber vermutlich gab es in New York City nie eine Pause. Ich kam am Frühstücksraum vorbei, der ab mittags zum regulären Restaurant wurde, wo man Steaks, Burger und eine breite Palette europäischer Biere bekam ... wenn es mit Don oder Mr. Glitz heute schon wieder nichts würde, das schwor ich mir, würde ich mich später hier durch das Angebot trinken.

»Miss ... Tessner? Hallo?«

210

Irgendjemand quatschte mich von hinten an. Ich drehte mich um. Zu meiner Verblüffung war es Greg, der Physiklehrer; ich erkannte ihn sofort.

»Greg! Was machen Sie denn hier?«

Er sah ganz gelöst aus, mein Sorgenkind; er trug Jeans und einen grünen Pulli, der seinem blassen Gesicht ein bisschen Farbe verlieh.

»Ich äh ... ich habe ein *date* hier! Wussten Sie das nicht? Mit Maggie.«

Ich muss ein bisschen dumm aus der Wäsche geschaut haben, denn er erklärte mir geduldig, dass Brooke ihn angerufen, ihm ein Treffen mit Maggie angeboten und dieses Hotel hier vorgeschlagen hatte, weil ihr das gerade in den Kopf gekommen war. Maggie war eine 33-jährige Buchhalterin aus Ocean City, die eigentlich einen europäischen Mann suchte.

»Aber dann ...«, sagte ich.

»Nein, nein, keine Sorge«, lächelte er. »Alle Europäer, die sie bisher getroffen hat, waren ihr zu exotisch, deshalb denkt sie im Moment darüber nach, die Entscheidung rückgängig zu machen. Wir ... unterhalten uns gut.«

»Das freut mich, wunderbar! Bleiben Sie locker, Greg, und erwarten Sie am Anfang nicht zu viel ...«

Er schüttelte den Kopf. »Schon klar, Miss Tessner. Ich will Maggie auch nicht lange warten lassen, aber als ich Sie vorbeigehen sah, habe ich mich kurz entschuldigt ... Ich wollte Ihnen danken, von ganzem Herzen.«

»Aber wieso, ich habe doch gar nichts gemacht.« Es war mir ein klein wenig unangenehm; ich hatte die Sache ja wirklich bloß angestoßen.

»Brooke hat es mir erzählt; Sie haben dafür gesorgt, dass alles ins Rollen kommt. Und dann auch noch *pro bono*! Ich kann Ihnen gar nicht genug danken; ich hatte es ...«, jetzt wurde er ein bisschen rot, »ich hatte es eigentlich schon aufgegeben. Brooke sagt, Sie haben sie inspiriert.«

Beinahe wäre ich auch noch rot geworden, aber er schüttelte mir rasch die Hand und verschwand wieder im Restaurant.

Leidlich beschwingt ging ich weiter. Vielleicht war diese Begegnung ein Vorzeichen, ein gutes Omen für den Rest des Abends!

Don war pünktlich auf die Minute. Ich erkannte ihn wieder, aus dem »King's Pub« von vorgestern. Wir schüttelten uns freundlich die Hände, und ich stellte ihm die anderen vor. Frau Leutberger ließ sich nicht blicken, hatte aber Peter und Esther geschickt. Biggy und Denise waren frisch aufgerüscht und ein bisschen nervös – vermutlich war das der Grund, warum sie ihre Rollen ein wenig vertauscht hatten: Biggy kicherte öfter als sonst, und Denise stellte Don die eine oder andere sachliche Frage.

Don war zu sehr Gentleman, um auch nur eine Miene zu verziehen. Höflich und mit einem kleinen Lächeln auf den Lippen ging er auf jeden Themenwechsel ein, betrachtete Denise zwischendurch und warf mir kurze Blicke zu, aus denen ich nicht schlau wurde. Er hatte auch keine Probleme mit der Kamera; er sprach klar und deutlich, willigte sofort ein, sich wegen des Lichts woanders hinzusetzen, und gab offene, freundliche Antworten. Er sah ein bisschen britisch aus, mit seinem hellen Haar und der aristokratischen Nase; ich konnte richtig sehen, wie Biggy auf ihn abfuhr. Don war wirklich eine Art Sahneschnittchen, dachte ich. Beinahe schade, dass die Leutberger nicht dabei war.

Nach zwanzig Minuten Kamerageplauder und gegenseitigem Abklopfen fand ich, dass es Zeit für den intimen Part des *dates* wurde. Ich machte schon Anstalten, die Runde aufzulösen, als Denise sich entschuldigte, weil sie mal »für ladies« musste. Also blieben wir noch sitzen. Don verstrickte mich in eine Diskussion über die Unterschiede des Lebens in New York und Berlin.

Und Denise kam nicht wieder.

Nach zehn Minuten ging ihre Mutter los, um nach ihr zu sehen. Es dauerte, bis sie zurückkam, denn sie hatte auch noch auf ihrem Zimmer gesucht. Biggy war nun ziemlich nervös, und Esther bot ihr an, nochmal mit ihr loszuziehen.

Don blieb jedoch gelassen und forderte mich auf, bei ihm sitzen zu bleiben – ging ja gar nicht anders, ich konnte ihn ja schlecht allein lassen! Je länger es dauerte, bis die anderen zurückkamen, desto unruhiger wurde ich allerdings. Irgendein Gedanke versuchte immer drängender, in mein Bewusstsein zu gelangen, aber ich war noch nicht bereit, darauf einzugehen.

»Darf ich Ihnen noch einen Cocktail bestellen?«, fragte mich Don und wandte seine aufmerksamen, hellblauen Augen nicht von mir. »Entspannen Sie sich. Man wird sie ja nicht entführt haben . . .«

Brannigan!, dachte ich. Hatte er . . .? Nein.

». . . im schlimmsten Fall hat sie keine Lust, sich weiter mit mir zu beschäftigen. Womit ich leben kann – wenn *Sie* sich noch ein bisschen mit mir unterhalten.«

War das möglich – flirtete er mit *mir*?! Durfte das wahr sein?!

Ich konnte mir nicht helfen, ich war sauer. Jetzt waren wir so nah dran gewesen, er hatte einen so guten Eindruck gemacht, sogar die Leutberger wäre dahingeschmolzen! Aber jetzt interessierte er sich gar nicht richtig für Denise, sondern fing an, mich anzubaggern! Heiliges Kanonenrohr! Und Denise war möglicherweise vor ihm davongerannt!

Ich lächelte Don ein bisschen gezwungen an, aber bevor ich in die Verlegenheit kam, etwas zu sagen, tauchten Biggy und Esther wieder auf. Denise war nirgends zu finden, und wir sollten die Polizei rufen, meinte ihre Mutter.

Peter hatte die Kamera wieder angeschaltet.

Eine halbe Stunde später hatten wir immer noch keine Spur von Denise. Niemand vom Hotelpersonal hatte sie gesehen, wir hatten das gesamte Erdgeschoss abgesucht und waren sogar einmal um den ganzen Block gelaufen. Don hatte angeboten, einen befreundeten Detective der New Yorker Polizei anzurufen, aber der hatte erklärt, vor Ablauf von 24 Stunden nach Verschwinden einer Person könne man von offizieller Seite nicht tätig werden.

Esther – die Verräterin – hatte die Leutberger informiert, und die war jetzt mit bleichem Gesicht und frischem Blazer wieder Teil unserer ratlosen Runde. Wir hatten uns eben nach den diversen Rundgängen wieder in der Bar niedergelassen – um uns zu beruhigen, wie Don sagte, und zu diesem Zweck noch ein Glas zu trinken.

Er benahm sich allmählich wie der Anführer des ganzen Trupps, wie ich mäkelig feststellte. Das gefiel mir nicht, und mir gefiel auch nicht, wie unbeeindruckt er von Denises Verschwinden schien und wie er unauffällig dafür sorgte, dass er immer in meiner Nähe war. Er war überhaupt nicht mein Typ, verdammt nochmal!

Als ich aufsah von meinem stummen Fluch, sah ich mich plötzlich Auge in Auge mit Mr. Glitz.

»Mr. . . . äh, was machen Sie denn hier? Jetzt schon?« Ich war richtig erschrocken.

»Jamie! Ja, aber . . . ich hatte doch angerufen, und die nette Dame am Telefon sagte mir, das wäre in Ordnung, etwas früher zu kommen.«

Ich fragte nicht weiter nach. Da war er nun mal, der zweite potenzielle Kandidat für Denise – und Denise war *nicht* da.

Mr. Glitz – Jamie – schaffte es, sich neben mich zu setzen, und beteiligte sich engagiert am Gespräch, nachdem er erfahren hatte, warum wir alle etwas durch den Wind waren.

»Ach«, rief er, »etwa die junge Dame, die Sie mir vorstellen wollten?! Die ist verschwunden?«

Don sah mich ein bisschen seltsam an, und ich wäre am liebsten überall gewesen, nur nicht hier. Ich spürte geradezu, wie unserem Sahneschnittchen der vermasselte Termin im »King's Pub« wieder einfiel und dass er *not amused* war ... aber andererseits, er sollte sich nicht so aufspulen, er interessierte sich ja kaum für Denise!

Dafür beäugte er Mr. Glitz genau, und er sah, was mir auch nicht lange verborgen blieb: Jamie fand mich nett.

Zumindest grinste er mich die ganze Zeit an, beugte sich zu mir herunter (er war ziemlich groß) und wisperte mir etwas über den zweiten Brief, über Klageerhebungen und Millionen Dollar ins Ohr, und einmal legte er sogar seine Hand auf die meine, als er über eine meiner Bemerkungen lachte.

Mir war nicht nach Lachen zumute. Ich überlegte, wie ich diese alberne Situation auflösen und mich wieder auf das Kernproblem konzentrieren konnte: dass eine Klientin von mir verschwunden war. Vielleicht sollte ich aufstehen und laut verkünden, ich müsse mal eben meinen Freund in Berlin anrufen, der mir heute noch gar nicht versichert habe, dass er mich furchtbar liebe und vermisse ...

»Entschuldigung, wer von Ihnen ist Miss Tessner?«

Nein, nicht schon wieder irgendein fehlgeleiteter Mann! Aber es war nur der Barkeeper, der an unseren Tisch getreten war. »Miss Tessner? Der Portier hat angerufen; eben ist die junge Dame, auf die Ihre Beschreibung passt, draußen vor dem Hotel aufgetaucht.«

Alle sprangen auf, sogar Don und Jamie, mitgerissen von der Woge der Erleichterung bei uns anderen. Biggy segelte bereits allen voran in Richtung Foyer.

»Endlich!«, rief sie. »Aber jetzt kriegt das Kind was zu hören!«

Wir liefen hinterher, Don und Jamie als Schlusslichter. Weil Biggy erst noch eine unnötige Schleife zum Portier

machte, kamen wir alle in etwa gleichzeitig vor der Dreh-
tür an.

Und sahen alle gleichzeitig dasselbe Bild.

Denise stand da unter dem Lichtkegel einer Straßenlaterne und küsste einen Mann. Sie küsste ihn lange und
engagiert, geradezu wild, und der Mann küsste zurück,
nicht weniger engagiert, das war deutlich zu erkennen.

Wir standen da und rührten uns nicht.

»Datt . . .«, hauchte Biggy.

Niemand wusste etwas zu sagen.

Dann kamen alle gleichzeitig in Bewegung. Denises
Mutter stürzte nach draußen, die Empörung in Person.
Kamera und Ton eilten hinterher. Ich konnte richtig sehen,
wie die Schmach des Nachmittags von der Leutberger ab-
fiel, als sie den Fehltritt einer anderen vor die Linse bekam. Sie schnappte sich vorsorglich das Mikrophon von
Esther, um im richtigen Moment die entsprechende boh-
rende Frage abschießen zu können.

Ich folgte ein wenig langsamer, flankiert von den beiden – offensichtlich überflüssig gewordenen – Männern
für Denise. Don und Jamie beäugten das Geschehen interessiert, aber ziemlich gelassen.

Es dauerte eine Weile, bis die beiden ins Küssen Vertief-
ten das Anrücken des feindlichen Geschwaders bemerk-
ten. Sie fuhren auseinander, aber nur ein kleines Stück.
Jetzt konnten wir sehen, für wen sich Denise so interessierte: Es war Raoul.

Ich war nicht wirklich überrascht. Denises Mutter aber
machte ein Gesicht, als wäre der Puertoricaner plötzlich
zum Staatsfeind Nr. 1 mutiert.

»Denise?«, sagte sie in so ernstem Ton, wie ich ihn noch
nie von ihr gehört hatte. »Wie willst du mir das erklären?«

Ihre Tochter schob die Unterlippe ein wenig vor, wie ein
gescholtenes Kind, aber dann fasste sie sich und sah ihrer
Mutter in die blitzenden Augen.

»So wat passiert«, sagte sie nur.

Ich fand die Antwort genial, aber bevor ich applaudieren konnte, nahm Biggy schon Fahrt auf.

»Kind – wir suchen dich wie verrückt die ganze Zeit! Was glaubst du, was wir uns für Sorgen gemacht haben?! Und dann die Herren hier...« Sie fuchtelte mit der Hand in Richtung Don und Jamie, ohne sich umzusehen. »... wat müssen die denn denken, wenn du einfach verschwindest, ohne ein Wort zu sagen, und dann auf der Straße mit einem anderen...! Kann es denn wahr sein? Wofür hab ich so viel Geld ausgegeben, wofür haben denn alle so viel gearbeitet, die Nora hier und ihre Mutter, und die Frau Leutberger und das ganze Fernsehen?! Dafür, datt du dann mit einem... einem Nachtwächter – nix für ungut...« Sie warf Raoul einen sekundenschnellen Blick zu, aber der verstand sie ja überhaupt nicht. »... mit irgendeinem, der gar nicht für dich *ausgesucht* ist, datt du mit *dem* dann rummachst!?«

Ich legte Biggy begütigend die Hand auf die Schulter, aber die hatte nur Augen für ihre Tochter.

»Mama«, sagte Denise mit fester Stimme, und ich bewunderte sie schon fast, »wir haben uns eben verliebt. So ist das, und da kannst du nun mal nix machen!«

Die Leutberger konnte nicht länger an sich halten. »Wann ist das passiert?«, fragte sie in animiertem Ton und hielt Denise das Mikrophon vor den Bauchnabel. »Dass Sie sich nähergekommen sind?«

»Och«, erwiderte Denise und lächelte verlegen, »eigentlich haben wir uns gleich gut gefunden, wo wir uns das erste Mal unterhalten haben...«

»Denise!«, stöhnte ihre Mutter.

»Was sagen sie?«, flüsterte Jamie in mein Ohr. (Es wurde ja Deutsch gesprochen.)

»Ich möchte auch etwas sagen!«, verkündete Raoul. »Es tut mir leid, wenn ich hier in irgendwelche... geschäft-

217

lichen Angelegenheiten hineingefunkt habe. Aber Denise und ich ... es gab keine andere Möglichkeit, verstehen Sie? Als ich sie das *erste* Mal gesehen habe, da hab ich nur gedacht, das ist aber mal ein hübsches Mädchen, eine von der Sorte, die man selten sieht. Aber dann, als sie zu mir kam und wir geredet haben, da hab ich plötzlich gedacht: Dieses Mädchen ist ja wie meine andere Hälfte ... oder es hat sich so *angefühlt*, wenn Sie wissen, was ich meine. Als könnte sie die Frau sein, nach der man eigentlich die ganze Zeit gesucht hat, ohne es zu merken; die Frau, die einem immer gefehlt hat ... Komisch, dass ausgerechnet eine blonde Deutsche meine andere Hälfte sein soll, aber – da kann man vielleicht einfach sagen: Schwein gehabt, oder?! Ich meine, dass Sie hier aufgetaucht sind ...« Er sah uns alle der Reihe nach an, als wären wir eine Horde Weihnachtsmänner, die ihm ein riesiges, unerwartetes Geschenk vorbeigebracht hätten.

Es rührte mich zu sehen, wie sich die beiden so aneinanderschmiegten, diese zwei kleinen, rundlichen Gestalten, eine hell und eine dunkel ... irgendwie sahen sie tatsächlich aus wie das Yin und Yang, schwarz und weiß ...

Denises Mutter schien deutlich weniger positive Gedanken zu hegen. Sie verzog missbilligend das Gesicht, anders konnte man es nicht ausdrücken. Ihre Miene hellte sich auch nicht wesentlich auf, als sie plötzlich das Mikrophon vor *ihrem* Bauch hatte.

»Was halten Sie von dieser Entwicklung, Frau Westerweg?«

Biggy zögerte. »Na ja ... das kommt ziemlich überraschend, erstmal. Und dann ist es ja auch irgendwie nicht so abgesprochen, ich meine ... die ganzen Männer, die extra für sie ausgesucht worden sind. Der Raoul ist ja ein Netter, ganz klar, aber so für die Zukunft ... also ganz ehrlich, ich bin skeptisch.«

Was ihr deutlich anzusehen war; fast schien es von ihrer

Stirn herunterzuleuchten: Ein Puertoricaner? Ein Wach-mann? Wahrscheinlich arbeitet er für einen Hungerlohn, und wovon soll mein Kind dann leben? Ich will den mit den fünfzehn Boutiquen ....

»Frau Tessner, sind Sie sehr überrascht? Was halten Sie davon, dass Ihre Kundin auf alle Vermittlungsversuche pfeift und sich auf eigene Faust einen Mann sucht? Haben Sie da vielleicht versagt?«

»Keineswegs«, antwortete ich und schluckte meinen aufflammenden Ärger hinunter. »Wir sind ja alle keine Automaten, oder? Manchmal packt es einen, und da kann man gar nichts machen ...«

Meine anfängliche Begeisterung löste sich aber ziemlich schnell in Luft auf. Statt uns friedlich auf unsere Zimmer zurückzuziehen und das Liebespaar in Ruhe das tun zu lassen, was sie sicher tun wollten, mussten wir in die Bar zurück und *reden*.

Biggy wollte sich die Sorgen von der Seele quatschen, das war ja noch verständlich. Die Fernsehleute hätten am liebsten gehabt, dass wir uns kameragerecht stritten – bis die Fetzen flogen vermutlich –, das sah ich der Leutberger an der Nasenspitze an. Sie hielt sich noch zurück, wegen ihres Faux pas am Nachmittag, aber in ihren Augen glitzerte es schon verdächtig. Denise und Raoul hatten sich geweigert mitzukommen und sich im Foyer auf ein Sofa gehockt. Ich hoffte, sie würden sich im prüden Amerika nicht allzu sehr gehen lassen ...

Und dann waren da Don und Jamie. Statt einfach nach Hause zu gehen, blieben die beiden sitzen wie festge-schweißt, bestellten einen Drink nach dem anderen und wollten dauernd von mir wissen, was denn auf Deutsch gesagt wurde ...

Aber waren nicht auch diese beiden – sogar Jamie, auch wenn er's noch nicht wusste – Kunden von *Matches World-*

wide und mussten folglich von mir gut behandelt werden?

Also tat ich tapfer so, als bemerkte ich nicht, dass sie mich anbaggerten. Ich nahm einfach große Schlucke von meiner Margarita und lächelte ausdauernd. Ich versprach Biggy, gleich morgen früh meine Mutter anzurufen, damit die ihr mit Rat und Tat zur Seite stehen konnte.

Als sich dann die Gespräche im Kreis drehten, gelang es mir schließlich, die Runde aufzulösen. Ich glaube, ich versprach einigen Leuten zu viel, aber das ließ sich später nicht mehr eindeutig feststellen. Jedenfalls gingen sie. Don und Jamie küssten mich auf die Wange und versprachen, mich morgen anzurufen. Warum denn eigentlich?, dachte ich noch.

Zu meinem Erstaunen schwankte ich leicht, als ich mit Biggy und der Leutberger zum Hotelaufzug ging. Denises Mama jammerte leise vor sich hin und achtete nicht besonders auf ihre Umgebung. Aber die Leutberger – und das machte mich beinahe wieder nüchtern – griff blitzschnell zu, als ich über ein Stück abgelösten Teppichboden im Aufzug stolperte. Sie stützte mich mit festem Griff und warf mir sogar die Andeutung eines Lächelns zu. Darüber staunte ich noch, als ich fünf Minuten später einschlief.

Kater und Katzen

»I make it ev-ery-where, it's up – to – YOU…

Verdammt nochmal – das war ja ein infernalischer Lärm, der da von meinem Nachttischchen drang, nein: *dröhnte*.

Ich wälzte mich stöhnend auf die Seite und tastete nach meinem Handy.

»Ja?«, presste ich heraus.

»Nora?! Ich habe es schon drei Mal versucht! Erzähl mir nicht, dass du noch schläfst, es ist neun Uhr morgens bei euch! Es ist euer letzter Tag, was ist *passiert* gestern?! Ich hab bei Brooke angerufen, du hast dich ja nie mehr gemeldet, aber ich bin aus vielen Sachen gar nicht schlau geworden! Wie sieht's denn aus, Schätzchen?! Ihr habt Don aufgetrieben, ja, und was sagt Denise zu ihm? Hat sie angebissen?!« Meine Mutter lachte ganz gespannt.

Ich räusperte mich; mein Mund fühlte sich an wie ein Staubtuch – eins, das man dringend mal ausschütteln musste. »Ich … nein, hat sie nicht. Aber sie hat trotzdem einen Mann, oder vielleicht wollte sie auch nur ins Bett mit ihm, keine Ahnung …«

»Was?«, rief meine Mutter.

Ich rappelte mich mühsam auf, um einen klareren Kopf zu bekommen, und begann, ihr alles zu erzählen.

An manchen Stellen fluchte meine Mutter leise, an anderen murmelte sie irgendetwas vor sich hin. Bei der Sache mit Raoul sah sie mehr Probleme, als ich zumindest gestern erkannt hatte.

»Auch wenn er ein netter Kerl ist«, sagte sie, »so große Unterschiede sind meist nicht alltagstauglich. Und wir können es außerdem kaum so hindrehen, als hätten *wir* das arrangiert ...«

»Muss doch auch nicht zwingend sein, oder?«, fragte ich. »Hauptsache, Denise ist glücklich ...«

»Das sagst du so leicht! Ihre *Mutter* ist offensichtlich nicht glücklich, oder? Und das Fernsehen, überleg doch mal! Die sehen womöglich nur das Schlechte: kein Mann von uns, der funktioniert hat, Chaos im Büro, eine verschwundene Datei ... Apropos, wie kam denn die Sache mit dem Anwalt an?!«

»Na ja ...« Ich berichtete mit etwas schlechtem Gewissen, dass das irgendwie untergegangen sei, teilweise zumindest, obwohl der Anwalt dann sogar am Abend aufgetaucht sei, weil ich ihn eigentlich auch noch Denise hatte vorstellen wollen ...

»Mein Gott«, seufzte meine Mutter. »Gib mir mal die Nummer von denen ...«

Ich spürte so etwas wie Ärger aufsteigen. Glaubte sie, jetzt von Afrika aus alles in die Hand nehmen und beibiegen zu müssen? Das konnte sie nicht, und außerdem fühlte ich mich in meiner Ehre gekränkt. Ich hatte so geackert in dem Kuddelmuddel, das sie mir hier hinterlassen hatte ...

»Lass mal«, sagte ich, »ich kümmere mich drum ...«

Das tat ich auch, aber nicht gleich. Ich schlenderte nämlich zuerst eine Stunde durch die Straßen, einen Kaffeebecher in der Hand, bis ich wieder klar im Kopf war. Das hatte ich mir auch verdient, fand ich, und die anderen mussten einfach einen Moment ohne mich auskommen.

Denise fand ich erschöpft und übermüdet im Frühstücksraum vor. Sie hatte irgendwann ihren Doorman nach Hause fahren lassen müssen und sich dann die halbe

Nacht mit ihrer Mutter, mit der sie ja ein Zimmer teilte, auseinandergesetzt. Biggy wollte nicht einsehen, dass sich zwischen ihr, Denise, und Raoul etwas Ernstes entwickeln könne. Irgendwann habe sie sogar gesagt, Denise solle sich doch jetzt amüsieren, bitte sehr, sie habe gar nichts dagegen, aber sie möge doch bitte dann auch wieder zur Vernunft kommen.

»Es ist so komisch«, sagte Denise, »meine Mutter war früher viel verständnisvoller, jetzt hat sie sich so darin verrannt, dass es unbedingt etwas ›Besseres‹ sein muss ...«

Ich fragte nach der Freundin, von der Raoul ihr ja am Anfang berichtet hatte. Denise winkte ab. Mit der sei Raoul schon seit einem Jahr auseinander, sagte sie und verkündete, dass sie sich bald mit Raoul treffe und den Tag über für uns nicht zur Verfügung stehe. Ich schluckte. Biggy bliebe dann wohl für mich übrig ...

Doch es kam anders. Noch bevor Denise verschwunden war, tauchte ihre Mutter auf, bestellte wild entschlossen Pfannkuchen mit Schinken und verkündete, dass sie heute eine Einkaufstour mache – »Bloomingdale's«, »Macy's«, alles was das Herz begehrt! Jetzt sei mal Urlaub angesagt, und da dürfe man sich ruhig auch etwas gönnen; sie habe so einen schönen Schmuckladen gesehen, da müsse sie unbedingt nochmal hin ... Sie warf Denise einen Seitenblick zu, aber die reagierte nicht wie gehofft. Biggy nahm es tapfer und fragte mich, ob ich denn auf Raf verzichten könne; er habe ihr angeboten, sie ein bisschen herumzufahren.

Die U-Bahn zu nehmen war mein geringstes Problem; ich machte mir mehr Sorgen um das Fernsehteam und das, was die Leutberger heute noch vor die Linse kriegen wollte. Es war der letzte Tag vor unserer Abreise, und die Weichen waren vermutlich längst gestellt ... Würde ich noch etwas bewirken können?!

Es stellte sich heraus, dass das Team jedoch auch schon

Pläne hatte, die mich gar nicht einschlossen – anscheinend hatten sich alle vorgenommen, heute einen Urlaubstag einzulegen. Mir war nicht danach zumute. All meine Phantasien, cool und lässig in Manhattan herumzuschlendern und mir Klamotten zu kaufen, hatten sich irgendwie in Nichts aufgelöst. Ich ahnte, dass ich es später bereuen würde, aber ich beschloss trotzdem, ins Büro zu fahren.

In der Fifth Avenue hörte sich Brooke die ganze Geschichte des gestrigen Abends an und ging richtig mit; sie ächzte und quietschte an den richtigen Stellen, war aber gar nicht erstaunt, als ich die Katze Raoul aus dem Sack ließ.

»Sein Blick war wie Schokolade«, sagte sie verträumt.

»Wie bitte?«

»Vorgestern Abend, bei Brenda und Raf. Ich habe Raouls Blick gesehen – Sie nicht?! Er hat das Mädchen so angesehen, wie Schokolade eben. Ich glaube nicht, dass ihre Mutter Glück haben wird ...«

»Glück?«

»Wenn sie glaubt, Shopping und ein Tag Abstand würden Denises Gefühle ändern, dann irrt sie sich. Abgesehen davon, dass sich die beiden ja heute sehen ... das wird das Feuer weiter anfachen, jede Wette.«

Ich starrte sie an. Brooke wusste ja gut Bescheid! War das ihr vielgerühmtes Gespür? Konnte sie voraussehen, was die Leute fühlen würden?

Jedenfalls stellten wir fest, dass wir in der gegenwärtigen Situation nicht viel tun konnten. Es war jetzt wohl Schicksal, was weiter passierte – ich konnte nicht losziehen und Denise irgendwo anschnallen, um ihr weitere Männer vorzuführen. Wollte ich auch nicht.

Brooke und ich zogen, was die Firma anging, nochmal Bilanz der letzten Tage. Negativ war, dass wir für Denise nicht gepunktet hatten; in Anbetracht der TV-Dokumentation war das sogar *sehr* schlecht. Die Pannen zu Beginn hatten wir auch noch selbst zu verantworten – beziehungsweise Brannigan natürlich! (Ich machte eine zarte Andeutung gegenüber Brooke, dass ihr Verhältnis zu Computern auch verbesserungsfähig sei; sie nickte mit feuerrotem Kopf.)

Auf der Haben-Seite hatten wir aber jetzt eine wiederhergestellte, ganz ansehnliche Datei, ein paar zumindest formal gelungene Treffen (wir konnten ja schließlich nichts dafür, wenn Denise all die tollen Typen nicht haben wollte!) – und den Brief eines Anwalts, der die Schuld an allem der Partnerfirma zuschob.

Das war allerdings kein Thema, das ich mit Brooke näher erläutern wollte.

Stattdessen begann ich aus dem Stegreif, neue Strategien für die Firma mit ihr zu besprechen, für die Zeit nach mir, sozusagen. Ich empfahl Brooke, eine USA-Europa-Party zu planen, eine Art lässiges »get together« an irgendeiner schicken Adresse. Wenn meine Mutter das Internet schon nicht bemühen wollte, dann musste sie wenigstens so etwas bringen; diese klassische »Zwei Leute treffen sich im Café«-Nummer war einfach zu altmodisch.

Brooke nickte zögernd, aber bevor sie mir widersprechen konnte, klingelte das Telefon. Es war Jamie, mein rasender Anwalt.

»Ich habe den zweiten Brief geschrieben!«, verkündete er in selbstzufriedenem Ton. »Haben Sie die Kopie schon bekommen? Ich habe unseren Boten losgeschickt ... Wissen Sie, wir waren uns ja einig, dass wir Gas geben sollten, nicht wahr? Ich finde, eine Schadensersatzforderung von vier Millionen hört sich doch gut an, oder?«

O Gott. Ich schloss die Augen, unfähig zu einer Antwort. Gleich würde Max Brannigan hier hereinstürmen, Brookes sorgsam aufgeschichtete Papierstapel mit einer einzigen Handbewegung vom Tisch wischen und uns mit sofortiger Wirkung vor die Tür setzen.

»Miss ... Nora? Sind Sie noch dran? Sind Sie damit nicht einverstanden?«

»Nein. Ja. Heißt das, Sie drohen ernsthaft ...?«

»... Klage zu erheben mit der Forderung auf vier Millionen, und zwar, wenn nicht bis morgen Mittag die Vergleichssumme von zwei Millionen Dollar auf unserem Konto eingegangen ist ...«

»Was?! Wie bitte? Sagen Sie das nochmal!« Ich begann zu hyperventilieren.

»Äh ... wir haben Klage angedroht, vor dem ...«

»Bleiben Sie sitzen, genau da, wo Sie sind. Ich komme.«

Ich schmiss den Hörer auf die Gabel, informierte Brooke in knappen Worten (für den Fall, dass Brannigan tatsächlich hereinstürmen und handgreiflich werden würde) und rannte aus dem Büro.

Jamie wartete an seinem Schreibtisch auf mich; er sah mir etwas unsicher entgegen.

»Nora, ich freue mich, Sie zu ...«

Mein finsteres Gesicht brachte ihn zum Schweigen. Ich verlangte das Schreiben und las es mir durch, und obwohl ich nicht viel verstand, war doch die eine Sache klar: Er – wir! – verlangten von Brannigan zwei Millionen quasi sofort oder vier Millionen später, zackbumm, einfach so. Und das mit dieser, um es nett auszudrücken: dürftigen Beweislage. Aus irgendeinem Grund, den ich nicht kapierte, kam mir plötzlich das Bild von Joe und Edna in den Sinn, einträchtig untergehakt vor ihrem Laden.

»Wie konnten Sie das einfach machen, ohne Rücksprache?«, fauchte ich.

Jamie, der nervös auf seinem Stuhl herumrutschte, sagte hastig: »Aber ich habe mit Ihrer Mutter gesprochen, wussten Sie das nicht? Sie rief heute Morgen hier an, und da sie ja unsere Mandantin ist, eigentlich ...«

Ich stierte ihn an, fassungslos.

Hatte sie ihn also doch angerufen, obwohl ich ihr geraten hatte, es zu lassen. Ohne wirklich den Durchblick zu haben oder in Ruhe zu überlegen, hatte sie den von mir rekrutierten Anwalt losgehetzt, und dieser Anfänger Jamie hatte sich auch noch begeistert in die Schlacht gestürzt ...

Ich verlangte, meine Mutter sofort zurückzurufen, aber irgendetwas war mit der Satellitenverbindung nicht in Ordnung; wir erreichten sie nicht. Ich war sauer und Jamie auf komische Art verzweifelt. Er ruderte mit den Armen und sagte, er würde ja gerne alles zurücknehmen, er könne es nicht aushalten, wenn ich böse auf ihn sei, aber er habe jetzt das Fax mit der Bevollmächtigung bekommen, meine Mutter sei jetzt die Mandantin ...

Wir einigten uns darauf, dass wir uns nicht einigen konnten. Mir war seine Vorgehensweise einfach zu forsch – wenn man so wollte: einfach zu amerikanisch. Dass Eliane Tessner gerne zwei oder vier Millionen gehabt hätte, war ja klar, aber wussten wir denn tatsächlich, was passiert war in den Räumen zwei Stockwerke tiefer?! Eine Menge sprach dafür, dass Brannigan tatsächlich ein Schurke war ... aber was, wenn nicht?!

Jamie bat mich, nicht weiter böse zu sein. Ob wir uns am Abend auf ein Glas treffen könnten, um wieder Freundschaft zu schließen? Er lächelte mich treuherzig an, aber ich ließ mich nicht erweichen.

Ich fuhr wieder hinunter in unser Büro – und sah mich, kaum, dass ich die Milchglastür geöffnet hatte, einem wutschnaubenden Brannigan gegenüber. Er stand im Flur und brüllte in ein Telefon, und zu meiner ziemlichen Verwunderung hielt er dabei einen riesigen Strauß Rosen in der Hand. Als er mich sah, stockte er mitten im Satz. »Ich ruf wieder an«, knurrte er seinen Gesprächspartner an und trat einen Schritt auf mich zu. Seine dunklen Augen blitzten und an seinem Hals pulsierte zornig eine Ader. Hätte ich nicht gesehen, dass die schöne Katherine mit blassem Gesicht in der Tür des Chefbüros lehnte und noch zwei weitere Augenpaare aus einem anderen Raum herausspähten, hätte ich vielleicht Angst bekommen. Aber vor seinen Mitarbeitern würde er mir sicher keine auf die Nase geben – und dann waren diese Rosen auch so irritierend, so rot und wunderschön ...

»Da haben wir sie ja höchstpersönlich – Miss Ahnungslos und Unverschämt. *Think big*, ja?! Große Forderungen und große Blumensträuße und nur ein kleiner Verstand ...«

Ich schnappte nach Luft. Das war zu viel; so viele Beleidigungen in einem Satz hatte ich das letzte Mal in der 11. Klasse gehört, als Liane aus der Parallelklasse geglaubt hatte, ich hätte auf dem Schulfest ihren Freund angebaggert. Sollte ich ihn jetzt im Gegenzug auch beschimpfen?! Da würden mir ja eine Menge Sachen einfallen ... Aber im Grunde wollte ich einfach nur hier weg.

»Sie glauben anscheinend, Angriff wäre die beste Verteidigung, ja?!«, zischte ich. »Aber bis jetzt habe ich noch kein Wort darüber gehört, was Sie wirklich mit unserem Eigentum vorhatten! Haben Sie wirklich geglaubt, Sie könnten mir mit einer schönen Liebesgeschichte von zwei alten Leutchen, die Sie rein zufällig zusammengebracht haben, den Verstand vernebeln? Oder mich mit Rosensträußen *kaufen*?!«

Er setzte eine übertrieben verblüffte Miene auf. »Höre ich richtig?! Glauben Sie ernsthaft, diese Blumen wären von *mir*?! Sie haben ja ein erstaunliches Selbstbewusstsein ...«

Beim Anblick eines Blumenstraußes, der mir vor die Nase gehalten wird, glaube ich tatsächlich, er sei für mich! Ich lief rot an.

»... aber ich pflege ehemaligen Partnern, die mich verklagen wollen, nicht auch noch Geschenke hinterherzuwerfen! Ich stand leider neben der Tür, als der Bote kam – werden Sie glücklich damit!« Und er pfefferte mir den riesigen Strauß in die Arme. Ich fing ihn reflexhaft auf, wie einen Ball. Brannigan stampfte davon, ohne mich eines weiteren Blickes zu würdigen, und knallte die Tür seines Büros hinter sich zu.

Hatte ich wirklich Zweifel daran gehabt, dass er schuldig war?! Oh, dieser unverschämte Kerl! Mich dermaßen zu beleidigen, auch noch in Anwesenheit dieser blöden Schnepfe von Freundin! Dieser Idiot und Betrüger – wie hatte ich mich auch nur für eine Sekunde einwickeln lassen können?!

Als ich mich, eine ganze Zeit später, wieder beruhigt hatte, sah ich nach, von wem die Blumen waren. Auf der Karte, die dazwischensteckte, stand: »Ein kleiner Dank dafür, dass Sie nicht aufgegeben haben, Don.«

Ich seufzte und wünschte, er hätte sie an Denise geschickt – und die hätte sich auch noch darüber gefreut. Dann hätte ich, außer einer Menge Streit und Unzufriedenheit, wenigstens *etwas* Positives mit nach Hause genommen – ein Sahneschnittchen für unsere Kundin …

Was mich wieder an meine Mutter erinnerte. *Unsere* Kundin, pah! Eliane Tessner tat ja bloß so, als gäbe sie Entscheidungsbefugnisse an mich ab; aber dann ging sie hin und erteilte den Anwälten wilde Angriffsbefehle, ohne sie mit mir abzusprechen!

Leider gab es immer noch keine Verbindung nach Afrika. Ich sah Brooke an, nachdem wir es x-mal erfolglos probiert hatten, und sagte spontan: »Ich gehe jetzt. Ich muss ein bisschen an die frische Luft, okay? Wenn was sein sollte, können wir ja immer noch telefonieren …«

Sie erhob sich mit leicht erschrockenem Blick, als hätte sie geglaubt, ich bliebe für immer.

»Miss Tessner …«, sagte sie.

»Nora«, sagte ich, ein bisschen verlegen darüber, dass ich ihr das nicht längst angeboten hatte.

Sie umarmte mich, viel kräftiger, als man es ihr zugetraut hätte. Meine Nase landete in ihrer Turmfrisur, und
ich roch Babypuder und Bagels mit Lachs, was ich irgendwie verwirrend fand. Als sie mich wieder losließ, sah ich
zerlaufenes Mascara in den Falten ihrer Augenlider.

»Sie sind einfach klasse, Brooke«, sagte ich und meinte
es ernst.

Dann ging ich.

Wie ich auf die Idee kam, mich auf dieses Schiff zu setzen,
wusste ich später gar nicht mehr. Anstatt endlich Manhattan für mich zu erobern, ein paar angesagte Orte abzu-
klappern und ein oder zwei Teile einzukaufen, die ich
dann meinen Freundinnen vorzeigen und als das Aller-
neueste promoten konnte, hockte ich jetzt auf dem Außen-
deck dieses altersschwachen Ausflugsbootes und kreuzte
vor Manhattan hin und her – von West nach Ost und zurück, 42 Dollar für zwei Stunden, vom Hudson River zum
East River, vorbei an der Freiheitsstatue, die niemand
mehr besuchen durfte ... Es war nicht viel Betrieb an diesem Oktoberdienstag; die Sonne schien, der Kapitän
quäkte mit heiserer Stimme Touristeninformationen über
die falsch eingestellten Lautsprecher, und ich fiel irgendwann, beim Vorbeischaukeln an der endlosen Reihe der
Wolkenkratzer, in eine Art Trance ... das alles hier war gar
nicht wirklich, ich saß vor einer überdimensionalen Post-
karte, einer 3D-Postkarte mit Soundeffekten ...

Mein Handy klingelte. Ich erwachte aus der Hypnose.
Es war Greg, der sich noch einmal bedanken und verabschieden wollte. Er würde morgen Ingvild treffen, sagte er,
sie hatten bereits nett miteinander telefoniert. Es war nicht
klar, ob sich mit Maggie was entwickeln würde ...

»Think positive«, sagte ich und hätte beinahe über mich
selbst den Kopf geschüttelt. Greg lachte und sagte, er
werde mir mailen, damit ich auf dem Laufenden sei.

Als wir uns dem Pier der Circle Line näherten und ich eigentlich hätte aussteigen müssen, rief Don an.

Ich wusste selbst nicht genau, warum, aber ich blieb einfach sitzen, während ich mit ihm sprach. Noch eine Runde mit dem Boot würde mir guttun, entschied ich und fingerte weitere 42 Dollar aus meiner Tasche. Don sagte, er habe meine Handynummer von Brooke, und ein bisschen ärgerte ich mich darüber. Aber was sollte ich machen? Ich bedankte mich für die Rosen und versuchte, ein Gespräch über seine weitere Vermittlung einzufädeln – damit er nicht merkte, dass ich nicht anbiss, und damit er unser Kunde bliebe. (*Unser* Kunde?! O Gott, wie weit war es mit mir gekommen?!) Doch Don war zu intelligent und auch zu hartnäckig, um darauf hereinzufallen. Er lenkte das Gespräch geschickt auf die wenige Zeit, die ich für seine Vermittlung aufgewendet hatte. (»Was machen Sie denn gerade jetzt? Wie wäre es mit einem kurzfristigen Termin, damit wir uns besprechen können?« – Ich sah gerade zu, wie sich ein Haufen Möwen kreischend um ein paar zerfledderte Sandwich-Reste balgte, die im trüben Wasser schaukelten. »Oh, ich ... bin gerade mitten in einem Termin mit einer Catering-Firma, tut mir leid, das wird dauern.«) Und er fragte, ob Kunden denn manchmal nach Deutschland kämen, um dort potenziellen Partnern vorgestellt zu werden. Wahrheitsgemäß sagte ich, dass das gelegentlich vorkomme, wenn es eine Reihe sehr gut geeigneter potenzieller Partner gebe. »Aha«, sagte er.

Dann gab er endlich auf. Um eine Minute später von Raf abgelöst zu werden, der anrief, um mich über die Lage in Queens zu informieren.

»Queens?«, echote ich verständnislos.

»Ja, wir sind doch alle hier!«, tönte Raf. »Biggy hatte keine rechte Lust zum Einkaufen – sie hat sich irgendwie zu viele Gedanken gemacht, wissen Sie. Das hab ich mir eine Weile angesehen, wie sie aus einem Laden raus und in den anderen reingefegt ist, und dann hab ich ihr gesagt, Biggy, Sie brauchen was fürs Gemüt, Sie müssen sich beruhigen und friedlich werden. Und dafür gibt's nur eins: einen großen, selbstgemachten Eistee und einen Teller von Brendas Hafercookies, am besten warm aus dem Ofen. Wir sind zu mir gefahren und sie hat Cookies gegessen und ihr Herz ausgeschüttet, und dann kam Stan, und da ging's ihr schon wieder besser. Aber dann stand plötzlich das Fernsehen vor der Tür; sie waren Denise und Raoul hinterhergefahren und jetzt wollten sie wissen, was Biggy dazu sagt. Dass die beiden bei Raoul zu Hause waren und ... na ja, vermutlich ... also sie haben es nicht so ausgedrückt, aber natürlich war Biggy dann wieder ein bisschen durch den Wind. Und so ist das jetzt: Alle sitzen hier und sind ein bisschen betreten, weil Biggy doch die vom Fernsehen ausgeschimpft hat, aber Brenda hat ihnen Kaffee gekocht, und sie sind alle noch da, nur Denise natürlich nicht. Biggy sitzt in der Küche mit Stan und will sonst niemanden sehen, aber das wird schon. Ich fand nur, das sollten Sie wissen, weil Sie doch mein Auftraggeber sind – na, und weil's Brooke auch gesagt hat, als Brenda ihr alles erzählt hat.«

Der Motor des Schiffes heulte auf, während wir wieder vom Kai ablegten. Ich stöhnte leise. Was Raf da beschrieb, klang ja wie eine Szene aus einem Film, man wusste bloß nicht, ob es Woody Allen war oder ein Dogma-Film ... Musste ich dabei sein? Musste ich überhaupt davon *wissen*?

Ich stöhnte, stellte ein paar Fragen und beschloss dann, nicht nach Queens zu fahren, um mich auch noch in die ratlose Runde einzureihen. So konnte mich die Leutberger wenigstens nicht mit der Misere in Verbindung bringen, wenigstens nicht direkt. Und ausrichten konnte ich nichts; wie Raf mir erzählte, versuchte Stan Biggy bereits klarzumachen: wo die Liebe hinfällt ...

Ob ich eigentlich wisse, wer dieser Mann sei, von dem

sie immer spreche, dieser *Gyn-da* oder so ähnlich ... Ich sagte, das sei wohl ihr Freund oder so, sie telefoniere andauernd mit ihm, er wisse immer alles besser ...

Raf grunzte, und wir verabschiedeten uns.

Zwei Stunden später hatte ich wieder Land unter den Füßen und fast ein schlechtes Gewissen, dass ich mich so aus allem ausgeklinkt hatte ... aber irgendwie hatte ich wohl auftanken müssen.

Mit Einbruch der Dunkelheit betrat ich mein Hotelzimmer. Aus der altmodischen Klimaanlage unterhalb des Fensters war Wasser ausgelaufen und bildete einen eiförmigen Fleck auf dem altrosa Teppichboden. Ich ignorierte ihn und ließ mich aufs Bett fallen. Ich wollte es nochmal bei meiner Mutter versuchen ... Aber statt einem Klingeln irgendwo in Afrika hörte ich Frank Sinatra aus meinem Handy.

Es war wieder Raf. Er klang etwas aufgekratzter als beim letzten Mal.

»Ich fahr jetzt alle nach Manhattan zurück! Sogar Denise!«

»Was! Wie haben Sie das gemacht?«

»Na, Raoul hat doch Nachtschicht, wissen Sie. Und er kam mit Denise vorbei, aber da war Biggy schon wieder in den Gleisen; sie haben sich sogar wieder umarmt und sich geeinigt. Und das Fernsehen ...«

»Wie – geeinigt? Auf was denn?«

»Na, dass Denise erstmal mit nach Deutschland kommt. Brenda sagt, sie glaubt, insgeheim hofft Biggy darauf, dass die Zeit und die große Entfernung ... na, Sie wissen schon. Aber Stan sagt, er glaubt das nicht. Na, wir werden's sehen, wie? Biggy war auch ganz höflich zu Raoul, ganz nett, kann man nicht klagen. Und das Fernsehen hat so eine Versöhnung draus gemacht, na ja, wie sie das eben immer so machen ...«

»Oh.«

»Nein, nein, so schlimm war's auch nicht! Diese Dünne, die Chefin, hat bloß gewollt, dass Biggy und Raoul sich irgendwie die Hand schütteln oder so, ich hab's ja nicht verstanden, weil's Deutsch war. Aber es war schon okay für alle ...«

»Okay ....«

»Ja! Jetzt muss ich aber los, die anderen kommen schon aus dem Haus. Schlafen Sie gut, Miss, machen Sie sich keine Gedanken!«

Ich vergrub das Gesicht einen Moment lang in meinem Kissen und schaltete dann den Fernseher an.

Reichlich Ärger

»Warten Sie – ich hab ja das Wichtigste vergessen!«

Raf ließ meinen Koffer auf das Förderband am Abflugschalter fallen, dass es knirschte. »Gehen Sie bloß noch nicht weg, ich lauf mal schnell zum Auto zurück!«

Ich sah ihm etwas verwirrt nach. Es gab keine Möglichkeiten, irgendwohin zu gehen, denn überall hatten sich dicke Trauben von Menschen vor den Schaltern gebildet, und auf der anderen Seite, am Eingang zur Sicherheitsschleuse, sah es nach mindestens einer Stunde Wartezeit aus.

Hinter mir standen sich Mama und Tochter Westerweg die Beine in den Bauch; die Leutberger-Truppe dagegen war schon im Besitz von Bordkarten und machte gerade die letzten Aufnahmen vom Getümmel in der Abflughalle des Flughafens.

Wir waren schon mit einem Bein wieder aus Amerika draußen – und das mit ziemlich gemischten Gefühlen.

Bei Biggy und Denise war klar, warum: Die eine musste ihre neue Liebe verlassen, und die andere machte sich Sorgen um ihr Kind, wegen eben dieser Liebe. Für mich selbst war alles viel komplizierter: Ich hatte einerseits versagt, das war die bittere Pille. Alles Mögliche war schiefgegangen, und das Fernsehen hatte eine Menge Chaos und Ärger abgelichtet. Andererseits war ich über mich selbst hinausgewachsen, hatte eine Menge Sachen gewuppt, von denen ich nicht mal gewusst hatte, dass ich sie beherrschte, und das alles auch noch auf Englisch. Ich hatte

235

ein paar furchtbar nette Menschen kennengelernt, die ich nie vergessen würde, Brooke und Brenda, Greg und... und auf der anderen Seite auch diesen Mistkerl Brannigan. Den konnte man sicher nicht so schnell vergessen, aber ich würde mir Mühe geben.

Ich hatte an diesem letzten Vormittag vor unserer Abreise nicht gewagt, nochmal ins Büro zu gehen, sondern nur mit Brooke telefoniert. Sie hatte seltsamerweise nichts von Mr. Right gehört. Jamie, mit dem ich ebenfalls sprach, träumte von einem Wiedersehen, wenn erst die Klage erledigt und vergessen wäre... Auch er hatte keinen Mucks von Brannigan gehört. Ich empfahl Jamie, alle Unterlagen nach Berlin ins Büro von *Matches* zu mailen, wo meine Mutter in den nächsten Tagen ja wieder auftauchen musste. Auch heute früh war sie nicht zu erreichen gewesen, irgendeine Störung des Satelliten, wie mir das Telefondisplay mitteilte...

Mittlerweile stand ich gedankenverloren neben dem Schalter und sah zu, wie Biggy und Denise ihre Bordkarten entgegennahmen. In dem Moment, in dem sie fertig waren, tauchte Raf auch schon wieder auf; er musste richtig gerannt sein.

»Hier!«, keuchte er und schwenkte eine riesige braune Papiertüte. »Die Pastrami-Sandwiches! Brenda hätte mich geviertelt, wenn ich die vergessen hätte!«

Seine Frau hatte so viele Sandwiches eingepackt, dass wir die gesamte Transatlantikmaschine damit hätten versorgen können, aber Raf wollte partout nichts davon wieder mitnehmen. Mit Tränen in den Augen verabschiedeten wir uns von ihm. Raf, wie auch seine Frau und seine Schwägerin, hatte sich als wahres Goldstück entpuppt...

Wir winkten noch ein bisschen und reihten uns dann in die Schlange vor der Sicherheitsschleuse ein. Rafs schweres, stark duftendes Paket war natürlich bei mir gelandet... es zog reichlich Blicke auf sich, musste ich feststellen. Die Typen am Radargerät machten flapsige Bemerkungen, die erst aufhörten, als ich ihnen ein paar der Sandwiches anbot – sie nahmen welche, kaum zu glauben.

Ich war gerade dabei, mein Handy in eines der blauen Plastikkörbchen zu legen, als irgendwo weit über mir diese körperlose Lautsprecherstimme ertönte, die uns normalerweise nie etwas angeht. »Miss Nora Tessner, Miss Nora *Tess* – *ner*, gebucht auf Delta 651, bitte begeben Sie sich umgehend zum Informationscounter in Halle F.« Ich kriegte einen gewaltigen Schreck – man weiß ja nie, welche Hiobsbotschaften einen bei solchen Ausrufen erwarten. Im besten Fall hat man bloß etwas verloren, und im schlimmsten Fall … na ja, ich wollte lieber nicht darüber nachdenken.

Aufgeregt plappernd sammelten sich meine Schäfchen um mich und folgten mir solidarisch zurück in die Halle. Gott sei Dank war es nicht weit. Am Info-Counter versperrten ein paar Leute den Weg, aber ich drängelte mich vor; unsere Maschine ging schließlich bald! Kaum hatte ich der Dame hinter dem Schalter meinen Namen genannt, trat jedoch einer der Umstehenden auf mich zu. Es war ein Typ im schwarzen Anzug – seltsamerweise flankiert von weiteren grimmig aussehenden Menschen in Uniform. »Sind Sie Nora Tessner aus Berlin, Deutschland?«, knurrte der Anzug. Er war offensichtlich der Chef der Truppe.

»Ja«, hauchte ich. All mein Selbstbewusstsein war augenblicklich auf Expedition im Kellergeschoss.

Und dann erzählte er mir etwas von »einstweiliger Verfügung« und dass er mich bitten würde, jetzt mit ihm zu kommen.

Nur dass es natürlich keine Bitte war.

Worum es eigentlich ging, kapierte ich überhaupt nicht, ich war viel zu aufgeregt. Eine Sache war allerdings suppenklar: Ich machte besser keine Mucken. Vielleicht befand ich mich zwar hier schon auf internationalem Boden (gab es da nicht so eine Regelung bei Flughäfen?), aber darüber wollte ich in diesem Moment wirklich nicht diskutieren. Mit diesen freundlichen Herren, die ihre Hände am Holster liegen hatten!

Alles, was mir gelang, war ein zaghaftes Nicken. Krampfhaft klammerte ich mich an meiner Handtasche und der Sandwich-Tüte fest.

Niemals zuvor in meinem Leben bin ich so angestarrt worden. Es war, als hielten alle in weitem Umkreis den Atem an – sie gafften und glotzten, ein paar mit offenem Mund und etliche mit einer Miene deutlicher Erleichterung darüber, dass nicht sie es waren, die da abgeführt wurden. Ich wurde knallrot, konnte noch überhaupt nicht darüber nachdenken, was all das zu bedeuten hatte – oder wer da dahintersteckte. Ich wollte nur weg. Nervös betrachtete ich den PVC-Boden, als könnte ich dort in einer Ritze verschwinden, wenn ich es nur ernsthaft genug versuchte.

Als ich aufblickte, sah ich zu meinem Entsetzen, dass man auch die Westerwegs und die Leutberger-Truppe festnahm! Wie konnte das sein? Was sollten wir denn alle verbrochen haben?!

Alle zusammen wurden wir abgeführt, marschierten über den schwarzen PVC, bogen dann auf dunkelgrauen Noppenboden ab und gingen zum Schluss eine gute Strecke über ein schlammbraun meliertes, schon sehr fadenscheiniges Linoleum. Endlich stolperten wir alle in einen größeren Raum.

Irgendjemand schloss die Tür hinter uns. Ich hob den Kopf und sah direkt in Max Brannigans Gesicht.

Ich schnappte nach Luft wie ein Fisch auf dem Trockenen. Was ich auf dem ganzen Weg hierher irgendwie vermutet hatte, fand jetzt seine Bestätigung: Mein Erzfeind, dieser Wolf im Schafspelz, dieser elende Betrüger und Beleidiger, steckte hinter dieser öffentlichen Demütigung! Ich war sprachlos vor Wut.

Neben den Uniformierten waren auch ein paar Anzugträger anwesend, die Papiere in den Händen hielten und uns mit ernstem Gesichtsausdruck betrachteten. Einer von ihnen – er stellte sich als Chief Deputy Mahoney vor – erklärte uns nun in aller Ausführlichkeit die Umstände unserer Festnahme und schloss nach einer Ewigkeit: »Der Antragsteller, Mr. Max Brannigan, erhebt Ansprüche aus einer vertraglichen Vereinbarung in Höhe von 18.530 Dollar und macht geltend, dass die Begleichung dieser Summe auf regulärem Wege nicht zu erwarten ist. Mr. Brannigan – würden Sie jetzt bitte, wie es das Gesetz verlangt, Miss Nora Tessner identifizieren?«

Automatisch schwenkten alle Blicke zum Oberschurken hinüber, auch meiner. Brannigan sah mich mit völlig unbewegter Miene an und machte dann eine kleine Kopfbewegung in meine Richtung.

»Das ist sie«, sagte er mit harter Stimme.

Der Chief wandte sich an mich. »Miss Tessner, sind Sie bereit, die geforderte Summe von 18.530 Dollar augenblicklich zu begleichen? In diesem Fall könnten Sie und Ihre Begleiter die Reise unverzüglich fortsetzen... Sie würden sogar Ihre Maschine noch bekommen«, fügte er nüchtern hinzu.

Ich holte tief Luft.

»Habe ich das wirklich richtig verstanden: Sie verweigern mir die Abreise aus den USA, mir als deutscher Staatsbürgerin, weil irgendein ... irgendein *Betrüger* völlig absurde Forderungen gegen mich erhebt? Und Sie nehmen auch noch alle meine Reisegefährten als Geiseln?«

»Es tut mir leid, Miss Tessner. Wenn Ihre Begleiter Ihnen aber nicht helfen können oder wollen – sofern Sie die Forderung nicht selbst begleichen -, dann können sie sofort gehen. Sie werden dann mit Sicherheit die Maschine nach

Berlin noch erwischen. Bei *Ihnen* ist das leider etwas anderes ...«

Und wieder holte er zu langatmigen Erläuterungen aus.

»Ich verstehe überhaupt nichts«, fauchte ich. »Nur, dass Sie gegen das Völkerrecht verstoßen, wenn Sie mich hier festhalten, ohne jede anwaltliche Beratung ...«

»Sie können jederzeit einen Anwalt Ihres Vertrauens hinzuziehen; wir müssen Sie lediglich bitten, hier im Gebäude zu bleiben ...«

Ich schloss die Augen. Am liebsten hätte ich geheult oder Brannigan meine Handtasche um die Ohren gehauen – möglichst beides.

»Miss Tessner, ich verstehe, dass Sie einen Moment brauchen, um zu beratschlagen. Wir werden Sie und Ihre Begleiter jetzt für ein paar Minuten allein lassen. Sie können telefonieren, wenn Sie möchten. Mr. Brannigan – Sie können gehen, danke.«

Innerhalb weniger Sekunden waren sie draußen. Brannigan ging als Letzter; er zögerte einen winzigen Moment, und ohne weiter zu überlegen, sagte ich: »Aber lassen Sie Brooke in Ruhe. Sie wollte nicht, dass wir etwas gegen Sie unternehmen, sie hat Sie verteidigt! Sie haben ihr offensichtlich den Kopf verdreht – also lassen Sie es nicht an ihr aus!«

Brannigan sah mich an. In seinem Blick lag Überraschung, Misstrauen und noch etwas anderes, das ich nicht deuten konnte. Er zögerte, wollte offenbar etwas sagen, überlegte es sich dann aber anders. Ich sah ihn verächtlich an und drehte ihm dann demonstrativ den Rücken zu. Zwei Sekunden später fiel die Tür hinter ihm ins Schloss.

Wir blieben allein in dem schäbigen Raum zurück, meine Mitgefangenen und ich. Peter und Esther standen einträchtig nebeneinander und hatten – Himmel nochmal! – die Kamera gezückt. Die Leutberger wirkte etwas geistesabwesend – so als würden ihre Gedanken um einen Haufen spannender Möglichkeiten rotieren, mich in die Pfanne zu hauen.

Denise sah sich leicht ungläubig im Zimmer um, als würde sie erwarten, Raoul hinter einem der Tische hervorspringen zu sehen, wo er dann dramatisch um ihre Hand anhalten und alle anderen wieder hereinstürmen und uns auslachen würden ... Biggy sah mich an, und sie brauchte die Frage gar nicht erst zu stellen: Was hatte ich da angerichtet?!

Ich schluckte und erklärte dann, was für ein haarsträubender Unsinn das alles sei, geboren nur aus Brannigans Wut über unsere Klage, aus schlechtem Gewissen und aus der irrigen Vorstellung, dass Angriff die beste Verteidigung sei. Selbstverständlich schulde *Matches* ihm überhaupt nichts, keinen Cent, aber er habe wohl einen bescheuerten Richter oder Staatsanwalt gefunden, den er bestechen konnte oder der einfach nicht genau hinsah.

»Aber was nun?«, brachte Biggy die Sache auf den Punkt. »Hab ich das recht verstanden, das sie uns nicht weglassen?«

Ich nickte mit verkniffenem Gesicht. »Mich zumindest nicht. Sie können wohl gehen – aber das ist trotzdem Freiheitsberaubung! Die deutsche Botschaft ...«

Die Leutberger unterbrach mich: »... kann Ihnen auch nicht rechtzeitig helfen – bis Sie da jemanden erreichen! Wie ich die Sache sehe, zahlen Sie entweder, oder Sie bleiben auf unabsehbare Zeit hier. Ich für meinen Teil kann Ihnen keine Gesellschaft leisten: Ich habe Termine.«

»Ich soll diese Riesensumme zahlen, obwohl Brannigan nicht das geringste Recht darauf hat?!«, gab ich unwillig zurück. »Abgesehen davon, dass ich auf dem Weg hierher nicht mal eben eine Bank ausgeraubt habe und somit auch nicht im Besitz von 18.000 Dollar bin!?«

Erstaunlicherweise sah sie mich relativ friedlich an. »So

viel Geld habe ich natürlich auch nicht dabei. Aber vielleicht Ihre Kreditkarte ...«

Ich runzelte die Stirn. Abgesehen davon, dass ich natürlich überhaupt keine Lust hatte, auch nur einen Dollar zu zahlen, bezweifelte ich, dass diese Typen Kreditkarten nehmen würden. Denise sagte: »Aber vielleicht sollten wir uns wirklich weigern und hierbleiben, bis die Sache geklärt ist!«

Ihre Mutter warf ihr einen unwirschen Blick zu – das Manöver war auch wirklich zu durchsichtig –, seufzte tief und sagte: »Ich hätte ja wirklich nie gedacht, dass der Max ... Also, das Ganze muss ein Missverständnis sein! Aber jetzt im Moment kann ich Ihnen nur mein Bargeld geben, Nora; so ungefähr 1.000 Dollar hab ich noch in der Tasche ... Ich weiß ja, dass ich es von Ihrer Mutter wiederkriege.«

Ich lächelte sie dankbar an. »Noch ist nicht aller Tage Abend – aber jedenfalls vielen Dank! Wie viel Zeit haben wir bis zum Abflug?«

»Vierzig Minuten«, sagte Esther.

»Okay.« Ich setzte mich an einen der Resopaltische, knallte meine Handtasche und die Sandwich-Tüte darauf und zückte mein Handy. »Nicht nur Brannigan hat Anwälte«, sagte ich und warf einen aufmunternden Blick in die Runde.

Zu meiner gewaltigen Erleichterung erreichte ich Jamie. Natürlich hätte ich lieber einen »1.000-Dollar-die-Stunde«-Anwalt angerufen, aber so einen kannte ich nun mal nicht. Jamie würde reichen müssen, für den Moment. Ich gab ihm wieder, was ich von dem Sermon des Deputy Chiefs verstanden hatte, und Jamie schnappte ein paarmal nach Luft, murmelte vor sich hin und teilte mir dann in kurzen Sätzen mit, dass er recherchieren müsse – er werde mich aber so schnell wie möglich zurückrufen.

Ich legte auf und gab ein positives Statement für die Kamera ab: »Die Sache läuft!«

»Frau Tessner, überlegen Sie doch mal: In spätestens 15 Minuten sind wir weg, dann sind Sie ganz alleine hier.« Die Leutberger hatte zwar die laufende Kamera dicht neben ihrem Kopf, aber sie sprach ganz ruhig und beinahe eindringlich. »Wollen Sie es wirklich so weit kommen lassen? Wenn das Geld zu Unrecht gefordert wird, können Sie es mit Sicherheit mit einem Gerichtsbeschluss wieder zurückholen, und wenn nicht – dann haben Sie sowieso keine Chance. Ich will es Ihnen nicht einreden, aber es wäre vernünftig, mit den Leuten da draußen zu verhandeln, Ihre Kreditkarte rauszurücken und eventuell die 1.000 Dollar von Frau Westerweg anzubieten, und dann in Ruhe alles von Berlin aus zu regeln. Oder?«

Ich war ein bisschen erstaunt, dass sie so nett und gar nicht hämisch gesprochen hatte. Und außerdem hatte sie recht, das ahnte ich auch.

Es ging mir allerdings gewaltig gegen den Strich. Wie lange würde Jamie brauchen mit seiner Recherche? Vermutlich dauerte es schon fünf Minuten, nur allein das richtige Gesetz rauszusuchen ... Wollte ich wirklich hierbleiben und alleine den Kampf gegen juristische Windmühlenflügel antreten?

Irgendwie nicht.

Ich erhob mich seufzend und ging zur Tür.

Aber das nächste Problem stand schon an: selbst die gesammelten Kreditkarten von Biggy, der Leutberger und mir, plus zusammengekratztes Bargeld, erbrachten nicht mehr als 12.800 Dollar. Der Deputy Chief bedauerte es sehr, durfte aber die Deckungsgrenzen nicht ignorieren und auch sonst nicht mit sich handeln lassen – obwohl wir es wirklich versuchten. Selbst die Leutberger gab sich zu meinem Erstaunen Mühe, ein paar Argumente aufzufahren, und faselte etwas von »öffentlichem Interesse« und »Fernsehberichterstattung«, aber es half nichts. Der Chief wirkte fast ein bisschen unglücklich, als er mir noch mal ausführlich erklärte, was das Gesetz von ihm – und mir – verlangte.

Und dann wies er meine Reisegenossen sanft darauf hin, dass sie, wenn sie den Flieger nach Berlin noch erreichen wollten, innerhalb der nächsten fünf Minuten aufbrechen müssten.

Es gab Tränen (bei Biggy und Denise), Umarmungen (von Peter und Esther) und aufmunternde Worte (von der Redakteurin). Ich trug eine tapfere Miene zur Schau (die mich einiges an Kraft kostete) und bestand darauf, dass alle gingen – was sollte es nutzen, wenn sie mir solidarisch zur Seite stünden, den Flieger verpassten und alle möglichen Unannehmlichkeiten in Kauf nahmen?! Hier konnte doch nur noch ein Anwalt oder eine schnelle Geldanweisung helfen…

Biggy versprach mir hoch und heilig, gleich noch die deutsche Botschaft zu benachrichtigen und spätestens in Berlin auch alle anderen Hebel in Bewegung zu setzen – meine Mutter aufzutreiben, Geld zu organisieren und was sonst ihr noch alles einfallen würde.

»Kopf hoch!«, schluchzte sie. »Datt wird nicht ewig dauern, diese Ungerechtigkeit!«

Ich nickte. Während sie mit bangem Blick zur Tür hinausmarschierten, winkte ich ihnen lächelnd zu, als bliebe ich nur kurz noch auf ein Schwätzchen mit dem Deputy.

In meinem Inneren dagegen sah es ganz andes aus. Ich war wütend und am Boden zerstört, ängstlich und angewidert und einfach außer mir.

Trotzdem schaffte ich es, hoch erhobenen Hauptes neben dem Chief in den Raum zu marschieren, in dem ich bleiben sollte, bis die ganze Sache geklärt war. Wieder durfte ich Jamie anrufen. Ich teilte ihm mit, dass ich festgehalten würde, weil ich nicht genügend Lösegeld hatte zusammenkratzen können.

Er schnappte noch lauter nach Luft als bei unserem ersten Gespräch, fluchte deutlicher und blätterte so wild in irgendwelchen Papieren, dass ich es hören konnte. Er berichtete mir von seinen Fortschritten (die ich irgendwie unbefriedigend fand) und sprach kurz mit dem Chief, aber nichts davon hatte den Effekt, dass ich umgehend freigelassen wurde.

Mit Jamies Beteuerungen im Ohr, dass er alle Hebel in Bewegung setzen würde, eine Nachtschicht einschieben und nichts unversucht lassen würde, betrat ich zehn Minuten später einen kahlen, aber sauberen Raum, in dem ein schmales Feldbett, ein Tisch und ein Stuhl standen. An der Wand hing absurderweise ein Bild des amerikanischen Präsidenten. Ich legte mich hin, plötzlich erschöpft, und starrte das Bild an. Je länger ich hinsah, desto mehr glich er Max Brannigan. Ich bedachte den Präsidenten mit einem bitterbösen Blick. Aber ich wusste gleichzeitig, mein Zorn würde mir helfen, diese Nacht und auch alles andere, was später auf mich zukommen sollte, zu überstehen.

Rache und Gelüste

Es wurde eine der längsten Nächte meines Lebens. Das Feldbett war schmal und unbequem, der Geruch des Burgers und der Pommes, die sie mir abends noch gebracht hatten, aufdringlich und fett. Durch das kleine Fenster geisterten ununterbrochen die ruhelosen Lichter startender und landender Flugzeuge, und bis in die frühen Morgenstunden sang irgendjemand – weit entfernt, aber ausdauernd – monotone Klagelieder auf Kisuaheli oder Javanesisch. Ich warf mich stundenlang auf der durchgelegenen Matratze herum und malte mir, je länger die Nacht dauerte, immer schlimmere Dinge aus: Tage, Wochen, ja Monate festgehalten, meine Mutter im afrikanischen Busch vermisst, kein Geld auf irgendeinem Firmenkonto, ein ewiges Zaudern von Sven, bevor er seinen Bausparvertrag auflöste, mein Leben zerstört, von irgend so einem miesen, widerlichen Kotzbrocken…

Irgendwann am frühen Morgen ging die Tür auf. Zu meiner großen Erleichterung war es mein Anwalt, und ich war so froh, ihn zu sehen, dass ich auf ihn zustürzte und ihm um den Hals fiel, und Jamie schwankte zwischen Verlegenheit und Freude.

»Nora!«, stieß er hervor, »alles in Ordnung? Geht es Ihnen gut? Ich habe gearbeitet und …«

»Das will ich aber auch hoffen«, sagte ich und ließ ihn los. »Gibt es irgendetwas Neues? Haben Sie etwas aus Berlin gehört oder aus Afrika oder von der deutschen Botschaft? Hat irgendjemand Geld für mich aufgetrieben?«

»Ja, nein, teilweise… ich habe Chief Mahoney hergebeten, ich werde ihm die Leviten lesen, wir können…« Er nestelte in seiner Aktentasche herum, ohne den Satz zu beenden.

Ich fand, das klang nicht besonders gut. »Aber es kann doch nicht sein, dass sich niemand gemeldet hat! Ich *fasse* es nicht! Wollen Sie mir damit sagen, dass ich…«

Wieder öffnete sich die Tür meiner Zelle, und der Chief in Begleitung eines uniformierten Beamten trat ein. Er begrüßte mich freundlich und fragte besorgt, ob es mir nicht geschmeckt habe.

»Ich habe keinen Bissen gegessen und werde das auch nicht tun – aus Protest! Ich werde mir das nicht gefallen lassen – ich weiß gar nicht, warum ich bisher so friedlich geblieben bin…«

»Miss Tessner…«

»Chief Mahoney, ich bin Miss Tessners Anwalt…«

»Ich weiß, Mr. …«

»Glitz. Von der Kanzlei Merwanian, Kurtz & Grushkin – bittesehr, meine Karte. Chief Mahoney, ich fordere Sie auf, meine Mandantin Miss Nora Tessner unverzüglich und auf der Stelle freizulassen, andernfalls werden wir uns gerichtliche Schritte gegen Sie persönlich, Mr. Max Brannigan sowie den Bundesstaat New York vorbehalten, des Weiteren Schadenersatz- und Schmerzensgeldforderungen wegen erlittener Unbill und falscher Beschuldigung in Höhe von mindestens 500.000 Dollar – ich betone: *mindestens*. Mit einem einigermaßen vernünftigen Richter kriegen wir eine Million.«

Wir sahen ihn an, mehr oder weniger sprachlos. Jamie sonnte sich in seinem Überraschungserfolg und fuhr dann fort: »Die von Ihnen zu Unrecht Festgehaltene, Chief Mahoney, war zu keiner Zeit bevollmächtigte Vertreterin der Firma *Matches Worldwide*, sondern lediglich informell mit der Wahrnehmung der mütterlichen Interessen beauftragt. Miss Tessner ist weder Angestellte noch verantwortliche Geschäftsführerin von *Matches Worldwide* und war dies auch zu keinem Zeitpunkt. Mr. Max Brannigan hat dies bei seinem Antrag verschwiegen, und Sie, Chief, haben fahrlässig versäumt, die Fakten nachzuprüfen. Hier die schriftliche Darlegung des Falles für die Akten, Kopie ans Gericht ist bereits unterwegs. Und nun: Bitte lassen Sie Miss Tessner unverzüglich gehen. Jetzt. Ohne weitere Verzögerung.«

Mein Mund stand offen, so bewundernswert fand ich Jamies Vortrag – zumindest das, was ich davon verstanden hatte. Der Chief nahm mit gerunzelter Stirn Jamies Papiere entgegen, sah sie sich aber nicht an.

»Was soll das heißen?«, raunzte er. »Sie hat mit der Firma gar nichts zu tun?«

»Nur insofern, als dass sie ihrer Mutter einen Gefallen getan hat. Inhaberin von *Matches Worldwide* ist Frau Eliane Tessner, der Name dieser zu Unrecht beschuldigten Frau ist aber Nora Tessner. Ein entscheidender Unterschied.«

Jetzt warf der Chief doch einen missmutigen Blick in die Papiere. »Richter Moose hat dem Antrag stattgegeben – also musste ich tätig werden, oder? Hat der Alte mal wieder…« Der Rest seines Gebrumms ging in Papiergeraschel unter.

Jamie erläuterte mir das Ganze schnell noch mal für nicht-amerikanische Nicht-Juristen und flüsterte, der Chief könne gar nicht anders als mich freilassen, sofern er von meiner Identität überzeugt sei. Ich flüsterte zurück, dass mich gestern der Oberschurke persönlich, Max Brannigan, identifiziert habe.

»Genau«, sagte Jamie, »und Ihre Mutter hat mir heute Nacht die Eigentums- und Beschäftigungsverhältnisse von *Matches* zugeschickt, und da taucht eben nirgendwo eine Nora Tessner auf…«

Er berichtete mir genau, was sich während der Nacht abgespielt hatte, als wir zehn Minuten später in einem Flughafencafé vor einem gigantischen Frühstück saßen. Deputy Chief Mahoney hatte mich tatsächlich sofort gehen lassen, sich für alle Unannehmlichkeiten entschuldigt und mir meinen Koffer übergeben, der gestern Abend aus der Berlin-Maschine herausgeholt worden war. Wieder in Freiheit war ich Jamie dann noch einmal um den Hals gefallen, was ihm sehr gut zu gefallen schien.

Und jetzt erklärte er mir, dass er gestern Abend relativ schnell auf die Schwachstelle des Antrags gestoßen sei, aber eben nicht so schnell die erforderlichen Nachweise bekommen hatte. Die Forderung von Brannigan würde nun den offiziellen, langsamen Weg über die regulären Gerichte gehen müssen.

»Pah«, mümmelte ich durch meinen Toast hindurch, »Forderung! Das hat er sich doch garantiert auch aus den Fingern gesogen: 18.000 Dollar!«

Ich tätschelte, glücklich kauend, Jamies Hand. Wer hätte das gedacht, dass er doch so ein guter Anwalt war – und ich war rein zufällig an ihn geraten!

Jamie strahlte. Nach einer Weile, nachdem er mir lange genug beim Essen zugesehen hatte, fragte er, ob wir jetzt zusammen nach Manhattan zurückfahren wollten. Ich sah ihn etwas überrascht an. Ich wollte nichts lieber als auf der Stelle nach Deutschland zurückfliegen. Meine Schützlinge seien ja schon weg, erklärte ich ihm, und außerdem müsse ich wieder arbeiten. (Was für eine seltsame Vorstellung – der Buchladen. Er schien mir Jahrhunderte weit weg.) Jamie sah mich mit schmachtendem Blick an, begleitete mich dann aber zum Schalter, wo ich mein verfallenes Flugticket ohne Rücksicht auf die Kosten umtauschte – der Staat New York oder Max Brannigan würde für die Mehrkosten aufkommen, sagte er.

Er erinnerte mich außerdem noch daran, über Lucy-Lee

die garantiert tatendurstige Biggy Westerweg aufzuhalten, die mittlerweile in Berlin gelandet und sicher gerade dabei war, Himmel und Hölle für mich in Bewegung zu setzen.

Dann drückte er mir zum Abschied einen unsicheren Kuss auf die Wange und winkte mir nach, bis ich nach einer halben Ewigkeit hinter der Sicherheitsschleuse verschwunden war.

Ob aus reinem Schlafmangel oder wegen der Aufregung der vergangenen Tage – jedenfalls schlief ich im Flugzeug wie ein Baby in seiner Wiege. Ich nahm ab und zu Essen und Trinken entgegen und sank dann wieder in einen tiefen Schlummer. Dazwischen tanzten die Erlebnisse der letzten Tage einen wilden Tango in meinem Kopf: Brannigan an der Kaffeemaschine, das unverschämte Grinsen auf seinem Gesicht; Brannigan, der mir Rosen entgegenschleudert; Brannigan, der mich unter Androhung von Gewalt zwingt, ihm irgendwohin zu folgen ... Ich stellte mir vor, wie ich mich an ihm rächte, ihm eine scheuerte, ihm das Knie in die Weichteile rammte ... aber all diese Visionen befriedigten mich nicht. Ich versuchte schließlich, ihn rigoros aus meinem Kopf zu verbannen. Er hatte es nicht verdient, dass ich mich auch nur eine Sekunde über ihn aufregte, über diesen Typen, der von der langbeinigen Assistentin bis hin zur netten Deli-Besitzerin jede Frau davon überzeugte, er sei ein wertvolles Mitglied der Gesellschaft. Ich allein kannte die Wahrheit ...

Und weil das ein anstrengender Zustand war – so ganz alleine die Wahrheit zu kennen –, schlief ich schnell wieder ein, zusammengerollt wie ein Embryo unter meiner von der Stewardess erbettelten Decke.

Erst über Irland oder Großbritannien wurde ich wieder so richtig wach – und kriegte auch gleich die Krise.

Ich hatte jemanden vergessen in den letzten 48 Stunden,

und zwar komplett – Sven. Und er sollte doch der wichtigste Mensch in meinem Leben sein, mein Freund und Geliebter, mit dem ich zusammenziehen würde, morgen oder übermorgen, spätestens am Samstag!

Wenn er jetzt noch mit mir redete – wo er doch heute früh bestimmt ewig lange am Flughafen gestanden und vergeblich auf mich gewartet hatte. Er kannte die Westerwegs oder die Leutberger-Truppe ja nicht und war sicher unverrichteter Dinge, aber voller Sorge, wieder nach Hause gefahren. Ich hätte ihn anrufen müssen, unbedingt, aber er war mir in dem ganzen Chaos völlig entfallen! Bei dem Gedanken daran wurde ich fast ein wenig rot. Nur gut, dass ich vor unserem Aufbruch noch schnell seine Flycam besorgt hatte. Vielleicht würde ja auch die Erleichterung überwiegen, wenn er mich sicher in den Armen hielt.

Sobald wir in Frankfurt landeten (ich hatte keinen Direktflug bekommen), riss ich mein Handy aus der Tasche und wählte Svens Nummer. Leider ging er nicht dran. Ich versuchte es alle fünf Minuten, während ich auf die Maschine nach Berlin wartete. Jetzt machte beinahe *ich* mir Sorgen um ihn. Hatte er etwa erfahren, was passiert war und sich in den nächsten Flieger nach New York gesetzt? Und mischte dort jetzt Chief Mahoney und seine Beamten auf, bekam Ärger und landete letztlich genau dort, wo ich 24 Stunden vorher noch geschmort hatte? Wenn er auch eher ein ruhiger Typ war (auf seine Coolness bedacht, okay), so konnte er durchaus auch austicken, wenn ihm etwas richtig gegen den Strich ging ...

Der Flug nach Berlin wollte nicht enden, unruhig saß ich da. In Tegel sprintete ich regelrecht zum Gepäckband, um wieder zu telefonieren. Kein Sven.

Um 22 Uhr 05, genau sechs Tage und zehn Stunden nach meiner Abreise, betrat ich wieder den Boden meiner Heimatstadt. Fast kam es mir so vor, als wäre ich eine andere, erwachsenere Nora als die, die letzten Freitag hier abgeflogen war.

Und jetzt war niemand da, um mich abzuholen. Dabei hatte ich mittlerweile ein gigantisches Bedürfnis entwickelt, mich in jemandes Arme zu stürzen (und zwar nicht in die meines Anwalts!) und zu sagen: »Mann, du glaubst nicht, was mir alles passiert ist!«

Ich schlurfte vom Gate weg, ganz allein und ziemlich frustriert, hinaus auf die Straße. Ich würde mit dem Taxi nach Hause fahren, in mein kleines Zimmer in der Vorbergstraße. Was blieb mir anderes übrig – ich hatte ja keinen Schlüssel von der neuen Wohnung.

Letztendlich war auch das die Schuld von Max Brannigan.

Zurück auf Los

Draußen traf mich der kalte Berliner Oktoberwind wie ein nasser Waschlappen im Gesicht. Ich kniff die Augen zu und unterdrückte den Impuls, mich umzudrehen und wieder zurückzurennen – wohin denn auch?

Seufzend rückte ich meine Tasche auf der Schulter zurecht und – stutzte. Diese Gestalt dort hinten… irgendetwas an ihr war mir verblüffend vertraut. Dieser Rücken, diese helmartige, dunkle, von keiner Orkanböe aus der Fassung zu bringende Frisur…

»Mama! Eliane!! Warte!!! Halt!!!!«

In jeder anderen Situation wäre mir ein solches Gebrüll in der Öffentlichkeit peinlich gewesen, aber in diesem Moment galt es nur, sie rechtzeitig auf mich aufmerksam zu machen, bevor sie in das Taxi stieg, in dem ihr Gepäck offenbar schon verstaut war.

Ich jubelte, als sie zu mir herübersah. »Hier! Ich bin's!!«

Meine Mutter sprintete auf mich zu, und dieses Bild werde ich mein Lebtag nicht vergessen. Ich glaube, es war das erste und einzige Mal, dass ich sie ganz undamenhaft rennen gesehen habe.

»Nora! Das gibt's doch nicht!! Was für ein Glück!!!«

Und dann war sie bei mir und umarmte mich heftig, und ich vergrub mein Gesicht für einen winzigen, kostbaren Augenblick in ihrer Halsbeuge. Wir hatten uns seit zehn Jahren nicht mehr umarmt – um genau zu sein, seit meinem Abitur, als sie mich eher förmlich beglückwünscht hatte. Kein Wunder; Umarmungen gingen schlecht, wenn man sich aus dem Weg ging ... Ich war auch seit zehn (oder ehrlicherweise: mindestens fünfzehn) Jahren nicht mehr so froh gewesen, sie zu sehen.

»*Schätzchen*! Tut das gut, zu sehen, dass du heil bist! Ich hab mir *solche* Sorgen gemacht; ich hab seit vorgestern Abend nicht mehr geschlafen, seit ich wusste, was bei euch los ist! Wie ging's? Hat dieser nette Anwalt dich wirklich schnell rausgekriegt? Wie lange musstest du warten ...?«

Sie löcherte mich in einem Stakkato, in dem ich kaum zu Wort kam. Nur die wichtigsten Details wurde ich los, da steckte der Taxifahrer seinen Kopf aus der Tür.

»Wat is' nu, gnädige Frau? Fahrn wa heute noch ma los?«

Zu jedem anderen Zeitpunkt hätte meine Mutter ihn einen Kopf kürzer gemacht, aber heute war sie anscheinend in gnädiger Stimmung.

»Los, komm«, sagte sie. »Du fährst mit, dann kannst du mir alles ausführlich erzählen!«

Ich zögerte nicht, und wir setzten uns in den Fond und tauschten uns aus. Meine Mutter war via Kairo und München aus Daressalam gekommen, wo sie die Zumhorstens zwar in besserem Zustand als vor ihrer Ankunft zurückgelassen hatte, aber noch nicht wirklich versöhnt. Die Leutberger war zwar ziemlich verstimmt gewesen, weil sich der in Tansania geplante Drehtermin jetzt verschob, aber damit, so meine Mutter, müsse die Redakteurin leben.

»Ich konnte nicht mehr bleiben, Kindchen, als ich wusste, dass du in New York in Gewahrsam sitzt! Ich habe Erwin und Xenia gesagt, sie sollen es sich ernsthaft überlegen – wo sie doch in gewisser Weise dafür verantwortlich sind, dass du überhaupt nach New York musstest –, ob sie sich nicht doch einen Ruck geben wollen ...«

Ich sagte nichts. Sie war tatsächlich nach Hause gekommen, obwohl sie das Ganze noch nicht in trockenen Tüchern hatte ... wow.

Mein Bericht über sämtliche Details *meiner* Reise war noch nicht weit gediehen, als das Taxi in die Nestorstraße einbog. Um die Ecke war das Büro von *Matches Worldwide*, und hier hatte meine Mutter ihre kleine Dreizimmerwohnung im zweiten Stock, in der ich auch aufgewachsen war.

»Hör zu, Schätzchen«, unterbrach sie mich, »ich muss erst noch alles hören, und du willst doch nicht wirklich allein in deine kalte Bude nach Schöneberg, oder? Hast du nicht gesagt, dass du noch gar keinen Schlüssel von Sörens und deiner neuen Wohnung hast? Also – komm doch mit hoch. Ich hab Rote Grütze da, und Vanilleeis, also ...«

Sie sah mich an, ein winziges bisschen unsicher.

Ich ließ mir nicht anmerken, wie überrascht ich war. Rote Grütze mit Vanilleeis! Mein Lieblingsdessert seit Kindertagen, und meine Mutter mochte es überhaupt nicht. Wenn sie die Sachen trotzdem im Schrank hatte, dann ... womöglich meinetwegen. Ich hatte ihre Wohnung seit Ewigkeiten nicht mehr betreten. Wie lange wartete sie schon darauf, dass ich kam?

Ich nickte und sah, wie sie sich freute. Dabei kam ich mir gar nicht großzügig vor, sondern war im Grunde meines Herzens selber froh, dass ich nicht in meine einsame Wohnung zurückkehren musste. Aber das musste ich meiner Mutter ja nicht unbedingt auf die Nase binden.

Sie machte mir eine Riesenportion Rote Grütze (ich hatte heimlich das Verfallsdatum gecheckt, weil ich keine Lust hatte, etwas zu essen, das halb so alt war wie ich) und brachte sie mir ins Wohnzimmer, wo ich es mir auf ihrem ausladenden Sofa bequem gemacht hatte.

Wir brauchten noch eine geschlagene Stunde, bis wir alles Wichtige ausgetauscht hatten. Ich erfuhr, dass Eliane so viel Geld wie möglich zusammengekratzt hatte, um mich notfalls durch eine rasche Zahlung auslösen zu können. Was die Summe betraf sagte sie nur, Max habe schwer draufgesattelt und sie sei höchstens – allerhöchstens! – mit zwei Monatsmieten, also maximal 900 Dollar, im Rückstand. (Ich ertränkte meine spitze Bemerkung im Vanilleeis.) Sie stellte wilde Spekulationen darüber an, was in den »früher wirklich netten und charmanten Mann« gefahren sei und ließ sich von mir jede Einzelheit erzählen, die ich mit ihm erlebt hatte.

»Tja«, seufzte sie dann, »vielleicht hat ihn seine Scheidung verändert. Vor vier Jahren hat er sich von seiner Frau getrennt, und ich habe gehört, dass er seither die Finger vom anderen Geschlecht lässt ...«

»Da irrst du dich«, sagte ich verächtlich, »er hat sich die blondeste, langbeinigste seiner Angestellten geschnappt, und ich schwöre dir, so wahr ich hier sitze, dass er sie ausnützt nach Strich und Faden – blöd genug ist sie auch.«

»Meinst du diese ... Katherine? Ich habe sie vor einem Jahr kennengelernt – und jetzt sind sie ein Paar? Schau an. Aber blöd ist sie nicht, da unterschätzt du sie ...«

»Ich glaube, dass sie ihn anhimmelt«, grummelte ich. »Aber was interessiert mich das Gefühlsleben dieser Typen?! Du weißt ja noch gar nicht, was mit Denise ist ...!«

Und ich erzählte die neuesten Entwicklungen, und meine Mutter spekulierte mit ihrem Fachverstand, was wohl daraus werden könnte, und auch ich gab meinen Senf dazu. Als ich das erste Mal auf die Uhr sah, war es schon ein Uhr nachts.

Keiner von uns beiden erwähnte meine Wohnung. Meine Mutter schlug mir das Bett auf dem Sofa auf, und wir wünschten einander eine gute Nacht. Bevor ich mich hinlegte, versuchte ich es noch bei Sven. Wenigstens schaltete sich seine Mailbox ein.

»Ich bin's«, sagte ich. »Sie haben mich in New York verhaftet. Aber jetzt bin ich hier. Wo bist du?«

Wo Sven war, stellte sich dann am nächsten Morgen heraus, und zwar bedauerlicherweise schon um halb acht. Er rief bei meiner Mutter an, um zu fragen, wo ich abgeblieben sei. Sie sagte, er habe sich etwas nervös und dann erleichtert angehört, und er sei schon auf dem Weg in die Nestorstraße.

Ich sprang vom Sofa und unter die Dusche und freute mich richtig: Mein Süßer und ich wieder zusammen! Rote Grütze, Vanilleeis und Sven ... Was konnte es nach meiner amerikanischen tour de force Schöneres geben?!

Während ich mich anzog, bekam ich richtig Lust darauf, mit ihm in die neue Wohnung zu düsen. Wir sollten das Bett dort einweihen, fand ich, und zusammen kuscheln, reden, frühstücken ...

Es klingelte. Ich hüpfte zur Tür.

Sven sah noch besser aus als in meiner Erinnerung (ja, was so eine Woche bewirken kann). Er umarmte und küsste mich beziehungsweise ich ihn, und dann wollte meine Mutter auch was von ihm haben. Sie lud uns zum Frühstück ein, aber das war überhaupt nicht in meinem Sinne.

»Nein danke, Mama«, winkte ich ab. »Wir haben viel um die Ohren, kannst du dir ja denken. Danke für die Grütze und das Bett, ja?!«

Sie begleitete uns zur Tür.

»Aber wir telefonieren, ja, Kind?! Wir haben ja noch eine Menge Dinge abzuwickeln und zu besprechen! Die Westerwegs und die Klage und Brannigan, und ...«

»Ja, ja«, rief ich, schon vom Treppenabsatz aus. »Natürlich! Ich melde mich!«

Da Sven meinen Koffer schleppte, konnte ich mit einem großen Satz die letzten Stufen hinunterspringen. Es war wie der Sprung zurück in mein altes Leben.

Wir fuhren nur ein paar Straßen weiter. Vor dem *Salsa* hielt er an und zog mich hinein. Auf meine überraschte Frage sagte er nur: »Ich hab dermaßen Kohldampf, ich bin ja ohne Kaffee los!« Und er sah mich an, als würde er besonderes Lob für sein Engagement erwarten.

Ich sagte nichts, obwohl ich lieber gleich in die Wohnung gefahren wäre. Wir bestellten ein üppiges Frühstück.

Er wollte natürlich wissen, wie es in amerikanischer Haft war, und schien irgendwie enttäuscht, dass ich kein Guantanamo bieten konnte.

»Schweine«, murmelte er bei meiner Beschreibung von Chief Mahoney und wollte nichts davon wissen, dass dieser im Rahmen seiner Möglichkeiten ganz nett gewesen war. Ich berichtete von dem wahren Schwein in der Geschichte, nämlich Brannigan, aber da zuckte Sven nur die Achseln.

»Hast du was anderes erwartet, von einem, der eine Partneragentur hat? Kann ja nur ein Idiot sein«, nuschelte er in seine Tasse hinein. Über seiner Lippe hatte er einen hauchdünnen Bart von der geschäumten Milch.

Ich verkniff mir eine bissige Antwort (war ihm entfallen, dass ich mit der Besitzerin genauso einer Agentur näher verwandt war?). »Mm ... jedenfalls war Brannigan daran schuld, dass ich tagelang durch die Gegend gefitscht bin wie eine Verrückte. So ein Stress! Ich war ...«

»Ach ja, genau! Hast du die Flycam gekriegt? Wie teuer war sie denn?« Svens Augen blitzten voller Vorfreude.

Ich ging und holte das Ding aus dem Koffer im Auto, weil er wirklich neugierig war. Na ja – Kameramann eben ...

Drinnen stellte ich es mitsamt der Tüte auf den Tisch. »Ein Geschenk, Süßer – weil ich doch nicht da war beim Umzug und du so lange auf mich verzichten musstest ...« Und ich gab ihm einen fetten Kuss auf den Milchschaumrand.

»Danke«, grinste er erfreut. »Dann brauch ich ...« Er stockte. »Ist das dein Ernst oder willst du mich veräppeln?!« Und er streckte mir mit anklagender Miene den Karton mit der Minikamera entgegen.

»Was meinst du ...?« Ich begriff nicht.

»Das ist die alte! Die FlycamOne – die ich seit ungefähr anderthalb Jahren schon habe! Das solltest du aber echt wissen, oder?! Oder nimmst du mich auf den Arm und hast die neue in dem alten Karton?« Hoffnungsvoll äugte er an einer Ecke ins Dunkel der Schachtel.

Mir war nicht sehr wohl in meiner Haut. Verdammt noch mal – ich hatte in der Hektik tatsächlich nicht aufgepasst. Klar wusste ich, dass er dieses Modell schon hatte; wie hatte mir das bloß passieren können?!

»Scheiße. Mist, verdammter – es tut mir leid! Ich war so im Stress, nur Hektik und Chaos die ganzen Tage, und da hab ich wohl nicht richtig aufgepasst ...«

»In dem Moment, als es um *mich* ging! *Fuck*, Nora – das war das Einzige, was du für mich tun solltest! Du bist einfach abgehauen beim Umzug, hast mich mit der ganzen Scheiße sitzen lassen, und dann konntest du noch nicht mal dabei aufpassen! Fuck!«

Ich konnte das F-Wort noch nie ausstehen, und schon gar nicht aus dem Mund von weißen Mitteleuropäern. Das wusste er ganz genau. Aber er war sauer und wollte mich provozieren. Und es gelang ihm.

»Ja, okay – verdammt«, zischte ich. »Es ist mir passiert. Es tut mir leid, ernsthaft, aber wenn du eine derartige Staatsaffäre daraus machst, dann bestell dir deine Sachen demnächst im Internet! Ich hatte eh eigentlich keine Zeit, aber du hast jedes Mal davon angefangen, wenn wir telefoniert haben: deine ach so verdammt wichtige *Flycam*!« Muffig das Gesicht verziehen konnte ich auch.

Er sah mich finster an. »Anscheinend hast du es ja echt vermisst, mit mir zu streiten – wir sind gerade mal eine halbe Stunde wieder zusammen!«

»Ich fange Streit an?! *Du* hast mich doch angemeckert, weil ich einen Fehler gemacht habe! Und du bist überhaupt nicht daran interessiert, was ich durchgemacht habe, sonst würdest du mir um den Hals fallen, weil ich *überhaupt* den Versuch gemacht habe, dir dieses Mistding zu besorgen!«

»Den Versuch – eben! Und deine ganzen Geschichten hab ich mir schon am Telefon angehört, falls du das vergessen hast.«

»Du hast dir ein Hundertstel von dem angehört, was ich erlebt habe!« Ich versuchte, meine Stimme im Zaum zu halten. Die ersten Leute sahen schon zu uns herüber.

Sven knallte lautstark das Messer auf den Tisch. »Mann, wenn ich gewusst hätte, wie du drauf bist, hätte ich mich heute früh nicht so beeilt damit, herauszukriegen, was mit dir ist!«

Ich stutzte. »Heute früh? Wieso heute früh? Ich bin einen ganzen Tag zu spät gekommen!«

»Weiß ich. Ich hab ja schon gestern Abend herumtelefoniert, aber niemanden erreicht.« Er blickte grummelnd in seine Tasse.

»Ich hätte gestern früh um sieben ankommen sollen. Du hast gestern *Abend* herumtelefoniert… Du warst also nicht am Flughafen?« Die Frage war eigentlich überflüssig.

Er hatte überhaupt nicht gemerkt, dass ich fehlte, einen ganzen Tag lang! Wie konnte das sein? Wie konnte mein Freund, mit dem ich gerade eben zusammengezogen war, so wenig Interesse für mich aufbringen …?!

»Let's talk about sex, ba-by, let's talk about you-an-me«.

Das durfte nicht wahr sein. Dieser Song, dieses Telefon, jetzt, in diesem Moment. Ich hatte komplett vergessen, dass ich immer noch keinen neuen Klingelton eingestellt hatte.

Mit rotem Kopf fummelte ich das Ding aus meiner Handtasche. »Ja?«

»Frau Tessner! Endlich ... ich habe es seit gestern Mittag versucht, aber noch nicht einmal eine Mailbox war zu erreichen. Ach so, hier Schubert. Vom Buchladen.«

Ich hatte seine Stimme gleich erkannt, schließlich war er mein Chef – vor gefühlten zwei Millionen Jahren. »Vom Buchladen«! Er war echt witzig, der Alte.

»Herr Schubert, guten Morgen! Das ist ja eigentlich sehr nett, dass Sie sich melden. Ich bin ja noch nicht sehr lange wieder zurück.«

»Ich weiß nicht, wann Sie angekommen sind, Frau Tessner. Ich weiß nur, dass Sie heute Morgen nicht *hier* angekommen sind.«

»Äh ...« Ein furchtbarer Verdacht keimte in mir. Heute Morgen? Was war heute für ein Tag, Donnerstag?

Ach, du Scheiße. Es war Freitag. Ein kompletter Tag war verschwunden – untergegangen im Nebel einer amerikanischen Zelle.

»Ich kann mir denken«, sprach er weiter, nachdem er von mir nichts hörte, »dass es eine anstrengende Reise war und Sie erschöpft sind, Frau Tessner. Aber ich denke, Sie hätten doch wenigstens anrufen können, um mir zu sagen, dass Sie später kommen. Wir hatten das doch ausführlich besprochen – auch meinen Termin heute Vormittag.«

Mist, Mist, Mist. Jetzt fiel mir alles wieder ein, unsere Verabredung und auch seine unerwartete Großzügigkeit, mit der er mir überhaupt so kurzfristig Urlaub gegeben hatte.

»Ich äh ..., es war wirklich sehr stressig, Herr Schubert, das stimmt. Ihr Termin heute... wissen Sie, ich bin äh ... aufgehalten worden in New York und erst gestern Nacht hier eingetroffen ...«

»Das tut mir leid, Frau Tessner. Aber ich bin Ihnen wirklich ausreichend entgegengekommen, meinen Sie nicht?! Und dieser Termin heute Mittag, ich sagte es ja, ist wirklich sehr wichtig für mich.«

Ich unterdrückte einen Seufzer von der Tiefe des Marianengrabens. »Klar, ich verstehe. Bis wann . . .«

»Um elf spätestens muss ich weg.«

»Ich komme so schnell wie möglich, Herr Schubert.«

»Gut, Frau Tessner. Bis gleich.«

Sven betrachtete mich mit zusammengekniffenen Augen. »Wie bitte? Wohin gehst du *so schnell wie möglich*?«

Natürlich stritten wir uns weiter.

Wir stritten, bis wir bezahlt hatten, bis wir im Auto saßen und bis wir in der Nollendorfstraße vorfuhren. Zu guter Letzt war ich so entnervt, dass ich aus dem Wagen sprang und mich nicht mal mehr verabschiedete. Mein Koffer fiel mir erst fünf Minuten später wieder ein, aber da war Sven längst über alle Berge.

Herr Schubert grummelte immer noch ein bisschen, als ich schon längst wieder hinter der Kasse stand. Nicht eingehaltene Absprachen waren ihm ein Gräuel, ich wusste es ja, aber heute Morgen hielt sich mein schlechtes Gewissen in Grenzen. Jetzt stand ich hier, in meinem altvertrauten, dunklen und eigentlich ja geliebten Laden zwischen all den Büchern und fühlte mich so ätzend wie schon lange nicht mehr. Erschöpft, im *jetlag* und zerstritten mit meinem Freund – ich hatte wirklich schon bessere Tage gehabt.

Als Schubert um Viertel vor elf (endlich, endlich!) aus dem Geschäft trottete, hielt ich meine Tränen nicht mehr zurück. Ich hängte das »Komme gleich wieder«-Schild an die Tür und verzog mich für eine kleine Weile in das Hinterzimmer. Danach ging es mir ein bisschen besser, aber ich lungerte trotzdem noch ziemlich deprimiert hinter der

Kasse herum. Ich tat mir leid, ganz einfach. Wie kleine Blitze zuckten die Geschehnisse der letzten Tage durch mein Gehirn. Ich bekam die vielen Ereignisse einfach noch nicht in meinem Kopf sortiert und wusste im Grunde nicht, was ich von allem halten sollte ... und über diesen Mistkerl Brannigan wollte ich eigentlich überhaupt nicht mehr nachdenken! Es war extrem frustrierend, dass einem die schlimmsten Typen immer am längsten im Kopf blieben.

Kurz vor eins klingelte mein Handy wieder, und zu meiner Freude war es Leandra. Endlich war jemand uneingeschränkt voll des Mitleids und hörte geduldig zu, ohne dauernd an sich selbst zu denken!

Wir quatschten, bis sich der Kunde vor meiner Kasse wirklich nicht mehr ignorieren ließ.

Dann war Schubert irgendwann wieder da, aber ich brachte trotzdem nicht den Mut auf, ihn noch einmal um einen Gefallen zu bitten: nämlich darum, früher gehen zu können. Ich fühlte mich irgendwie antriebslos und niedergeschlagen. Meine Finger glitten über die Einbände neu eingetroffener Bücher, aber ich empfand die übliche Freude daran nicht.

Die Ladentür ging auf, irgendwann an diesem zähen Nachmittag, und jemand kam herein. Ich sah gar nicht auf.

»Nora! Hallo! Datt ist aber schön, datt sie dich so schnell freigelassen haben ...«

Ich spürte förmlich, wie mein Chef hinter dem Bestsellertisch zusammenzuckte. Die Verräterin war Denise! Ich musste ein ziemlich dämliches Gesicht machen, denn sie lachte herzlich.

»Ich hab die Adresse hier von deiner Mutter. Am Handy war immer besetzt, und da bin ich eben gekommen.« Ihr Lächeln war verblasst, und mir fiel auf, wie bleich ihr Gesicht war. Es sah beinahe krank aus zu dem hellblonden Haar.

»Denise ... Ja, das ist echt eine Überraschung!«

»Ja, ne? Wir sind in Berlin geblieben, weil wir erst mal abwarten wollten, watt mit dir ist. Und dann hab ich heute Morgen zu Mama gesagt, als sie vom Flug nach Köln geredet hat, dass ich noch hierbleibe.«

»Schön, dass du mich besuchst. Es ist nur...« Was wollte sie denn – plaudern? Ein sekundenschneller Seitenblick zu Herrn Schubert zeigte mir, dass er nicht begeistert war. »Ich kann jetzt irgendwie nicht weg, ich muss arbeiten.« Ich machte eine winzige Kopfbewegung hin zu meinem Chef.

»Ah, ja ... ich verstehe.« Sie wirkte eindeutig deprimiert. »Ich wollte aber... ich muss unbedingt mit dir reden!«, flüsterte sie.

»Ja, aber ...«

»Wenn du nicht mitkommen kannst, dann bleib ich eben hier, und wir reden hier.« Ihre Stimme war wieder einen Hauch lauter geworden.

»Ich weiß nicht, das ist irgendwie ...«

»Ich halt es nicht mehr aus! Meine Mutter will einfach nicht glauben, dass es ernst ist für mich und Raoul!« Sie sah mich mit umflortem Blick an. Herr Schubert linste nun interessiert zu uns herüber.

»Sie will lieber schnell nach Bonn zurück; ich glaube, sie denkt, datt ich den Raoul dann schneller vergesse! Aber da hat sie sich geschnitten – von hier aus kann ich zur Not sofort wieder zurückfliegen und bin in sechs Stunden wieder bei ihm! Und sie lässt einfach nicht mit sich reden! So kenne ich sie gar nicht!« Ein Schniefer, und dann sprudelten sie aus Denise heraus – all die aufgesparten Tränen.

Ich eilte um den Ladentisch herum und nahm sie in die Arme.

»Schsch, ist ja gut. Das wird schon ...«, murmelte ich verlegen. Herr Schubert schlich sich heran und reichte mir ein sorgsam auseinandergefaltetes Stofftaschentuch, dann ging er auf Zehenspitzen wieder davon. Ich unterdrückte ein Lächeln.

»Denise, hör zu ... sie wird sich wieder einkriegen. Wenn ihr beide euch so sicher seid, was soll sie dann ernsthaft dagegen sagen? Außerdem brauchst du ja deine Mutter nicht, oder? Du bist alt genug, dir deine Männer selbst auszusuchen!« Ich sah ein winziges Stirnrunzeln in Herrn Schuberts Gesicht. Anscheinend fand er, dass Mütter sehr wohl gefragt werden mussten, wenn es um potenzielle Schwiegersöhne ging.

»Ja natürlich, aber ...«, Denise schluchzte wieder laut, »... aber wir haben doch eigentlich alles zusammen geplant, vorher! Wir waren doch wie Freundinnen, und jetzt ist es auf einmal so, als ob sie nur noch meine Mutter wäre! Wir haben uns das ausgemalt, wie es wäre mit meinem Mann und wie wir hin und herfliegen zwischen New York und Bonn ... und nun will sie den Amerikaner nicht, den *ich* will!«

»Irgendwann gewöhnt sie sich dran! Mütter brauchen immer eine Weile, bis sie gefressen haben, dass ihre Töchter anders sind. Und bis dahin lässt du sie eben warten und machst dein Ding!« Herr Schubert schüttelte unmerklich den Kopf.

Denise zog einen Schmollmund. »Aber sie hat doch das Geld, Nora ... Ich hab Erzieherin gelernt, und wie soll ich arbeiten in dem Beruf, wenn ich vielleicht selbst ... na, du weißt schon, Kinder kriege ...«

Das wusste ich überhaupt nicht. Denise und Raoul waren aber schon weit gekommen, wenn sie bereits Kinder in der Diskussion hatten.

»Habt ihr denn schon mal in aller Ruhe miteinander geredet?«, erkundigte ich mich.

»Ja, deswegen komm ich doch zu dir: Könntest du nicht bitte mit dabei sein? Du kannst ihr datt richtig erklären; ich reg mich gleich so auf! Bitte, Nora!«

Ganz instinktiv fuhr ich ein wenig zurück. Ich hatte doch mit dieser ganzen Angelegenheit nichts mehr zu tun! Im Gegenteil – ich hätte ja selbst einen Schlichter gebraucht, der bei Sven und mir vermittelte...

»Du verstehst dich doch mit meiner Mutter, und sie hat mal gesagt, deine Einschätzung von Pärchen wär so gut, also wenn du sagen würdest, datt du denkst, dass der Raoul und ich... datt wir gut zusammenpassen...« Sie sah mich sehr überzeugt und hoffnungsvoll an.

Ich war ratlos. Meine Einschätzung von Paaren – so weit her konnte es damit nicht sein; ich war ja schließlich nicht meine Mutter! Wollte ich auch nicht. Andererseits, wenn mich Denise so darum bat, konnte ich ja schlecht Nein sagen. War ich ihr nicht irgendwie noch etwas schuldig, weil ich sie doch gar nicht selbst hatte vermitteln können?

»Okay, mach ich. Wir reden mal in den nächsten Tagen...«

»Klasse! Aber bitte heute noch, ja, das wäre toll! Wir reden ja gar nicht mehr miteinander, meine Mutter und ich...« Sie schluchzte noch einmal auf, und in der Sekunde klingelte mein Handy.

Ich glaube, ich wurde richtig rot – schließlich lungerte mein Chef ja in der Nähe herum. Denise und ich schauten beide gleichzeitig auf das Display und erkannten sofort, dass es sich um einen Anrufer aus Amerika handelte. Ich hatte das Gespräch wegdrücken wollen, aber Denise quietschte auf, noch bevor ich reagieren konnte, und griff nach dem Ding.

»Da! Guck mal – vielleicht ist es...« Und sie streckte mir mein Handy auffordernd entgegen.

»Ja, bitte?«

»Miss... spreche ich mit Nora Tessner? Hier ist Greg – Gregory Summit.«

Ich staunte. »Greg?! Das ist aber... wie...?«

Mein schüchterner Physiklehrer lachte. »Entschuldigen

266

Sie, Nora, ich hoffe, ich störe Sie nicht! Ich habe Ihre Nummer über Brooke, die in Ihrem Berliner Büro angerufen hat, und die meinten dort, ich dürfe ruhig Ihre Handynummer haben. War das okay?«

Er war irgendwie putzig, mein »*pro bono*«-Fall. Ich weiß nicht warum, aber ich mochte ihn einfach. »Natürlich, kein Problem, Greg. Wie geht es Ihnen?«

»Darum rufe ich an, Miss... Nora. Verstehen Sie – es musste einfach sein. Ich habe... wir sind... seit gestern habe ich eine Freundin, wenn Sie so wollen...« Ich konnte förmlich vor mir sehen, wie Greg rot anlief. »Ingvild und ich, wir haben uns vorgestern das erste Mal getroffen, und gestern schon wieder!«

O Gott – hielt er das jetzt schon für das Zeichen einer echten Bindung?! Dann war er doch ein viel schwierigerer Fall, als ich gedacht hatte.

Da ich nicht antwortete, fühlte Greg sich zu näheren Erläuterungen aufgefordert. »Also, das ist... nun ja, wir mögen uns, wenn Sie verstehen, was ich meine... Wir äh... sie hat... na ja, Sie wissen schon.«

Ich hatte keine Ahnung. Aber jetzt war ich doch neugierig. »Sie meinen, Sie... sind sich näher gekommen? Haben Sie sich vielleicht... geküsst?« Herr Schubert und Denise lauschten andächtig.

»Ja, das ist wohl... das kann man vielleicht so sagen. Auf jeden Fall... mögen wir uns – ich meine jetzt wirklich. Morgen fahren wir nach Coney Island, verstehen Sie? Wir werden spazieren gehen und... danke, Nora! Vielen, vielen Dank. Wenn Sie sich nicht engagiert hätten, wenn Sie nicht im richtigen Moment da gewesen wären, dann wäre das nie passiert. Ich hätte Ingvild nie kennengelernt, und ich hätte nie... deswegen rufe ich Sie in Deutschland an. Das war's, was ich sagen wollte.«

Ich schwieg, ziemlich gerührt. Es freute mich sehr, dass dieser schmale, schüchterne und so liebenswerte Mann endlich jemanden gefunden hatte, der ihn wertschätzte. Diese Ingvild war mir gleich ins Auge gefallen … ich konnte mir nicht helfen, ich war ein kleines bisschen stolz auf mich.

Wir verabschiedeten uns und wünschten uns alles Gute.

Als ich das Handy weggelegt hatte, fühlte ich mich zum ersten Mal an diesem Tag einigermaßen wohl in meiner Haut – als hätte ich etwas geleistet, als hätte endlich etwas funktioniert.

Millionen

Ich brachte Denise zur Tür, und wir verabredeten uns für den Abend – für ein Stündchen, vielleicht zwischen sieben und acht... Denise meinte, Biggy wollte mich sowieso zum Essen einladen, um sich meine Story in allen Einzelheiten erzählen zu lassen.

Als ich zu meiner Kasse zurückkehrte, kam mein Chef auf mich zu. Er sah mich an, als wäre ihm eben erst ein bestimmter Gedanke gekommen.

»Frau Tessner, ich habe das Gefühl, Sie sind nicht wirklich bei der Sache – ich meine, bei *unserer* Sache. Dauernd diese Telefonate und jetzt sogar Besuche – alles wegen dieser Agentur-Geschichte... Verstehen Sie mich nicht falsch, das alles ist sehr ehrenwert, aber... nun ja, wir betreiben hier nun mal ein anderes Geschäft, und dafür muss man auch ein wenig Engagement aufbringen.«

Ich musste zugeben, dass er nicht unrecht hatte.

»Ich... das alles ist nur, weil ich gerade erst zurückgekommen bin, Herr Schubert. Das sind bloß noch – irgendwie so lose Enden, wissen Sie. Eher zufällig!«, stotterte ich.

»Na, ich weiß nicht, Frau Tessner. Es kommt mir beinahe so vor, als wären Sie mit richtiger Leidenschaft dabei, wenn's um die Geschichten aus dem *wahren* Leben geht.« War da ein spöttischer Ton in seiner Stimme?!

»Aber bestimmt nicht, Herr Schubert«, protestierte ich. »Ich hab bestimmt nicht vor, den Beruf zu wechseln! Vermutlich hören Sie ab sofort eh kein Wort mehr von dieser Reise oder irgendeiner Partneragentur, garantiert!«

Das Ladentelefon klingelte. Ich war noch nicht wieder hinter der Kasse, also griff mein Chef nach dem Hörer, während er noch vor sich hin brummelte: »Na, das glaube ich erst, wenn ich ... Buchhandlung Schubert, guten Tag!«

Ich sah mich unauffällig um, ob ich irgendetwas entdeckte, um das ich mich auf der Stelle kümmern konnte.

»Frau Tessner«, sagte er plötzlich, viel zu früh. »Für Sie.« Und er hielt mir den Hörer entgegen, während sein Gesichtsausdruck ins Zitronenhafte spielte.

»Tessner?«

»Noralein – ich hab gleich im Laden angerufen, sonst wärst du ja vielleicht gar nicht drangegangen – weil doch Denise es schon versucht hat und dieser nette Kunde aus New York! Ich hab deinem Chef gesagt, er soll mal ein Auge zudrücken, ja?! Und apropos Kunde – da ist noch eine Mail von einem zweiten Kunden, nämlich von Don! Wieso erkundigt er sich denn nach *dir*, Schätzchen, was ist denn da gelaufen?!« Sie lachte herzlich. »Ich weiß ja, dass es zwischen ihm und Denise nicht gefunkt hat, sonst würde ich sagen: Na, wenn du unseren Kunden auch die Partien klaust!«

»Mutter!«, knurrte ich leise. »Antworte ihm nicht! Er ist irgendwie auf mich angesprungen, aber damit habe ich überhaupt nichts zu tun, will ich auch nicht, ehrlich! Und dass du hier anrufst, im Laden, das ...«

»Ach, da hat Schubert Verständnis, ganz bestimmt. Hör zu, Kind, dein Anwalt hat ebenfalls eine ewig lange Mail geschrieben, was wir jetzt alles tun müssen und wem wir mit Klage drohen und wie wir den Schadensersatz hochschrauben – ganz schön clever, der junge Mann! Brooke sagt, er ist noch jung, stimmt's? Und sie sagt, er wird *rot*, wenn er sich nach dir erkundigt! Also ich weiß nicht, Kindchen, wie viele *Herzen* du gebrochen hast in der kurzen Zeit ...« Und wieder lachte sie – so laut, dass es garantiert bis ins Hinterzimmer zu hören war.

»*Mama!* Lass das!« Mit genau solchen Sprüchen hatte sie mich als Teenager immer gequält, gerne auch vor meinen Freunden, und so dafür gesorgt, dass ich mit ihr und ihrer ganzen lausigen Profession nichts mehr zu tun haben wollte.

»Ist gut, Mäuschen, nur ein *Scherz!* Aber im Ernst ist es so, dass Mr. Glitz Max wegen Freiheitsberaubung drankriegen will, wegen falscher Beschuldigung – und wegen Betrug und diesen Sachen sowieso … er sagt, das wird ganz schön teuer für Mr. Right, auch wenn wir nur die Hälfte durchkriegen! Er hat was von drei bis fünf Millionen durchblicken lassen, was sagst du dazu? Einen Teil davon für dich, wegen der Nacht in Haft – aber genug, um auf den Film der Leutberger zu pfeifen, was?!« Sie lachte wieder, offenbar in freudiger Erwartung.

Auf die Idee wär ich ja noch gar nicht gekommen – dass ich bei der Sache absahnen könnte. Meine miese Laune würde mit einer Million Dollar schlagartig besser werden, das war klar.

»Max hat sich mittlerweile erklärt«, plauderte meine Mutter weiter. »Mr. Glitz sagt, seine eidesstattliche Erklärung sei aber nicht besonders glaubhaft … na ja, *ich* weiß, dass er in ein paar Punkten schon recht hat …«

»Pah – welche sollen das denn sein?!«

»Na ja, Max sagt, dass er von meiner angespannten finanziellen Lage wusste, zum Beispiel. Das stimmt; ich habe es vor ein paar Wochen am Telefon erwähnt, als ich ihm von der Sache mit dem Fernsehen erzählt habe, weißt du, er musste ja mit dem Besuch einverstanden sein … Er schreibt, er hätte *Matches* deswegen helfen wollen, und weil wir früher gut zusammengearbeitet hätten und einige seiner Kunden gerne mit Europäerinnen und insbesondere Deutschen zusammen kommen …«

»… hat er unsere zentrale Datei geklaut, ja? Das ist doch lächerlich …«

»Na ja, ja sicher. Aber er sagt auch, dass er Brooke sehr schätzt, als Mitarbeiterin und als Mensch, und ich weiß auch, dass das stimmt ...«

»Und dann schmeißt er sie aus seinem Netzwerk raus, weil er sie doch so schätzt, ja?«, höhnte ich. »Wieso fällst du auf diesen Typen rein? Das scheint ja allen so zu gehen, die mit ihm zu tun haben; die Masche möchte ich auch mal beherrschen!«

»Er hat jedenfalls erklärt, er habe die Datei an uns zurückgeben wollen ...«

»Mamma mia! Man kann fast den Eindruck kriegen, du glaubst ihm! Einem Typen, der mich bei der Polizei angeschwärzt hat, der mich hat festnehmen lassen! Wegen irgendetwas, das er sich aus den Fingern gesogen hat!«

»Na ja, Kindchen, ich habe dir ja gesagt, dass die Miete für die letzten zwei Monate fehlte, das immerhin stimmt schon ... wir haben noch mal nachgerechnet, Brooke und ich – also wir kommen auf ungefähr 4.500 Dollar, wenn man Strom und die anteiligen Gebühren und Steuern mitrechnet ...«

Ich schluckte. Na gut, aber das waren noch lange keine 18.000 Dollar! Allerdings hätte ich schon ganz gerne vorher gewusst, dass eine solche Summe offen war. Mir fiel unvermittelt wieder ein, wie ich Brannigans *jelly beans* weggefuttert hatte ... hätte ich von Elianes Schulden gewusst, wäre ich sicher etwas weniger frech aufgetreten.

»Das hättest du mir ja ruhig vorher sagen können – ein bisschen peinlich, mich dann so aufzuspielen, als würde mir der halbe Laden gehören!« Meine Stimme klang vorwurfsvoll.

»Schätzchen! Das hast du doch sicher nicht gemacht! Frau Leutberger hat mir auch gesagt, du hättest dich gut eingefunden, und Brigitte ist sowieso richtig begeistert von dir ...«

»Biggy ist einfach nur nett, und die Leutberger... ich möchte lieber nicht wissen, was bei dem Film rauskommt! Bist du sicher, dass sie *Matches* nicht runtermachen wird? Keine Männer für Denise, aber Haft für mich – so in der Art?«

»Warten wir's ab«, murmelte meine Mutter nachdenklich, »ich müsste mir im Grunde noch irgendeinen Coup ausdenken, irgendeine Finte, sodass sie gar nicht anders kann, als etwas Gutes zu berichten ...«

Um Gottes willen: die Coups meiner Mutter. Irgendwie hatte ich das Gefühl, ich wäre bei ihrem nächsten lieber ganz weit weg. Und eigentlich gefiel mir auch nicht, wie freundlich ihre Haltung diesem Brannigan gegenüber war – eigentlich verwunderlich, wenn man an das Geld dachte, das sie aus ihm rausholen konnte. Sah ihr gar nicht ähnlich, sich nicht wie ein Geier drauf zu stürzen ... ich jedenfalls würde ihm die Kohle mit Vergnügen abnehmen – mit *großem* Vergnügen.

Ich hörte geradezu, wie meine Mutter am anderen Ende des Telefons nachdachte. Die Stille ließ mich aufsehen und wieder in die Gegenwart des Buchladens zurückkehren.

Unmittelbar vor mir stand mit biestiger Miene mein Chef.

»Mama«, sagte ich, »ich muss jetzt aber wirklich aufhören. Wir reden ein andermal, ja?« Und ich legte ohne Umschweife den Hörer auf die Gabel.

»Frau Tessner«, sagte Herr Schubert, »jetzt ist es genau vier Uhr. Wenn Sie mir auf der Stelle endlich erzählen, was es mit Haft, Millionen von Dollar und einem Haufen falscher Männer auf sich hat, dürfen Sie eine Stunde früher nach Hause gehen.«

Um fünf stand ich tatsächlich auf der Straße, mit nichts als einer lächerlichen Handtasche im Arm. Ich hatte zwar meinen alten Wohnungsschlüssel, aber natürlich keinen von der neuen Wohnung und auch keinen Koffer. Sven hatte das Ding garantiert völlig vergessen und mit zur Arbeit genommen.

Der bleifarbene Oktoberhimmel ließ ein paar einzelne Tropfen fallen. Ich schniefte ein bisschen und trottete dann los in Richtung Vorbergstraße.

Seltsamerweise deprimierte mich meine kleine, eigentlich so gemütliche Wohnung noch mehr. Auf dem Sisalboden meines winzigen Flurs türmten sich eklig-bunte Werbeblättchen aus dem Briefschlitz, mein Ficus hatte trotz Wasserbads die Hälfte seiner Blätter verloren, und im Hof hatte irgendjemand eine der Kellertüren offen gelassen, sodass der Wind mit den rostigen Scharnieren ein monotones Klagelied spielte.

Ich legte mich ins Bett, weil ich hundemüde war, und konnte doch nicht schlafen.

Um halb sieben rief Denise an, und ich begrüßte diese Töne aus einer anderen Welt beinahe euphorisch. Gerne käme ich in einer Stunde im Hotel vorbei, und ja, ich hätte überhaupt nichts gegen den Italiener auf der anderen Straßenseite.

Ich blieb noch einen Moment liegen und starrte an die Decke. Denise erwartete nachher von mir, für sie die Kastanien aus dem mütterlichen Feuer zu holen; aus unerfindlichen Gründen hielt sie mich tatsächlich für eine Frau »vom Fach« … Als ob ich von Liebe etwas verstünde! Was mein eigenes Gefühlsleben anging, bekam ich kaum etwas auf die Reihe, schien mir.

Aber was Denises Liebesglück anging, da kam mir plötzlich eine Idee. Ich rollte mich aus den Federn und griff zum Telefon.

»War datt lecker!« Biggy schloss die Augen, während sie den letzten Bissen ihres Desserts genießerisch kaute. »Kann ich einem von euch noch was bestellen?«

Denise und ich winkten ab. Wir hatten ausgiebig und gut geschlemmt, in diesem »Italiener auf der anderen Straßenseite«, der sich als Ein-Stern-Restaurant erwies und in dem man keine zwei Minuten vor seinem halb leeren Weinglas saß.

Bisher hatten wir – außer dem Essen – meine letzten Erlebnisse in New York durchgekaut, außerdem meine Aussichten auf ein bis zwei Millionen Dollar (»Also nee, datt hätte ich von diesem *tollen* Mann ja nicht gedacht, was, Denise?!«) und die Frage, wer von uns denn wie gut in dem Leutbergerschen Film »rüberkommen« würde.

Das Thema Raoul oder Männer allgemein hatten wir weiträumig umschifft. Doch jetzt schielte Denise immer öfter so komisch zu mir herüber, und ich fasste mir ein Herz.

»Übrigens – Greg hat heute Nachmittag bei mir angerufen. Wissen Sie noch: der Physiklehrer? Er hat jetzt wohl eine aussichtsreiche Begegnung gehabt, nach ein paar Jahren der Suche. Ist das nicht toll? Man soll eben nie die Flinte ins Korn werfen, irgendwann kann es einen treffen wie ein Blitz aus heiterem Himmel.« Na ja, ich war schon origineller gewesen, aber ein besserer Einstieg fiel mir eben nicht ein.

»Ach«, sagte Biggy, »der Schmale, der so ein bisschen farblos war? Ja, nett war der schon . . .«

»Ja, nett, aber nicht mein Fall, leider«, kommentierte Denise ganz unschuldig.

»Na ja, bei irgendeiner hat's dann Klick gemacht – man weiß eben nie vorher, wann und wo das passiert«, zitierte ich aus »Partnervermittlung für Anfänger«. Unter dem Tisch linste ich auf meine Uhr. In fünf Minuten war es soweit.

Biggy schob ihren Dessertlöffel auf dem Tischtuch herum und stieg nicht richtig auf das Thema ein – also fuhr ich schwereres Geschütz auf.

»Ein paar nette Leute haben wir ja schon kennengelernt, nicht wahr?«, flötete ich. »Raf und Brenda zum Beispiel ... Am Anfang dachte ich ja, Raf wäre ein richtiger
Rüpel und Idiot, und dann: so ein netter Kerl, mit einer
netten Frau, die so toll kocht, und einem Haufen netter
Freunde ...«

»Ja«, sagte Biggy und nickte bekräftigend, »aber ehrlich.
Die zwei mit ihrem Häuschen an der Autobahn – und gekocht hat sie einmalig, die Brenda. Ehrlich.«

»Ja, und wie dann so die Nachbarschaft vorbeikommt«,
sinnierte ich, »... und alle gut miteinander auskommen,
wie sie auch heißen mögen, Stan oder Brooke oder Ra ...«

Es klingelte, drei Minuten zu früh. Ich schluckte den
Rest des entscheidenden Namens hinunter und hielt mir
das Telefon ans Ohr. »Ja?«, sagte ich überrascht.

Und dann: »Ach was – *Stan*?! Na, das ist ja eine ... ja, natürlich weiß ich noch, wer Sie sind!!«

Biggy machte ein völlig verdutztes Gesicht – und wurde
beinahe rot. Volltreffer! Da hatte meine (und Brookes)
Nase ja nicht getrogen ...

Stan und ich plauderten einen Moment, dann gab ich
den Apparat an Biggy weiter. Während die beiden redeten, flüsterte ich Denise zu, ich hätte keinen genauen Plan,
was Stan anging, eher so eine Intuition. Man müsse die
Leute mit ihren eigenen Schwächen konfrontieren, damit
man sie weich kriegte usw.

Denise sah mich verständnislos an, aber wir konnten
das Thema nicht weiter vertiefen. Ich tat so, als würde ich
die Weinkarte studieren, belauschte Biggy aber in Wirklichkeit schamlos. (*Oh riiieeelli?*, lachte sie atemlos. *Ssatt is
a nais eidiiiah!*)

Als sie ihr Gespräch beendet hatten (Biggy immer noch
mit leicht geröteten Wangen), hieb Denise spontan und
ganz ahnungslos in die Kerbe, die ich selbst auch schon
anvisiert hatte.

»Stan Gerber?«, fragte sie. »Watt wollte *der* denn? Der ist ja ganz nett, aber mit seiner Kartoffelnase ... und dann immer nur seine Eisenwaren im Kopf.« Sie runzelte kritisch die Stirn.

»Denise!« Biggy war beinahe empört. »Watt bist du ungerecht! Der Mann hat das Herz auf dem richtigen Fleck, datt musst sogar du bemerkt haben, obwohl du ja ziemlich abgelenkt warst! Und er erkundigt sich über den ganzen Ozean hinweg, wie es einem geht und so, der Nora und auch mir ... also datt sind Manieren, sag ich dir!«

»Mr. Gerber ist eine Seele von Mensch«, sagte ich altklug zu Denise. »Er hat sich schon ein paar Mal bei Brooke erkundigt, was wir alle machen – insbesondere deine Mutter allerdings.« Ich zwinkerte ihr unauffällig zu.

Biggy bekam noch mehr Farbe. Denise beäugte ihre Mutter interessiert. »Na ja«, sagte Biggy ein bisschen unsicher, »wir haben uns einfach gut verstanden.«

»Aber was sagt denn Ihr Freund dazu?«, fragte ich unschuldig, »wenn Sie sich mit einem anderen Mann so ... gut verstehen?«

Mutter und Tochter Westerweg sahen mich verdattert an.

»Freund?«, wiederholte Biggy.

»Ja«, sagte ich, »der, mit dem Sie immer telefonieren. Der Ihnen immer diese Ratschläge gibt, Günter oder so ...«

Die beiden Westerwegs brachen gleichzeitig in Gelächter aus.

»Günter! Sie meint meinen Günter!«

»Datt ist ja süß, sie meint ... Papa!« Denise wischte sich eine Lachträne aus dem Auge.

Jetzt war ich verdattert.

Als die beiden genügend gekichert hatten, klärten sie mich endlich auf. »Nora«, schnaufte Biggy, »der Günter ist mein verstorbener Mann, der Vater von der Denise. Wir waren 28 Jahre verheiratet, mein Günter und ich, aber vor sieben Jahren ist er gestorben. Ich red jeden Tach mit ihm, immer wenn was anfällt, und ich glaube – ach was: ich *weiß*, datt er mich hört. Weil er nämlich antwortet – deswegen.« Sie strahlte mich mit felsenfester Überzeugung an.

»Wie äh . . .?«, fragte ich.

»Vielleicht ist es wirklich so«, steuerte Denise bei, »weil sie manchmal so schaut . . .«

»Na ja«, sagte ich schlagfertig. »Solange ich keinen Beweis für das Gegenteil habe! Aber wenn das so ist, dann frage ich mich schon, was Ihr Mann zu äh . . . Stan sagt. Beispielsweise.« Es war ein Versuch, und ich hatte keine Ahnung, wie Biggy reagieren würde. Ich wusste nur, dass ich nicht gut fand, wie sie Raoul abblockte. Wieso war ein Doorman nicht gut genug für ihre Tochter? Warum durften sie das nicht ausprobieren? Wo waren wir denn – im Mittelalter?

Biggys Blick flackerte unsicher. Sieh an – sie hatte mit ihrem Günter wohl noch nie über andere Männer geredet.

»Da gibt's ja gar nix drüber zu sagen, jedenfalls noch lange nicht! Und wenn, so glaube ich – nur mal so für den Fall! –, würde der Günter sagen, datt wo die Liebe hinfällt, nun mal kein Kraut gegen gewachsen ist!«

»Ah«, sagte ich gedehnt. »*So* ist das?!«

Als wir uns verabschiedeten, war das Eis zwischen Mutter und Tochter fast schon gebrochen. Wir hatten Raoul nicht erwähnt, Denise und ich, als hätten wir uns abgesprochen – ich war der Meinung, die Sache mit der Liebe und dem fehlenden Kraut müsste jetzt erst ein bisschen gären, und Denise schien das ähnlich zu sehen.

Wir umarmten uns, als wären wir Freundinnen, und dann marschierte ich davon in die Berliner Nacht.

Wie geschickt ich mich da für die Beziehungen anderer

Leute einsetzte, dachte ich bei mir, ob mir das auch bei meiner eigenen gelingen würde?!

In diesem Moment rief Sven an und sagte, er sei mit der Arbeit fertig und habe meinen Koffer in die neue Wohnung gestellt.

Das nahm ich als hoffnungsvolles Zeichen. Sven schlug vor, uns im »Green Door« zu treffen, und das taten wir dann auch. Wir waren vorsichtig miteinander – keiner von uns wollte offenbar riskieren, schon wieder einen Streit vom Zaun zu brechen. Woran es bei ihm lag, weiß ich nicht – ich selbst fühlte mich müde und irgendwie ausgewrungen. Definitiv hatte ich keine Lust mehr auf Zoff.

Nach ein, zwei Bieren und langsam anlaufenden Gesprächen gingen wir zu Fuß in die neue Wohnung in der Motzstraße. Zuletzt war ich vor vier Wochen dort gewesen, nachdem wir den Mietvertrag unterzeichnet hatten – es kam mir vor wie eine halbe Ewigkeit.

Sie waren eigentlich ganz hübsch, die zwei Zimmer mit Wohnküche, Bad und Balkon, ein typischer Berliner Altbau mit alten Dielen und hoher Decke. Aber im Augenblick waren Svens Möbel und Dutzende von Kartons so planlos und willkürlich überall abgestellt, dass ich spontan lieber die Flucht ergriffen hätte.

Das stand nur leider gar nicht zur Diskussion – zumindest nicht, wenn ich noch Wert auf die Fortsetzung meiner Beziehung legte. Ich sagte Sven, da habe er aber viel geackert in der letzten Woche. Er kriegte die Ironie gar nicht mit.

»Ja«, erwiderte er, »aber ein bisschen Arbeit hab ich für dich noch übrig gelassen.«

Ich ließ das Thema fallen und sagte, wir sollten lieber ins Bett gehen. Das Bett war das einzige Möbelstück, das schon einigermaßen an seinem Platz stand, und außerdem war es der Ort, wo es zwischen Sven und mir am wenigsten Konfliktpotenzial gab.

Bevor wir in die Kissen hüpften, fiel mein Blick zufällig auf meinen Koffer aus New York, der ein wenig verloren zwischen einem halb geleerten Umzugskarton und einem rahmenlosen, gegen die Wand gelehnten Spiegel stand. Er sah einsam aus – wie ein Ding aus einer völlig anderen Welt.

Lauwarm

Irgendwie zog dieses Wochenende an mir vorüber, ohne dass mir Einzelheiten richtig zu Bewusstsein kamen: das tastende Zurechtfinden in der neuen Wohnung, Sex mit Sven, ewig langes abendliches Geplauder mit Silke, Marie, Martin und anderen, ein viertel Umzug von der Vorberg- in die Motzstraße (am Sonntagmittag packte ich drei Kartons mit Krempel und fuhr sie mit Tommys altem Auto in die neue Wohnung).

Ich versuchte, mich irgendwie in mein altes Leben zurückzuwühlen, aber es wollte mir nicht richtig gelingen. Es war, als versuchte ich etwas zu fangen, das mir immer wieder entglitt. Möglicherweise war ich auch nicht bei der Sache – ich weiß es nicht.

Und das gesamte Wochenende über hörte ich nichts – absolut nichts, nicht das *allerkleinste bisschen* – von meiner Mutter. Oder von den Westerwegs oder irgendwelchen Leuten aus New York – *niente, nada*.

Im Grunde war ich sauer darüber. Da steht man über eine Woche im Zentrum des Geschehens, macht und managt, hat zu keiner Tages- oder Nachtzeit Ruhe und Frieden – und dann ist alles mit einem Schlag plötzlich vorbei; man hat seine Schuldigkeit getan und kann gehen, und kein Hahn kräht einem auch nur einen allerletzten Seufzer hinterher... Aber ich würde nicht angekrochen kommen, sagte ich mir, und um Informationen betteln! Ich hatte meinen Stolz.

Schlimmer aber war, dass zwischen Sven und mir immer weniger funktionierte. Woran lag das bloß? Sven hatte zu keiner Unternehmung Lust, und mein Enthusiasmus war auch nicht ganz echt. Aber ich hatte es wenigstens versucht.

Am Montag schleppte ich mich zur Arbeit – trübsinnig gestimmt, passend zum Wetter, das bereits den November anzukündigen schien. Herr Schubert hatte den Funken von Spontaneität, den er am Freitag überraschend entwickelt hatte, übers Wochenende wieder gründlich erstickt, denn er erwähnte meine Geschichte mit keinem Wort mehr.

Der Dienstag wurde auch nicht viel besser. Am Mittwochmorgen entschied ich dann, dass es so nicht weitergehen konnte. Was sollte denn der Unsinn?! Das hier war doch mein eigentliches, echtes Leben, und das musste ich anpacken. So wie es jetzt lief, war nicht gerade viel *fun* dabei.

Ich legte also im Laden eine freundliche Miene auf, lächelte die Kunden an und dachte über eine Strategie nach, der Liebe zwischen Sven und mir neues Leben einzuhauchen. Irgendwann gegen Mittag fiel mir ein, dass es exakt – womöglich bis auf die Minute – zwei Wochen her war, dass meine Mutter die ganze Geschichte ins Rollen gebracht hatte mit ihrem ungewöhnlichen Anruf hier im Laden. Wahnsinn – war ich froh, dass dieser Stress endgültig vorbei war! Nichts als Ärger und Anstrengung . . . Ich stellte den neuesten Mankell direkt neben Mälzer, Tim. Herr Schubert war im Hinterzimmer und trank dort Kaffee mit einem Vertreter.

Ich griff unauffällig zu meinem Handy. Nur ganz kurz mal hören, nur so nebenbei.

»Tessner, ja bitte?!« Meine Mutter ging sogar mit professionellem Flötenton an ihr Privathandy.

»Ich bin's, Nora. Ich wollte mich nur mal melden . . .«

»Oh, ja. Das ist schön, Schätzchen . . .« Sie wirkte ein

bisschen überrumpelt. »Ja … wie geht's dir denn? Alles in Butter? Verkaufst du viele Bücher?!«

Was war mit ihr? Sie redete so komisch, gar nicht übersprudelnd und exaltiert wie sonst … Hatte sie Besuch oder warum war sie so zurückhaltend?

»Ist jemand bei dir? Soll ich ein anderes Mal anrufen …?«

»Nein, nein … alles bestens! Ich … wollte dich sowieso anrufen, heute oder morgen! Also, da trifft sich das doch gut. Was machst du denn gerade, kannst du denn telefonieren?«

Das war das erste Mal seit zwanzig Jahren, dass sie danach fragte. Da war definitiv etwas im Busch.

»Du stellst seltsame Fragen, Eliane Tessner. Was ist los? Was verheimlichst du mir?«

»Was sollte ich denn … wie kommst du denn *darauf?!* Ich war gerade in Gedanken, das ist alles. Es gibt eine Menge Dinge zu bedenken, neue Entwicklungen, neue Pläne …«

»Pläne? Entwicklungen? Mama – hat das irgendetwas mit der letzten Woche zu tun? Dann erzähl's mir!«

»Das wollte ich doch gerade, Schätzchen, sei nicht so ungeduldig! Also, was mir Sorgen gemacht hat, weißt du ja, war der Film … Ich habe am Samstag mit Sabine zu Abend gegessen – Leutberger natürlich –, und sie hat kein Blatt vor den Mund genommen. Sie hat gesagt, in New York sei schon ein etwas chaotischer Eindruck entstanden, und da wir ja auch nicht nach Afrika könnten, zumindest noch nicht, um diesen Eindruck zu korrigieren, würde im Moment das Bild von *Matches* als Versuchsanlage für Geschlechtermischungen entstehen.«

»*Bitte?!* Hat sie das wörtlich so gesagt? Die hat doch …«

»… nicht ganz Unrecht, fürchte ich! Ich habe ein paar Aufnahmen gesehen aus der letzten Woche – Schätzchen, du kannst überhaupt nichts dafür, versteh mich nicht falsch! –, aber das wirkt schon ... na ja: *ungut*, verstehst du? Denise, die immer einen Flunsch zieht! Schreierei mit Max, und Brooke hilflos vor einem abgestürzten Computer! Und diese Anwaltssache, sagt Sabine, ist nichts fürs Fernsehen – zu unsinnig. Die Leute wollen Gefühle sehen, sagt sie, Männer und Frauen und ganz viel Liebe und solche Dinge – keine Klageandrohungen in Juristenenglisch und Diskussionen über Dateien auf falschen Computern ...«

»Aber das kommt doch nur darauf an, wie man das aufbereitet!«, wandte ich etwas lahm ein. In meinem Innersten schwante mir, dass meine Mutter – und diese blöde Leutberger – recht hatten. Und noch etwas schwante mir: die Ahnung, dass meine Mutter sich nicht damit zufrieden gegeben hatte. Hatte sie nicht schon vor Tagen von einem »Coup« gesprochen?!

»Was hast du unternommen?«, fragte ich misstrauisch. »Du hast doch etwas unternommen, da bin ich ganz sicher.«

»Na ja, schon«, druckste meine Mutter herum. »Musste ich doch, oder? Also, pass auf – und urteile nicht vorschnell! –, ich habe Max angerufen ...«

Ich sog scharf die Luft ein. Meine Mutter plapperte in rasantem Tempo weiter, damit ich nicht unterbrechen konnte.

»... und lange mit ihm geredet. Das war im Grunde schon lange fällig, das musst du doch zugeben! Zuerst hat er ja Katherine vorgeschoben, aber sie hat ihn dann wohl überredet, doch mit mir zu sprechen – und das war gut so. Wir haben die Rückstände nochmal genau berechnet; es sind 5.200 Dollar, aber was ihn aufgebracht hat, war nicht das Geld, sagt er. Eigentlich war es nur die Sache mit dem Anwaltsbrief, mit unserer Drohung, verstehst du, er war so sauer, dass er beschuldigt wurde, die Datei geklaut zu haben ...«

Ich nutzte ihre winzige Atempause. »Na, sie *war* ja auch auf seinem Computer!«

»Ja, gut. Aber er hat mir versichert – quasi *geschworen* hat er das! –, dass seine eidesstattliche Erklärung stimmt: Er hat sie für uns eingeben lassen; seiner Einschätzung nach war *Matches* so auf dem absteigenden Ast, dass er sicher war, sich demnächst nach einem anderen Geschäftspartner umsehen zu müssen. Und er wusste, dass ich Brooke dann entlassen würde, was auch sonst...«

»Oh, was für ein Menschenfreund!«, höhnte ich.

»Doch, er mag sie, das weiß ich genau! Er wollte einfach wieder... na ja, eine Art Geschäftstätigkeit bei uns auslösen, auch aus eigenem Interesse. Und dass du dann Mr. Glitz eingeschaltet und so schwere Geschütze aufgefahren hast, das hat ihm nicht gepasst!«

»Ich?! *Ich*? Das haben schließlich wir beide...«

»Ich *weiß* doch, Kindchen, natürlich! Ich habe Max das natürlich nicht so ausführlich auf die Nase gebunden... Jedenfalls haben wir vereinbart, dass ich die Schulden zahle, er seine Klage zurückzieht und wir unsere Zusammenarbeit auf eine ganz neue Basis stellen...«

»Was soll denn das heißen?! Was ist denn mit den drei Millionen, die der Anwalt in Aussicht gestellt hat – die wir von Mr. Right kriegen könnten?!«

»Na ja, meine Anwälte hier in Berlin haben mir diesen Zahn ziemlich schnell gezogen. Viel wäre wohl nicht dabei herausgekommen, weißt du. Die neue Variante ist da viel Erfolg versprechender...«

»Neue Variante?«, echote ich.

»Ja, stell dir vor! Wir werden einen neuen Vertrag aushandeln, wir werden fusionieren!«

»Ihr werdet *was*?! Eliane! Bist du wahnsinnig?! Du darfst ihm kein Wort glauben, einmal Betrüger – immer Betrüger! Er wird irgendeinen schweineteuren Anwalt einen Knebelvertrag aufsetzen lassen, und du...«

»Nein, nein – wir werden das in aller Ruhe besprechen, erstmal nur er und ich, keine Anwälte. Und es geht ja um eine gegenseitige Beteiligung, verstehst du? Ich kriege einen Teil von Mr. Right und er einen Teil von *Matches*! Das ist doch ein guter Plan, oder?!« Sie frohlockte richtig in den Hörer.

»Keine Anwälte?«, wiederholte ich. »Das finde ich megaverdächtig, Eliane ...«

»Zum Vorgespräch, Noralein! Zunächst mal ganz unverbindlich! Wir plaudern heute Nachmittag schon mal ein bisschen drüber, wenn er sich vom Flug erholt hat ...«

»Vom Flug erholt?«, echote ich wieder. Ich hatte mich sicher verhört.

»Hab ich das nicht gesagt? Dass er hier ist?«, sagte meine Mutter ganz unschuldig. »Sie sind heute Morgen gekommen, und ...«

»Max Brannigan ist *hier*? In Berlin, in diesem Moment? Nein, davon hast du kein Wort erwähnt ...« Mir wurde ganz flau vor Ärger – Ärger über meine Mutter oder über Brannigan, das konnte ich nicht genau unterscheiden.

»Na ja, zusätzlich zu unseren Verhandlungen hatte er da noch so eine Idee, weißt du, um das Geschäft anzukurbeln, und auch für den Fernsehbericht ...«

Ich schloss die Augen und erwiderte nichts. Eine »Idee«, für das Fernsehen ... Das sah meiner Mutter ähnlich, auf irgendwelche vermeintlichen Super-Angebote hereinzufallen. Empörung stieg in mir hoch. Wie konnte sie in so kurzer Zeit unsere Absprachen über Bord werfen und sich mit dem Feind verbünden?! Seit wann war sie so leichtgläubig und seit wann verzieh sie so schnell? Mir gegenüber war sie nie so gewesen ...

»Und dass er mich hat verhaften lassen, ist ganz schnell vergessen, ja?! War ja bloß ich, interessiert ja weiter keinen ...« Meine Stimme war bitter.

»Nora! Nein! Das – diese Sache ist ausgeklammert, das

habe ich Max gleich gesagt! Das war nicht in Ordnung, das war schlimm, und das muss er mit dir ganz allein ausmachen; was er und ich geschäftlich vereinbaren, hat damit nichts zu tun, gar nichts! Was das angeht – das hab ich jetzt ganz vergessen: Dein Anwalt kommt auch! Er ist, glaube ich, schon unterwegs, deswegen hatte ich dich ja hauptsächlich anrufen wollen – Mr. Glitz sagte, er müsse diese Geschichte mit der Freiheitsberaubung mit dir persönlich besprechen, ganz egal ob ...«

»Wie bitte? Hallo? Jamie ist auf dem Weg hierher? Das sagst du mir erst jetzt? Aber das ist ... das ist ja völlig blöde – und überflüssig! Er will ja nur ... ich fasse es nicht!«

»Was will er nur?«, fragte meine Mutter scheinheilig.

»Er ... er steht wohl auf mich oder so, keine Ahnung! Jedenfalls braucht er doch nicht herzukommen, es gibt Telefon und Fax und E-Mail! Und dann ist er ja auch eher dein Anwalt ...«

»Für mich ist er nicht mehr tätig, die Klageandrohung ist ja zurückgezogen«, erklärte sie ungerührt. »Lass mich mal nachsehen ... ja, er kommt heute Nachmittag an, er hat wohl keinen guten Flug mehr bekommen und musste über Paris ...«

»Ich fass es nicht«, stöhnte ich. »Wir hören zwei Tage nichts voneinander, und alles ist völlig durcheinander. Du machst eine Firma auf mit meinem Feind Nr. 1, mein Anwalt, der eigentlich deiner ist, steht plötzlich auf der Matte, statt mich anzurufen und ...«

»... und Max will natürlich auch mit dir reden, hab ich das erwähnt? Also ...«

»Nein, nein, nein! Ich werde nicht mit ihm reden, auf keinen Fall! Ich werde auch nicht mit Jamie reden, ich will mit dieser ganzen Sache nichts mehr zu tun haben, ich hab genug damit am Hals, mein eigenes Leben wieder auf die Reihe zu kriegen ...« Meine Stimme war, wie immer bei Stress, auf der Lautstärke-Skala nach oben geklettert.

»Aber das kannst du nicht machen, Schätzchen! Er ist dein Anwalt! Und dann ist er, glaube ich, auch ein sehr netter Kerl, meine Quellen in New York sagen, dass sein Vater ihn in die Kanzlei eingekauft hat, die Familie muss unglaublich viel Geld haben, verstehst du? Und er ist nun mal an dir interessiert...«

»Mutter!«, zischte ich. »Wie krass bist du denn drauf?! Ich habe einen Freund, danke schön, und wir lieben uns, falls du das vergessen haben solltest. Oder ist dir das Verkuppeln so in Fleisch und Blut übergegangen, dass du jetzt auch deine Tochter unter die Haube bringen musst, auch wenn die gar nicht will – Hauptsache Ami und aus reichem Haus?!«

Meine Mutter klang richtig erschrocken. »Aber Schätzchen, so hab ich das doch nicht gemeint, ehrlich! Ich wollte es dir doch nur erzählen! Ich weiß doch, dass du und Sander...«

»*Sven!*«, knirschte ich.

»... dass du und Sven glücklich seid! Ich meinte ja nur, dass du deinen Anwalt... also, dass du Mr. Glitz doch nicht einfach hier sitzen lassen kannst, wo er doch nur deinetwegen kommt! Findest du nicht?! Und ich hab ihm nun mal versprochen, dass du dich meldest, wenn er im Kempinski eingetroffen ist...«

»Aarrggh!« Ich hätte am liebsten in den Ladentisch gebissen. »Du bist dermaßen unmöglich, Mama! Und überhaupt – warum bringst du jeden im Kempinski unter? Die Westerwegs und jetzt Jamie – das ist doch ein altmodischer und viel zu teurer Schuppen...«

»Na ja«, erwiderte sie fröhlich, »ich kriege dort so eine Art Provision! Aber jetzt muss ich Schluss machen, Schätzchen – ich hab noch so unglaublich viel zu tun vor heute Abend! Versprich mir nur, dass du Mr. Glitz wirklich anrufst...«

Ich knirschte wieder mit den Zähnen. Wenn ich so weitermachte, konnte ich bald anfangen, auf meine Dritten zu sparen. »Okay. Ist gut, ich ruf ihn an. Aber deinen Max – diesen Typen kannst du vergessen. Ich will ihn nie wieder sehen oder auch nur ein Wort mit ihm reden!«

An diesem Nachmittag produzierte mein Körper so viel Adrenalin wie seit New York nicht mehr, und vor lauter Ärger fühlte ich mich verdammt lebendig. Die Zeit verging wie im Flug, und als ich um sechs den Laden verließ, joggte ich schon fast in die Vorbergstraße.

Erst als ich vor der Tür den Wohnungsschlüssel aus der Tasche zog, fiel mir plötzlich auf, dass ich hier ja gar nicht mehr wohnte. Andererseits – wo ich jetzt schon mal da war, konnte ich auch hier duschen und mich umziehen. Ich hatte noch den Großteil meiner Sachen hier.

Ich rief im Kempinski an. Mr. James Glitz war vor einer Dreiviertelstunde eingetroffen; ich ließ mich mit ihm verbinden und sagte ihm, ich sei in einer Stunde vor Ort.

Er war happy. »Nora«, sagte er (er hatte eine unnachahmliche Weise, das »R« im Mund zu kneten wie einen Ultra-Riesen-Kaugummi), »Nora, ich freue mich sehr!!«

Um halb acht stöckelte ich in die Kempinski-Halle. Ich hatte – eigentlich nur der Abwechslung wegen – ein Kleid angezogen, mein kurzes, schwarzes Marc-Jacobs-Flatterkleid, das ich mir vor einem Jahr in einem Anfall von Verschwendungssucht geleistet hatte. Ich würde zwar nur einen Moment mit Jamie hier irgendwo herumsitzen, aber man konnte sich ja auch mal ein bisschen aufhübschen, hatte ich mir gedacht, nur so aus Spaß.

Jamie war hingerissen. Er verhaspelte sich bei seiner Begrüßungsrede, die er mir noch im Stehen in der Lobby hielt, und stolperte dann über eine nicht existierende Teppichkante, als er mich ins Restaurant führte. Er hatte einen Tisch bestellt und wollte meine Ausflüchte nicht gelten

lassen, von wegen keine Zeit und zu kurzfristig ... Zugegeben, dass ich mich extra aufgebrezelt hatte, half mir in
diesem Moment auch nicht weiter.

Ich weiß eigentlich nicht, warum ich das alles tat. Jamie
war ein netter Kerl, er sah gar nicht mal schlecht aus (und
wie meine Mutter gesagt hätte: er war offenbar eine gute
Partie), aber darüber hinaus reizte er mich kein bisschen.
Er war irgendwie zu jung und zu uncool, und außerdem
hatte ich schon einen Freund und war längst bedient!

Vermutlich war ich einfach in Flirtlaune. Über Jamies
Gefühle sah ich dabei großzügig hinweg, sonst hätte ich
mich nicht auf dieses Essen einlassen dürfen.

So aber genoss ich gewissenlos die Aufmerksamkeit des
Kellners, das Ambiente der gehobenen Preiskategorie und
Jamies bewundernde Blicke.

»... sicher, dass wir Schmerzensgeld in Höhe von mindestens einer Million kriegen können«, erläuterte mir Jamie
mit funkelnden Augen. »Ich habe mit Mr. Kurtz gesprochen, einem unserer Seniorpartner – er ist spezialisiert auf
solche Fälle -, und er hat gesagt, dass die Fakten ganz klar
sind ...«

Ja, wir besprachen natürlich das Geschäftliche – dafür
war ich gekommen, und dafür hatte Jamie den weiten
Weg von Übersee auf sich genommen (zumindest offiziell). Ich begriff nur einen Bruchteil der juristischen Feinheiten, aber darauf kam es ja nicht wirklich an; klar war,
dass Jamie meine Chancen auf eine Menge Kohle sehr gut
einschätzte und mich dringend davor warnte, mir von
Brannigan eine Klage ausreden zu lassen – höchstens ein
Vergleich, etwa in der Höhe von 800.000 Dollar, wäre
denkbar, sagte mein Anwalt.

Ich hatte weder vor, mich mit Brannigan zu vergleichen
noch mir etwas von ihm ausreden zu lassen – ich wollte
den Typen überhaupt nicht sehen und eigentlich auch

nichts von ihm hören. Das ging aber schlecht, wenn ich ihn vor Gericht zerrte ...

Diese verzwickte Lage war der Grund, warum ich meine Scampi unentschlossen hin und herschob und gar nicht richtig zuhörte – bis Jamie schließlich abrupt das Thema wechselte.

»Nora«, sagte er, und seine Stimme wurde fast ein bisschen fiebrig vor Aufregung, »wenn ich ehrlich bin, sind diese geschäftlichen Dinge aber nicht der einzige Grund, warum ich hierhergekommen bin ...«

Ach du Schreck – jetzt ging es los. Ich warf ihm einen alarmierten Blick zu. Jamies Miene war ernst und eifrig zugleich.

»Ich weiß nicht, ob Sie sich denken können, warum sonst ... also, ich ...«

Ich musste etwas unternehmen, sofort. Okay, solche Dinge hört man als Frau hin und wieder ganz gerne, und ich wurde in meiner eigenen Beziehung zur Zeit ja nicht gerade mit Liebesschwüren verwöhnt, aber ich wollte nichts von Jamie, und es war einfach unfair, ihn weiter ins offene Messer laufen zu lassen ...

»Warten Sie, Jamie, bevor Sie ...« Was war denn *das*?! Beziehungsweise *wer*? Ganz eindeutig war eben in dieser Sekunde jemand draußen vor dem Fenster vorbeigegangen – jemand, den ich kannte, dessen Anblick hier mir aber die Sprache verschlug: Raoul. Raoul, Denises heimliche Liebe, der Doorman aus der Fifth Avenue, der Nachbar von Raf und Brenda ... Er war es hundertprozentig. Da hinten sah man noch seine rundliche, etwas untersetzte Gestalt, seinen Kopf mit den drahtigen, schwarzen Löckchen ... bevor er um die Ecke in Richtung Hoteleingang verschwand.

Das war ja der Hammer. Ich sprang auf und sagte zu Jamie: »Entschuldigen Sie mich bitte einen Moment. Ich habe da jemanden gesehen, den ... ich kann's gar nicht

glauben, dass er hier ist, ich muss mich eben kurz verge-
wissern – ich bin gleich wieder da, okay?!«

Dann rannte ich davon. Auf dem Weg zur Lobby hielt
ich mir noch einmal vor Augen, dass ich den Puertoricaner
wirklich gesehen und nicht nur eine Halluzination produ-
ziert hatte, nur damit ich vor Jamie flüchten konnte. Nein,
Raoul war tatsächlich über die Fasanenstraße gelaufen,
und ich würde mich meinem übereifrigen Anwalt stellen,
sobald ich Raoul hallo gesagt hatte und wusste, wieso er
hier war.

In der Lobby war nicht viel Betrieb, und ich hatte im
Bruchteil einer Sekunde alle Leute gescannt. Er konnte
nicht weit sein, denn ich war schließlich gerannt – da, in einem Gang, der links in die Tiefen des Hotels hineinführte,
erhaschte ich einen kurzen Blick auf den nicht unbedingt
topmodischen braunen Anzug, den Raoul getragen hatte.
Wo wollte er denn hin?

Egal – ich sprintete ihm hinterher. In der Empfangshalle
des altehrwürdigen Baus wollte ich nicht brüllen, aber sobald ich den dunkel getäfelten Gang betreten hatte, rief ich
halblaut: »Raoul?!«

Es kam keine Antwort. Es war auch niemand zu sehen,
also gab ich ein bisschen Gas und lief einfach weiter. Ich
musste eigentlich jede Sekunde auf ihn treffen, denn es
gab hier kaum eine Abzweigung oder angrenzende Räume.

»Raoul, hallo!«, rief ich nochmal. Ich glaubte, ein Stück
weiter vorne Schritte zu hören, aber sonst blieb es still.
Versuchsweise öffnete ich die nächstbeste Tür, aber die
führte nur in eine Wäschekammer, wo sich auf hohen Regalen weiße Stoffberge türmten. Danach wurde mein
Schritt schon langsamer.

Hatte ich vielleicht doch eine Halluzination gehabt, vor
lauter Verzweiflung angesichts einer drohenden Liebeserklärung?! Wohin ging es hier überhaupt? Zum Pool? In
den Weinkeller? Wieso sollte Raoul – falls er es war – denn

eigentlich hier in den Eingeweiden eines Berliner Hotels herumgeistern?

Und dann blieb ich plötzlich wie angewurzelt stehen.

Durfte das wahr sein? In einem Gang, der sich zu einem anderen Bereich der Halle öffnete, war ja schon wieder jemand, den ich kannte und den ich hier niemals erwartet hätte: Peter, unser Kameramann! Er hatte sogar sein Arbeitsgerät auf der Schulter, einsatzbereit, und ging mit zügigem Schritt am Zeitungskiosk vorbei in einen anderen Teil des Hotels. Er war ganz offensichtlich bei der Arbeit – drehte er schon den nächsten Film?

Ich war ein bisschen neugierig. Und ich ja war noch nicht lange weg gewesen, also würde Jamie es sicher aushalten, sagte ich mir, wenn ich nur eben mal nachsah, wohin unser Peter denn so wollte, hier im »Kempinski«. Es gab wirklich Zufälle im Leben ... Raoul hatte ich mir wohl eingebildet, aber Peter war – nicht zuletzt wegen seines Pferdeschwanzes – eindeutig. Es würde nicht länger als zwei Minuten dauern ...

Showdown

Es war nicht weit. Peter durchquerte eine Art zweite Lobby und verschwand dann in einem Durchgang, der laut Schild in die Bristol-Bar des Kempinski führte. Leises Stimmengewirr und Gläserklingen drang aus dem Raum, offenbar war hier eine Art Party zugange.

Vorsichtig ging ich ein paar Schritte in Richtung Bar.

Was ich sah, ließ mich innehalten und an meinem Verstand zweifeln und an ein paar anderen Dingen, die ich bisher für eindeutig und felsenfest und unverbrüchlich gehalten hatte.

Dort stand meine Mutter. Meine Mutter, die es nicht für nötig gehalten hatte, mir auch nur anzudeuten, dass sie heute Abend ebenfalls im Kempinski sein würde. Sie trug ein lila Kostüm (es war grässlich altmodisch, also schon beinahe wieder hip), hielt ein Sektglas in der erhobenen Hand und ließ sich gerade vom Barkeeper einen Löffel über die Theke reichen.

Ein paar Schritte entfernt standen Esther und Frau Leutberger zusammen und beratschlagten sich, während sie nacheinander auf Peter und dann auf den riesigen Bildschirm zeigten, der am anderen Ende der Theke hing und nicht angeschaltet war.

Außerdem saßen inmitten der bunten Schar Leute, die den Raum bevölkerten, Biggy und Denise Westerweg, aufgerüscht, ebenfalls mit Sektgläsern in der Hand und in einer munteren Unterhaltung mit zwei Herren begriffen, die die beiden ganz offensichtlich gut amüsierten.

Und zu guter Letzt – und das versetzte mir eine Art Todesstoß – war da Max Brannigan, in dunkler Hose und weißem Hemd, unverschämt gut aussehend, der mit einem Lächeln auf den Lippen einer kleinen, dünnen Frau zuhörte, die mit aufgekratzt flatternden Händen irgendeine anscheinend witzige Geschichte erzählte. Sie standen mitten im Raum, und Brannigan war der Einzige, der dem Eingang zugewandt war – und mich daher sofort entdeckte.

Aus unerfindlichen Gründen konnte ich kein Glied rühren.

Brannigan unterbrach seine Gesprächspartnerin, indem er ihr charmant die Hand auf den Arm legte, und dann kam er direkt auf mich zu.

Ich konnte mich immer noch nicht rühren.

Meine Mutter hatte sich inzwischen in Positur gestellt und klopfte sacht mit dem Löffel an ihr Glas.

»Liebe Gäste«, rief sie fröhlich in den Raum hinein, »darf ich um Ihre Aufmerksamkeit bitten?!«

Was ging hier vor sich? Welche seltsame Veranstaltung lief hier ab? Welche Veranstaltung, von der man mir noch nicht einmal erzählt hatte, weil ich dann – ich weiß nicht – ausgeflippt wäre und um mich geschlagen hätte, vielleicht?!

Ich war gleichzeitig sauer und wie vom Donner gerührt – und angesichts dieses blöden Max Brannigan, der jetzt vor mir stand, auch noch völlig entnervt.

»Nora«, sagte Brannigan leise und sah mich mit einem seltsamen Ausdruck an, »ich wusste gar nicht . . . ich habe Sie hier gar nicht erwartet.«

Die Stimme meiner Mutter füllte die Pause, in der ich nach einer Antwort suchte. ». . . freue mich sehr, Sie heute hier begrüßen zu dürfen, im Namen von *Matches Worldwide* und Mr. & Mrs. Right . . .«

»Ich wusste gar nicht, dass wir uns so vertraulich anreden«, zischte ich, »Mr. Brannigan. Und von dieser Veranstaltung hier wusste ich auch nichts.«

Er runzelte unwillkürlich die Stirn. »Verzeihung, Miss Tessner – anscheinend hat Ihre Mutter zu viel mit mir über Sie geredet, da ist mir der Vorname hängengeblieben; es wird nicht wieder vorkommen. Aber mit Ihnen hat sie offensichtlich nicht genug geredet.«

Ich funkelte ihn böse an, während meine Mutter über irgendeinen Scherz lachte, den sie gerade gemacht hatte. »... aber noch einmal: Ich hoffe, dass Sie alle sich – deutsche Damen wie amerikanische Herren -, gut miteinander amüsieren ...«

»Ich wüsste nicht, was Sie das angeht, Mr. Brannigan. Dass sie allerdings mit Ihnen redet, und zwar viel zu viel, das weiß ich genau! Ich weiß nicht, wie Sie es geschafft haben, sie einzuwickeln ...«

»... Freundschaften schließen und vielleicht sogar ...«

»... aber ich bin auf der Hut, Mr. Brannigan! Glauben Sie nur nicht, ich wüsste nicht, dass Sie sie übers Ohr hauen wollen mit dieser ›Beteiligung‹ ...«

»... ein ganz klein wenig Ihr Herz verlieren! Aber vorher ...«

»... aber auch wir haben Anwälte, und auch wir sind nicht völlig blöd!«

Brannigan starrte mich mit unergründlichem Blick an. »Miss Tessner, sind Sie eigentlich immer wütend? Ich hatte eigentlich in Ruhe mit Ihnen reden wollen ...«

»... möchten wir Ihnen etwas zeigen, eine kleine Überraschung für einige der Anwesenden ...«

»... um unseren Streit zu begraben und nochmal von vorne anzufangen ...«

»... etwas aus Amerika mitgebracht, eine kleine Botschaft für eine der anwesenden Damen ...«

»... aber jetzt bin ich nicht sicher, ob ich mir die Mühe überhaupt machen soll.«

Ich funkelte ihn böse an. »Sie würden sowieso nichts bei mir erreichen, überhaupt nichts!«

»… alles bereit? Max, würdest du bitte … Max?«

Meine Mutter drehte sich um, mit suchendem Blick. Als sie uns beide an der Tür stehen sah, fiel ihr für einen Augenblick die Kinnlade runter, doch sie fing sich schnell.

»Aah, da ist er ja! Und wie es sich trifft, ist die junge Dame neben ihm meine wunderschöne und talentierte Tochter – darf ich vorstellen, meine Damen und Herren, Nora Tessner!« Mit zwei Schritten war sie neben mir, nahm mich bei der Hand und zog mich ein Stück in die Mitte, vor das applaudierende Publikum. Ich lief – überrumpelt – sofort rot an und grinste dämlich in die Menge. Meine Mutter redete einfach weiter.

»Sie hat mich letzte Woche in New York wunderbar unterstützt, und ich gebe die Hoffnung nicht auf, dass sie eines Tages doch noch in meine Fußstapfen tritt!«

»Mama, lass das!«, knirschte ich leise und lächelte gequält. Sie sah mich gar nicht an.

»Aber nun wollen wir Sie nicht weiter auf die Folter spannen. Max?«

Brannigan war mittlerweile neben den großen Fernseher am anderen Ende der Bar getreten. Jetzt nickte er und drückte einen Knopf der Fernbedienung, die er in der Hand hielt. Während der Bildschirm zum Leben erwachte, hatte ich einen Moment Zeit, mich unauffällig umzusehen.

Katherine, Brannigans Assistentin, konnte ich nirgendwo entdecken. Die hatte er doch sicher mitgebracht … hielt sie ihm etwa oben im Zimmer das Bett warm?!

Dafür war ein Haufen anderer Leute da. Sabine Leutberger und ihr Team hatten an einer entfernten Wand Aufstellung genommen und filmten fleißig. Die schick angezogenen Männlein und Weiblein in den bequemen Barsesseln setzten sich murmelnd zurecht, um das Geschehen auf dem Schirm gut verfolgen zu können; es waren etwa fünf Männer (wohl die »amerikanischen Herren«, von denen meine Mutter gesprochen hatte) und genauso viele Frauen – plus Mama und Tochter Westerweg. Es schien sich um eine Kuppelparty zu handeln, und aus den bruchstückhaften Informationen zu schließen, hatte Brannigan die Amis vermutlich mitgebracht, um sie hier deutschen Kundinnen meiner Mutter zuzuführen. Das war also der »Coup«, den sie sich für die Leutberger ausgedacht hatte: Nachschub, taufrisch aus dem Flieger . . . Meine Mutter lächelte mir arglos zu und wies mit einer Kopfbewegung auf den Bildschirm.

»Message for Denise« war jetzt dort zu lesen. Im Hintergrund sah man ein Bild der New Yorker Skyline, mit wackliger Kamera vom gegenüberliegenden Ufer aufgenommen. Plötzlich trat ein Mann ins Bild. Zu meiner Überraschung war es nicht Raoul, sondern Stan.

Eisenwarenladen-Stan. Mr. Gerber. Er trug eine beige Stoffhose und eine helle Windjacke darüber; die brauchte er auch, denn der Wind pfiff deutlich hörbar ins Mikrophon und trieb Stans verbliebene fünf Haare senkrecht in die Luft.

»Hallo und guten Tag«, sagte Stan und räusperte sich. »Wahrscheinlich sind Sie jetzt ein bisschen verwundert, dass ich auftauche, aber ich mache hier nur die Vorbereitungen . . . Ich bin so etwas wie der Dietrich, der das Schloss aufkriegt, wenn Sie verstehen, was ich meine . . .« Er lachte unsicher, als wisse er selbst nicht so genau, was er da eigentlich von sich gab. »Na ja, ich stehe hier für einen anderen jungen Mann – also, der andere ist jung, ich ja nicht mehr, aber . . . also jedenfalls wird dieser junge Mann gleich auftauchen und eine Liebeserklärung abgeben. Eine Liebeserklärung an eine junge Frau, die er vor Kurzem kennengelernt hat, aber die er jetzt schon . . . von der er jetzt schon weiß, dass er den Rest seines Lebens mit ihr verbringen möchte. Jetzt könnte man sagen, das ist ein bisschen vorschnell, und ich weiß, dass eine bestimmte Person das sicher sagen wird, aber genau dieser Person möchte ich sagen, dass das Leben manchmal eben vorschnell *ist*, oder, man könnte auch sagen, das Schicksal schraubt manchmal etwas zusammen, da können wir gar nicht so schnell schauen ... na ja. Aber bevor ich noch weiter Unsinn rede, lasse ich lieber den jungen Mann zu Wort kommen, der etwas von sich und seinen Gefühlen erzählen will. Ja. Danke schön.«

Schnitt. Alle applaudierten spontan, gefesselt von der Wärme und charmanten Unbeholfenheit, mit der Stan gesprochen hatte. (Wer hatte da meine Idee geklaut?! Stan zu benutzen, um Biggy aufzulockern – darauf hatte *ich* ja wohl das Patent!) Auf dem Schirm tauchten jetzt die typischen Häuser von Queens auf, über die die Kamera schwenkte, bis sie auf dem Gesicht von Raoul hängenblieb. Der Puertoricaner wirkte jung, mollig und sehr aufgeregt.

Mein Blick wurde von einer Bewegung Brannigans abgelenkt, der im Schatten neben dem Fernseher stand. Mein Feind zog nämlich gerade sein Handy aus der Tasche, sah mit gerunzelter Stirn auf das Display und nahm den Anruf dann entgegen. Ich sah, wie er lauschte, nachfragte, sich anspannte. Irgendetwas war passiert, das sah ich ihm sogar in dem Schummerlicht an.

Raoul sagte gerade: »... zeigen, wo und wie ich lebe, damit du, Denise, einen Eindruck bekommst ... wer ich bin.« Er zuckte die Achseln und lächelte unsicher.

Denise lauschte ihm verzückt; sie saß auf der Kante ihres Sessels, hatte die Hände im Schoß verkrampft, und die ersten Tränen der Begeisterung glitzerten in ihren Augen.

Plötzlich packte mich eine Hand am Arm. »Wissen Sie, wo der Wäscheraum ist, Miss Tessner?«

Brannigan zog mich ohne viel Federlesens aus dem Raum. Alle hingen gebannt vor dem Bildschirm, auch meine Mutter; niemand achtete auf uns. Ich selbst war so überrumpelt, dass ich widerstandslos mitging.

Erst draußen in der Halle hatte ich mich so weit berappelt, dass ich meinen Arm aus Brannigans Griff befreite. »Was soll das? Ich weiß überhaupt nicht ...«

»Irgendwie muss er sich dort eingeschlossen haben«, fuhr Brannigan mich an. Ich wurde nicht schlau aus dem, was er sagte. »Er ist leicht klaustrophobisch und kriegt allmählich Zustände da drin – wo auch immer das ist!«

Ich starrte Brannigan fassungslos an. Er stand so nah bei mir, dass ich wieder diesen Hauch von Zimt und Leder riechen konnte.

»Nor... Miss Tessner! Wo *ist* er?«

Ich riss mich gewaltsam zusammen. »Ich ... vermutlich ... ich habe ihn überhaupt nicht gesehen! Beziehungsweise, gesehen habe ich ihn schon, in diesem Gang dort ...«

Wir eilten in Richtung Lobby. Tausend Gedanken purzelten in meinem Kopf durcheinander – unter anderem seltsamerweise der, dass es sich angenehm anfühlte, neben Brannigan zu gehen.

»Wo ist eigentlich Katherine, Ihre hübsche Freundin?«, platzte es aus mir heraus, bevor ich mich bremsen konnte.

Er warf mir einen überraschten Blick zu. »Freundin?! Katherine und ich arbeiten zusammen, und darüber hinaus teilen wir wenig – auch nicht das Bett, falls Sie darauf hinauswollten.« Er grinste, und ich ruderte rasch zurück.

»Na ja, wer sich eng umschlungen mit seiner Sekretärin fotografieren lässt, und mit dem Foto dann die Wände tapeziert, der darf sich nicht wundern«, sagte ich. »Und so wie Katherine Ihnen gegenüber auftritt, Max hier und Max da ... Ich wette, sie ist in Sie verliebt.«

Er betrachtete mich mit einem amüsierten Glitzern in

den Augen. »Ist das Ihr geschultes Auge als Partnervermittlerin, Miss T.? Sie haben ja richtig Talent!«

Sein Talent war es anscheinend, mich blitzschnell auf
die Palme zu bringen. »Nennen Sie mich nicht Miss T.! Das
klingt ...«

Er sprach einfach weiter. »Aber Ihr Vorurteil gegenüber
Katherine finde ich bedauerlich. Blond und doof?! Die Sekretärin und der Chef?! Etwas phantasievoller dürften Sie
doch sein!«

Ich knirschte mit den Zähnen, aber eine schlagfertige
Antwort fiel mir nicht gleich ein. Wir hatten mittlerweile
die Eingangshalle erreicht und betraten jetzt den abgele-
genen Gang. Niemand hielt uns auf. Weniger als eine Minute später standen wir vor der Tür zum Wäscheraum.

»Da!«, sagte ich.

Aus unerfindlichen Gründen war der Außenriegel der
Tür eingerastet, sodass sie sich nicht mehr von innen öffnen ließ.

Brannigan schob bereits den Riegel zurück und stieß die
Tür ohne Umschweife auf. Zuerst sahen wir nur die Stoff-
mauern überall, deren Weiß einen beinahe blendete, dann
aber entdeckten wir Raoul, der gegen eins der Regale ge-
lehnt auf dem Boden saß.

»Raoul!«, rief ich und stürzte zu ihm. »Wie geht es Ihnen?«

Raoul hatte den Kopf gehoben und gab sich Mühe, ein
Lächeln auf sein bleiches Gesicht zu zaubern. »Oh, Miss
Tessner ... es ist nur ...«

Brannigan mischte sich ein. »Kommen Sie erst mal hier
raus, Raoul.« Er packte Raoul am Oberarm und half ihm,
aufzustehen. Ich huschte an Raouls andere Seite und
fasste ihn am Ellbogen, und gemeinsam führten wir den
Doorman auf seinen wackligen Beinen aus dem Wäscheraum.

Draußen blieben wir einen Moment stehen. Raoul holte

ein paar Mal tief Luft und sagte dann: »Jetzt geht's schon besser, danke. Es ist nur … in Räumen, die ich selbst nicht öffnen kann … und dann diese Berge von Tüchern überall, wie Leichentücher…« Er schüttelte sich. »Ich war so in Eile, wissen Sie. Ich sollte zu einer bestimmten Zeit hinter der Bar vorkommen, aber ich war unsicher, ob ich noch den richtigen Weg wusste, und da … na ja, ich glaube, der Wäscheraum war sowieso falsch, stimmt's, Max?« Er sah Brannigan zweifelnd an.

»Du hättest die Treppe hier nehmen sollen, Raoul. An den Lagerräumen vorbei und wieder nach oben. Jetzt gehen wir mit dir, vielleicht schaffst du's noch rechtzeitig. Alles wieder in Ordnung?«

Raoul nickte, und wir setzten uns in Bewegung. Ich ging ganz selbstverständlich mit, denn ich hatte immer noch nicht verstanden, was hier eigentlich gespielt wurde.

»Hinter der Bar vorkommen?«, fragte ich, während wir eilig die Stufen hinunterhasteten.

»Der Clou, am Ende von Raouls Videobotschaft: Er springt höchstpersönlich aus den Kulissen und überreicht Denise eine Rose. Wo hast du die Rose, Raoul?«, wandte sich Brannigan an den Puertoricaner.

Der zeigte im Laufen wortlos auf die Brusttasche seines braunen Anzugs.

»Okay, wunderbar. Wir mussten uns etwas überlegen, Ihre Mutter und ich, wie wir Biggy überzeugen, verstehen Sie?« Brannigan warf mir einen kurzen Blick zu. »Deshalb der Auftakt mit Stan – offenbar hat er bei Biggy einen Stein im Brett und auch schon mit ihr über die Angelegenheit gesprochen.«

»Das ist von *mir*!«, stieß ich hervor. »Ich habe ihn schon mal gebeten, Biggy anzurufen, weil ich das wusste! Und jetzt kommen Sie und tun so, als hätten Sie das herausbekommen …«

»Machen wir hier einen Wettbewerb um die besten

Ideen zur Partnervermittlung? Wenn das so wichtig für Sie ist, dürfen Sie sich diesen Orden gern an die Brust heften – und Ihre Mutter um eine Gehaltserhöhung bitten!«

Es lag eindeutig Spott in seiner Stimme, und das machte mich wütend. »Ich arbeite nicht in der Partnervermittlung, und das will ich auch gar nicht!«, zischte ich. »Wenn Sie sich ernsthaft für Ihre Umwelt interessieren und das nicht immer nur *behaupten* würden, dann wüssten Sie das!«

»Ich weiß nur«, konterte er kühl, »dass Sie sich ganz schön reinknien ins Geschäft, aus welchen Gründen auch immer. Und dass Sie, ob Sie es wollten oder nicht, eine ganze Menge in Bewegung gesetzt haben.«

Was meinte er damit? Ich wurde unsicher, wollte aber weiter nach Haaren in der Suppe suchen.

»Aber sie wird sich überrumpelt fühlen, Biggy meine ich, und macht womöglich ganz dicht«, meckerte ich.

»Mit der Tür ins Haus zu fallen ist manchmal besser, als gar nichts zu tun«, sagte Brannigan. »Es ist ein Versuch, schlimmer wird's dadurch nicht werden, und das Fernsehen wird begeistert sein.«

»Aha«, bemerkte ich in spitzem Ton, »darum geht's!«

Brannigan warf mir einen finsteren Blick zu, konnte aber nicht mehr antworten, weil wir mittlerweile am hinteren Zugang zu der Bar angekommen waren. Wir quetschten uns zu dritt in einen schmalen Gang, der eigentlich nur breit genug war für einen Menschen und eine Kiste Bier. Durch die schmale Tür konnten wir einen Blick auf die atemlos lauschende Gesellschaft werfen, die immer noch dem Geschehen auf dem Fernsehschirm folgte.

»... deshalb, Denise, habe ich diesen Weg gewählt. Du ... und deine Familie habt jetzt einen Eindruck bekommen ...«, sagte Raouls entfernte Stimme aus dem Fernseher.

Der echte Raoul warf uns einen letzten, nervösen Blick zu. Brannigan flüsterte ihm ein paar Worte der Aufmunterung zu, und sein Schützling schob sich gebückt durch die schmale Tür nach draußen. Der Barkeeper trat unauffällig zur Seite.

»... hier auf dem Videoband. Aber so mit dir zu sprechen, reicht mir eigentlich nicht, Denise. Ich kann es gar nicht erwarten, dich endlich wieder direkt vor mir zu haben – und das passiert vielleicht früher, als du denkst.«

Das Bild auf dem Schirm erlosch plötzlich, das Licht in der Bar ging wieder an, und in dieser Sekunde trat der echte Raoul hinter dem Tresen hervor und eilte mit unsicheren Schritten auf Denise zu. Ein Raunen ging durch die Menge, als sie den Mann aus der Videobotschaft erkannten. Denise stieß einen kleinen Schrei aus, Biggy erhob sich halb aus ihrem Sessel, mit einem abwesenden Ausdruck im Gesicht, und dann war Raoul bei seiner Geliebten, und sie sanken sich in die Arme. Für einen winzigen Moment hielt alles den Atem an.

Dann brach Beifall los. Meine Mutter hüpfte strahlend in die Szene, Biggy hatte sich ganz erhoben und klatschte ergriffen, und das Leutberger-Team war schamlos nah herangekommen, um sich auch ja keine Regung der beiden Verliebten entgehen zu lassen.

Brannigan und ich hatten unsere Deckung noch nicht verlassen. Wir linsten beide durch den schmalen Türspalt, unbeachtet und versteckt; keiner von uns verspürte den Drang, sich sofort in den Trubel zu stürzen.

Gerade wurde ich mir der Tatsache bewusst, dass wir verdammt eng beieinanderstanden, als ich aus dem Augenwinkel eine Person die Bar betreten sah, deren Anwesenheit ich jetzt schon seit einer ganzen Weile erfolgreich verdrängt hatte: Jamie. Mein ungebetener Anwalt und Verehrer, der – vermutlich auf der Suche nach mir – jetzt die Bar gefunden hatte ...

Ohne auch nur einen Augenblick nachzudenken, trat ich zurück. Dabei rempelte ich Brannigan an, der so dicht hinter mir stand, dass sein Kinn in meinen Haaren landete.

»Autsch!«

»Entschuldigung!«

Aber Brannigan trat auch nicht wirklich zurück. Wir blieben beide einfach stehen, im Halbdunkel, als wüssten wir nicht mehr, wie man sich von der Stelle rührt.

»Was ist denn?«, fragte er dann. Seine Stimme klang ein wenig heiser. »Wer ist denn da draußen?«

»Jamie . . . äh mein – jemand, den ich jetzt nicht sehen will!«

»Ihr Freund? Warum wollen Sie ihn denn nicht sehen?« Er sprach leise, in einem seltsamen Ton.

»Nein! Aber den will ich auch nicht sehen! Ich meine, ich . . . nein, das ist nur . . .«

Ich redete weiter, irgendwas, sinnlose Worte, als würde ich dafür bezahlt. Es machte mich unendlich nervös, wie er da so dicht vor mir stand. Seine dunklen Augen wanderten über mein Gesicht, und ich bekam kaum noch Luft. Sehr deutlich spürte ich seine Hand, die nur Millimeter vor meiner Hüfte zu schweben schien.

»Aber ich weiß eigentlich nicht, warum ich nicht hineingehe«, flüsterte ich. »Jamie . . .«

Sein Gesicht war jetzt so dicht vor mir, dass es mir den Atem verschlug.

». . . sorgt dafür, dass Sie hierbleiben«, raunte er. »Wer auch immer das ist, dafür bin ich ihm dankbar.«

Mein Herz klopfte so wild, dass mein ganzer Körper zu vibrieren schien. »Wie meinen Sie das?«, wisperte ich. »Sie können mich doch nicht leiden . . .«

Ich spürte sein Lachen mehr, als dass ich es hörte. »Mache ich den Eindruck? Dass ich so schnell wie möglich hier weg will?«, flüsterte er, und dann war sein Mund auf meinem, und ich konnte es nicht fassen, dass ich ihn zurückküsste. Innerhalb eines Sekundenbruchteils war alles vergessen – Jamie, die Party da drinnen, die Zelle und eine Million Dollar -, als hätte all das nie existiert.

Das Einzige, das existierte, waren Max' Lippen und seine Haut und seine Hände, und ich dachte überhaupt nichts mehr... außer, dass mir gerade das Schönste widerfuhr, was ich jemals erlebt hatte.

Bis irgendjemand uns einen heftigen Stoß verpasste, sodass wir auseinandergerissen wurden. »Lassen Sie sie sofort los!«, schrie eine Stimme, und dann landete eine Faust in Max' Gesicht, und irgendetwas knirschte grässlich. Ich stieß vor Schreck einen richtigen Schrei aus, konnte aber so schnell nicht wirklich erkennen, was vor sich ging. Da waren Leute, und irgendjemand zog mich aus dem Gang heraus, obwohl ich mich blindlings wehrte. Neben mir schlugen zwei Männer aufeinander ein, und andere zerrten an ihnen, und ich wusste überhaupt nicht mehr, in welchem Film ich hier war.

Als ich wieder klar im Kopf war, bot sich mir folgendes Bild: Max neben mir wurde von einem Mann attackiert, von dem ich es am wenigsten erwartet hätte: von Jamie, meinem milchbärtigen Anwalt. Er versuchte wutschnaubend, sich auf Max zu stürzen, wurde aber einerseits vom Barkeeper und von Raoul zurückgehalten, die Jamie von hinten gepackt hatten, andererseits von Max selbst, der ihn mit ausgestrecktem Arm am Kragen und so auf Abstand hielt. Die andere Hand hielt Max an sein Kinn, wo offensichtlich ein Schlag von Jamie gelandet war. Sein dunkles Haar hing ihm ins Gesicht, und seine Augen blitzten. Max wirkte sehr sauer und sehr sexy.

Irgendwie waren wir alle mitten in der Bar gelandet, um uns herum die bleichen, neugierigen Gesichter der Partygäste, Peter mit der geschulterten Kamera, dazwischen meine Mutter. Es hatte ihr offensichtlich die Sprache verschlagen, denn sie sah nur mit großen Augen hin und her und konnte sich scheinbar keinen Reim auf die Situation machen.

Ich auch nicht. Wie war das passiert? Oh Gott, wir hatten uns geküsst, und dann war Jamie dazwischengegangen und ... wer hielt *mich* da eigentlich, mit festem Griff um die Taille, als würde ich gleich ohnmächtig?

Es war Denise, meine fürsorgliche Freundin. Ihr Gesicht leuchtete glücklich, und ich hoffte, es war nicht wegen der Schlägerei vor ihr.

»Oh, sie schlagen sich um dich«, flüsterte sie begeistert, aber es klang nicht neidisch. Wäre ja noch schöner gewesen, wo sie doch gerade ihr Herzblatt zurückbekommen hatte. Allerdings konnte ich bei mir selbst keine Begeisterung entdecken.

»Sie Schwein«, schnaufte Jamie in diesem Moment und stierte Max böse an. »Wollten Sie zu der Liste Ihrer Vergehen auch noch sexuelle Belästigung hinzufügen?!«

»Jamie – das ist ein völliges ...«, rief ich, doch Max achtete nicht auf meinen Einwand.

»Wenn mich nicht alles täuscht, habe ich Ihr dämliches Aristokratengesicht schon mal irgendwo gesehen – und zwar im Aufzug der Fifth Avenue auf dem Weg in den siebzehnten Stock! Sie müssen dieser idiotische Anwalt sein, der ...«

»Sehr wohl«, schnaubte Jamie, »ich bin Miss Tessners idiotischer Anwalt, und als solcher warne ich Sie davor, sich meiner Mandantin unsittlich zu nähern und ...«

»Jamie! Was soll das?«, rief ich dazwischen, doch die Kampfhähne achteten zu meinem Ärger überhaupt nicht auf mich.

»... setze Sie außerdem davon in Kenntnis, dass es seit gestern einen Haftbefehl gegen Sie gibt! Der District Court New York hat gestern verfügt, dass Sie den Bundesstaat bis zur Anhörung vor der Grand Jury nicht verlassen dürfen!«

»Was . . .?«

»Wie bitte?« Max' Augen sprühten Funken. »Wiederholen Sie das nochmal, Sie gottverdammter . . .«

Jamie richtete sich zu voller Höhe auf; seine Stimme war ein wenig zu aufgeregt, ansonsten hatte er schon etwas von einem coolen Upperclass-Anwalt. »Gerne! Sie werden *eingelocht*, Mr. Brannigan, sobald Sie wieder amerikanischen Boden betreten! Ist das deutlich genug? Gegen Sie läuft eine Klage wegen Freiheitsberaubung, und der haben Sie sich entzogen!« Anklagend wies er mit dem Finger auf Max, als stünde er schon vor einem Hohen Gericht. »Und natürlich kommt die zweite Klage wegen Schadensersatz und Schmerzensgeld hinzu, Mr. Brannigan. Ich hoffe, Ihre Firma läuft gut genug, denn die Geschichte wird Sie ein bis zwei Millionen kosten – bei einem *gnädig* gestimmten Gericht!«

Genau wie die anderen Deutschen im Raum hatte ich Jamies schwungvolle Ansprache nicht komplett verstanden, sonst hätte ich mich womöglich mit einem Aufschrei auf ihn gestürzt, um ihm den Mund zuzuhalten. So aber war ich viel zu langsam, um Max noch zuvorzukommen.

Der riss sich vom Barkeeper los, der ihn mittlerweile gepackt hatte – wohl weil er Max für den Gefährlicheren hielt. Doch er ging Jamie nicht an die Gurgel, sondern trat nur einen Schritt auf ihn zu. Er hatte seine Stimme gesenkt und fragte in kaltem Ton: »Weiß sie davon?« Als Jamie nicht sofort begriff, setzte er nach: »Ist dieses Vorgehen mit N . . . Miss Tessner abgesprochen?«

»Nein!« Niemand hörte auf mich, und ich wurde immer wütender.

»Sie ist meine Mandantin, was denken Sie?!«, konterte Jamie. »Und ganz abgesehen davon ist sie noch etwas, Mr. Brannigan: Sie ist die Frau, die ich liebe! Also lassen Sie die Finger von ihr, denn – Gott ist mein Zeuge – wenn ich Sie noch einmal . . .«

Mir wich alles Blut aus dem Gesicht, mein Mund stand offen. Dass er so etwas in aller Öffentlichkeit sagen würde, hätte ich mir in meinem schlimmsten Albtraum nicht ausgemalt. Denise hinter mir sog überrascht die Luft ein, und meine Mutter machte eine ziemlich verwirrte Miene.

Max aber warf mir nur einen kühlen Blick zu. »So ist das also ...«, sagte er leise. An seinem Hals pochte eine Ader, und es war nicht zu übersehen, dass er sich nur mühsam beherrschte.

»Nein, so ist das überhaupt nicht ...!«

Aber bevor ich die Sache aufklären und Jamie zur Rede stellen konnte, mischte sich meine Mutter ein – im allerfalschesten Moment.

Sie stemmte die Arme in die Hüften und sagte mit lauter Stimme: »Jetzt bitte ich aber um Aufklärung, meine Herren! Wie kommen Sie dazu, Mr. Glitz, sich in meine Tochter zu verlieben? Und was soll das heißen, Max, sexuelle Belästigung?! Was haben Sie mit ihr gemacht?«

»Gar nichts hat ...«

»Er hat sie auf eine Art und Weise *geküsst*, die ...!«, rief Jamie erregt.

Max' Stimme übertönte die anderen. »Es war ein Ausrutscher«, knurrte er, »eine unachtsame Sekunde. Glaub mir, Eliane, ich bereue es zutiefst. Wie konnte ich nur einen Moment lang denken ... eine Frau, die nichts anderes im Kopf hat, als mir das Leben schwer zu machen!«

Er sah mich nicht an, sondern drehte sich mit verächtlichem Gesichtsausdruck um, und da endlich platzte mir der Kragen.

»Jetzt reicht's aber wirklich!«, schrie ich. »Haben denn alle den Verstand verloren?! Max – *Mr. Brannigan*, okay! – drehen Sie mir gefälligst nicht so den Rücken zu! Ich habe nicht gewusst, dass Jamie ... dass er solche Gefühle hat! Ich habe auch von diesen ganzen Klagen nichts gewusst, zumindest nicht von dieser letzten – und die andere hatten wir noch gar nicht besprochen! An dem Geld war ich nie wirklich interessiert, ich hatte überlegt, ihn zurückzupfeifen, ich kam nur nicht dazu, weil Raoul plötzlich auftauchte und ...«

Max hatte sich wieder umgedreht. Er stand jetzt ein paar Schritte entfernt am Bartresen, mir gegenüber, alle anderen standen im Halbkreis um uns herum, als führten wir irgendein absurdes Theaterstück auf.

»Miss Tessner, geben Sie sich keine Mühe. Von Anfang an haben Sie alles daran gesetzt, mich anzuschwärzen, sich mit mir zu streiten, mir Anwälte auf den Hals zu hetzen. Es gab einzelne Momente, wo ich dachte, Sie wären vielleicht doch etwas anderes als eine schlecht gelaunte Tochter, die irgendeinen Auftrag ihrer Mutter unwillig abarbeitet und die Schuld für alle Schwierigkeiten auf andere schiebt ...«

»Verdammt nochmal, so *bin* ich auch nicht!« Ich funkelte ihn an. Hinter seiner Schulter bemerkte ich das rote Auge der Kamera, direkt auf mein Gesicht gerichtet, aber im Moment war mir das vollkommen egal. »Ich habe ... ich habe mein Bestes gegeben, ich hab mir den Arsch aufgerissen, und ich hab zwischendurch sogar mal gedacht ... es wäre gut, sich um Leute zu kümmern, die ... die ihre Liebe alleine nicht finden, Leute wie Denise und Biggy und Greg und was weiß ich wen noch alles – weil es nämlich gar nicht einfach ist mit der Liebe ...«

Max winkte mit kühlem Gesichtsausdruck ab. »Versuchen Sie es doch nicht mit der Masche, Miss Tessner. Sie haben ...«

»Nennen Sie mich nicht *Miss Tessner*!«

»... einen Anwalt gebraucht, der Ihre absurden Anklagen für Sie durchpeitscht, und ihm zu diesem Zweck vermutlich falsche Gefühle vorgegaukelt ...«

»Sie sind Fachmann, nicht wahr?«, fragte ich, während ich verzweifelt versuchte, Kontrolle über mich zu bewahren. »Sie behaupten also, falsche Gefühle von echten unterscheiden zu können?! Weil das Ihr Job ist oder weil Sie einfach das richtige Gespür haben?! Dann sagen Sie mir, Mr. Brannigan ... was *das eben war*!« Ich nahm all meinen Mut zusammen und trat ganz nahe an ihn heran. Es herrschte gespannte Stille, alle hielten den Atem an. Max wich mir nicht aus, er sah mir in die Augen und ich ihm, und ich wiederholte leise, aber mit fester Stimme: »Sag mir, was eben passiert ist zwischen uns ...«

Und es passierte wieder. Irgendetwas packte uns, ihn und mich, und riss uns mit, und wir sahen und hörten nichts mehr außer uns beiden ... Irgendwo applaudierte jemand, und ein anderer stöhnte auf. Stimmengewirr setzte ein und entfernte sich von uns, als wollten uns die Leute nicht länger stören. Irgendwo war das leise Sirren einer Kamera zu hören, aber dann sagte eine Stimme: »Komm weg, es reicht«, und danach war es still um Max und mich. Wir küssten uns, lange und ausdauernd, im warmen Halbdunkel der schummrigen Bar, und ich kam mir vor, als hätte ich gerade das wundervollste Geschenk meines Lebens bekommen.

»Jetzt weißt du, wie ich mit Leuten umgehe, die ich nicht leiden kann«, flüsterte er in einer Atempause in mein Haar.

»Ich wusste von der ersten Sekunde an, dass du verrückt bist«, flüsterte ich zurück. »Verrückt und gefährlich.«

Max lachte lautlos, während er mich ansah. »Was unter Umständen passt zu einer Frau, die kleinen Kindern Süßigkeiten stiehlt und mit Kaffeemaschinen spricht, oder?!«

Ich lächelte ihn an. Er hatte so wundervolle Augen.

»Du hast mich von Anfang an um den Verstand gebracht«, sagte er, ohne mich loszulassen. »Du bist so schön, wenn du wütend bist, und du warst eigentlich die ganze Zeit wütend. Ich konnte nicht aufhören, an dich zu denken, ich habe immer wieder versucht, mich dir zu nähern, aber immer kam etwas dazwischen ...«

»Im Taxi, nach Edna und Joe ...«, erwiderte ich, »beinahe wäre es da schon passiert.«

Und wir küssten uns wieder, und wir hielten uns ganz fest, ohne irgendetwas von der Außenwelt zu hören oder zu sehen.

»Das machst du nur, weil du eine Million Dollar sparen willst«, murmelte ich irgendwann.

Er lachte leise, während er mich weiter küsste. »Du kannst sie haben, wenn du willst, aber ich weiß etwas viel Besseres ...«

Tegel Reloaded

»Und sag ihnen, dass sie den Koffer nicht so rumschmei-
ßen sollen, sonst läuft dir noch die ganze Soße in die Klei-
der! Ich weiß, ich weiß, Schätzchen – aber man kann's ja
mal versuchen! Und vergiss nicht, mir Fotos zu mailen
von der ganzen Familie – ich bin zwar sonst nicht neugierig, aber in diesem Fall ...!«

»Mama – ich versuch's, okay? Aber das mit der Roten
Grütze war eine blöde Idee, ehrlich! Ich werde hundert
Euro für Übergepäck bezahlen müssen, der Koffer wiegt
eine Tonne! Die werden ihn gar nicht erst hochkriegen, um
ihn zu schmeißen ...«

Ich stand mit meiner Mutter vor dem Abfertigungs-
schalter und versuchte schon seit zehn Minuten, mich zu
verabschieden. Was einerseits daran scheiterte, dass sie
immer wieder neue Tipps und Anregungen für mich hatte,
andererseits an der Tatsache, dass sie zwischendurch ganz
schamlos mit einem distinguierten Herrn flirtete, der hinter mir in der Warteschlange stand. So etwas sah ihr gar
nicht ähnlich, meiner geschäftigen, überkorrekten Mutter,
aber sie wurde tatsächlich ein bisschen rot, als ich den
Blickwechsel zwischen den beiden bemerkte. Hastig redete sie weiter – über meine Reise, meine Arbeit im Büro in
der Fifth Avenue oder die Thanksgiving-Feier bei Max' Familie, zu der ich eingeladen war.

Soweit war es tatsächlich gekommen – ich flog nach
New York, um zwei Wochen bei Max zu verbringen, und
er hatte unbedingt gewollt, dass ich zur größten Familien-

feier kam, die die Amis überhaupt hatten. Mir war ganz schön mulmig zumute. Es war etwas anderes gewesen, ihn hier in Berlin zu haben, wir beide ganz allein... Nach dem turbulenten Abend in der Bristol-Bar hatten wir ganze sechs Tage miteinander gehabt – aufregende und wunderschöne Tage –, aber das hier war ein neuer Schritt, der über Schmetterlinge im Bauch, Leidenschaft und verliebtes Geturtel hinausging. Ich hatte einfach Schiss.

Meine Mutter hatte allerdings verkündet, dass wir wunderbar zusammenpassten, und sie musste es ja wissen. (Ich hatte den Verdacht, dass sie Folien für uns gemalt hatte.) Daher hatte sie die Idee von einem gemeinsamen Thanksgiving immer befürwortet und darauf bestanden, mir den Nachtisch für das Essen mitzugeben: drei Kilo Rote Grütze mit zwei Liter Vanillesauce, die jetzt meinen Koffer bleischwer machten und von denen ich gar nicht wusste, ob ich sie überhaupt würde einführen dürfen. Na ja, wenn ich Schwierigkeiten bekam, würde ich einfach nach Chief Mahoney schreien – ich hatte schließlich noch was gut bei ihm. Meine Mutter hatte bereits länger mit Max' Bruder und seiner Schwägerin telefoniert und dabei auch das Berliner Dessert angekündigt; es sollte bei der Familie für mich punkten und mich außerdem moralisch aufbauen, wenn ich zwischen all den Fremden die Krise kriegte...

Meine Krise hatte ich allerdings schon vorher gehabt. Nachdem die Trennung von Sven über die Bühne war (ich hatte den Eindruck, Sven ärgerte sich am meisten darüber, dass er die Miete für die Wohnung jetzt erstmal alleine zahlen musste) und Max wieder abgereist war, da war sie gekommen, meine Krise – hinterhältig und verzögert wie ein Zeckenvirus. Ich hatte mein ganzes bisheriges Leben infrage gestellt... und irgendwann beschlossen, es einfach umzukrempeln. Ich würde noch bis nach dem Weihnachtsgeschäft in der Buchhandlung arbeiten und dann ein halbes Jahr – probeweise – *Matches Worldwide* in New York leiten (das nach der Fusion der Agenturen eng mit Mr. Right verbunden war).

Noch vor sechs Wochen eine völlig absurde und irre Vorstellung für mich ... aber manchmal kommt es eben anders. (Schubert würde mich gerne gehen lassen, weil er nämlich eine nette Frau kennengelernt hatte, die ebenso in Bücher vernarrt war wie er und die im Januar in die Buchhandlung einsteigen würde. Mir war die Kinnlade heruntergefallen, als er mir gestand, dass meine Mutter ihn als »pro bono«-Fall unter ihre Fittiche genommen hatte – noch während ich dabei war, meine Koffer für die *erste* New York-Reise zu packen! Da war mir einiges klargeworden.)

»... und den Pantoffel, hast du den eingepackt?!«, fragte meine Mutter gerade. »Das ist so ein schönes Symbol, das wäre ja zu schade, wenn Denise den nicht kriegen würde ...« Sie tat so, als würde sie ganz zufällig nach hinten blicken, und klimperte mit den Wimpern.

Ich verdrehte die Augen. »Hab ich – Biggy hat schon mindestens dreimal deswegen nachgefragt, und ihren Klopfer für Stan hab ich auch.« Biggy würde erst zu Weihnachten in die Staaten fahren, deshalb musste ich die Geschenke für ihre Lieben mitschleppen – was mir im Falle des gusseisernen Türklopfers Schwierigkeiten mit der Security einbringen konnte, denn das Ding war eher eine gefährliche Waffe als irgendwas anderes. Aber Stan würde ihn lieben, das war mal sicher. Der hässliche Riesenpantoffel zum Aufhängen, in denen eine Reihe normal großer Latschen steckte, sollte eine Art endgültiges Versöhnungsgeschenk für Biggys Tochter sein, die zur Zeit mit Raoul zusammen nach einem kleinen Häuschen in Queens suchte. Denise war wild entschlossen, sich als amerikanische Ehefrau niederzulassen und hatte sogar schon damit begonnen, sich nach einer Stelle als Erzieherin umzusehen. Ihr Englisch mache bereits rasante Fortschritte, hatte mir Brooke am Telefon berichtet, die die beiden des Öfteren bei Raf und Brenda traf.

Apropos Brooke: Einen neuen Computer hatte ich Gott sei Dank nicht auch noch im Gepäck; den würde ich kaufen, sobald ich angekommen war. Ich hatte ganze zwei Tage Zeit, Brooke und das Büro auf Vordermann zu bringen, bevor die Leutberger auf der Matte stehen würde. Die war wegen eines anderen Projekts in New York und wollte einen kurzen Nachtrag über *Matches* drehen, weil sich doch so viel verändert hatte. Was das anging, war ich gelassen. Der Film war zum größten Teil fertig und laut meiner Mutter auch ganz positiv im Tenor, also konnte mir nicht mehr allzu viel passieren.

»Ach, und ...«, sagte meine Mutter und lächelte nach hinten. »Ähm, die ...«

»Mama! Das ist ja peinlich!«, raunte ich ihr zu. »Pass mal auf, wir machen das anders.« Ohne hinzusehen, fischte ich eine Karte aus meiner Handtasche und zog meine Mutter unmerklich ein Stück näher zu dem graumelierten Herrn hin. Jetzt war er so nah, dass er jedes einzelne Wort verstehen konnte.

»Also, Eliane«, sagte ich mit klarer Stimme, »willst du dich nicht doch nach einer neuen Beziehung umsehen?! Man muss auch mal aus seinem Trott herauskommen, mit offenen Augen durch die Welt gehen und manchmal sogar etwas Ungewöhnliches wagen – vielleicht mit einer Partneragentur, wie zum Beispiel mit dieser hier; sie ist besonders renommiert ...«, ich reichte ihr die Visitenkarte von *Matches*, »... oder vielleicht auch ohne, wenn es sich gerade so ergibt!«

»Aber wie meinst du ... was ...?«, stotterte meine Mutter, während sie, ein wenig verlegen, ihre eigene Karte betrachtete.

»Ich meine«, antwortete ich weise, »dass du etwas unternehmen kannst, um dich glücklich zu machen.«

Jutta Profijt im <u>dtv</u>

Kühlfach 4
Roman
ISBN 978-3-423-**21129**-1
ISBN eBook 978-3-423-**40122**-7

Das Leben des Rechtsmediziners Dr. Martin Gänsewein gerät völlig aus den Fugen, als ihm eines Tages die Seele von Autoschieber Pascha sein Leid klagt. Pascha behauptet nämlich, ermordet worden zu sein, und Martin soll ihm helfen, die Wahrheit ans Licht zu bringen. Eine verrückte Mörderjagd beginnt. »Nur zwei Worte: Zum Totlachen!« (Für Sie)

Im Kühlfach nebenan
Roman
ISBN 978-3-423-**21185**-7

Zu seiner Freude hat Pascha geistliche Gesellschaft von Ordensschwester Marlene erhalten, die bei einem mysteriösen Klosterbrand ums Leben kam. Er weiß sofort: Da ist was faul! Dr. Gänsewein ist noch angeschlagen vom letzten Abenteuer, doch Pascha stürzt sich schon Hals über Kopf in die Ermittlungen und in Gefahr…

Bitte besuchen Sie uns im Internet: www.dtv.de

Charlotte Sandmann im dtv

Spannende Unterhaltung vor historischem Hintergrund:
Charlotte Sandmann erzählt von starken Frauen,
die gegen alle Widerstände ihren Weg gehen.

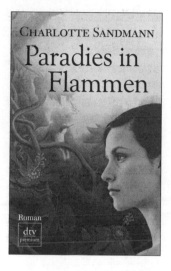

Kalte Zärtlichkeit
Roman · dtv premium
ISBN 978-3-423-24699-6

Henriette Dalbeck, Tochter
eines reichen Münchner Kauf-
manns, ist fasziniert vom Arzt
Aaron Nicolai, vor dem die
halbe Stadt warnt: er sei kalt
und bettelarm, gewiss kein
Mann zum Heiraten. Doch
Henriette schlägt alle Warnun-
gen in den Wind. Und als im
heißen Sommer 1854 in München die Cholera ausbricht,
steht Aaron plötzlich an vor-
derster Front im Kampf um
das Leben Tausender ...

Paradies in Flammen
Roman · dtv premium
ISBN 978-3-423-24728-3

Hamburg, 1883. Helena steht
vor einer schwerwiegenden
Entscheidung: Soll sie wirklich einen Mann heiraten, den
sie noch nie gesehen hat, und
ihr Leben im fernen Java verbringen? Es scheint die einzige Möglichkeit, ihren Vater
vor dem Bankrott zu retten.
Doch die junge Frau ahnt
nicht, welche Folgen ihr
Entschluss haben wird ...

Bitte besuchen Sie uns im Internet: www.dtv.de